Suzan Mercedes

LA PERSISTANCE DU DESTIN

Éditions du Grand Ruisseau

Ce livre est une œuvre de fiction et de réflexion. Les personnages, les dialogues et les situations sont issus de l'imagination et de l'expérience clinique de l'auteure. Même si les noms de quelques lieux et événements historiques sont évoqués, toute ressemblance avec des personnes existantes ne serait que pure coïncidence.

Conception graphique de la page couverture :
Rodolphe Charpentier – http://www.projectwow.info/
Don d'encouragement de R. Charpentier à la nouvelle maison d'édition

Peinture : Andreas Kovelinas www.kovelinas.com
Mise en page : François Messier – http://francoismessier.com/

Éditeur : Éditions du Grand Ruisseau
1355, ch. du Grand-Ruisseau
Saint-Sauveur-des-Monts
Québec, Canada J0R 1R1

Téléphone : 514-247-3127
Site Web : www.editionsdugrandruisseau.ca

Catalogage avant publication de Bibliothèque et Archives nationales du Québec et Bibliothèque et Archives Canada

Mercedes, Suzan, 1951-
La persistance du destin
ISBN 978-2-9813764-0-4
I. Titre.

PS8626.E722P47 2013 C843'.6 C2013-940657-3
PS9626.E722P47 2013

Imprimé par Marquis Imprimeur Inc.
Montmagny, QC en juin 2013

À Serge,
mon Amour d'aujourd'hui,
auprès de qui l'impermanence
prend un parfum d'éternité !

« La mesure de l'amour
est d'aimer sans mesure »
Saint-Augustin

La destinée insuffle ses parfums de mystères parfois grâce à des vents tranquilles, à peine perceptibles, parfois par des bourrasques ou des ouragans dévastateurs. À travers l'aventure de Maude et de ses amis Nathalie, Samuel et Carlos, je vous invite, chers lecteurs, à poser la question fondamentale de l'existence de vies antérieures. Loin d'être anodine, car soutenue par des milliards de gens de toutes religions ou croyances, cette notion culturelle perdure.

Comment le fait de se positionner sur ce sujet est-il essentiel au cours de notre périple actuel ? Vies antérieures implique vies ultérieures, mais essentiellement vies intérieures. Croyons-nous être libres de nos décisions, de nos attirances, de nos missions ? Pas si certain que cela. Tant que nous n'avons pas débusqué, écouté, démystifié la ou les voix qui se profilent en soi, ces guides invisibles demeurent, omnipotents.

Ce livre propose une excursion dans deux mondes, jamais très éloignés l'un de l'autre, car toujours imbriqués l'un dans l'autre. Vous devrez louvoyer de l'un à l'autre. Le monde le plus apparent est celui de l'action extérieure, celui de l'aventure incarnée ; c'est la pointe de l'iceberg. Plus profond s'immisce celui de l'univers songé sur lequel plus d'un rêveur s'est échoué.

Quel est le sens de la Vie ? Qu'est-ce que le bonheur ? Comme pour chacun d'entre nous, les personnages de ce roman rencontreront leur défi, celui d'évoluer par le biais des circonstances. Si certains s'y glissent comme un poisson dans l'eau, d'autres s'y opposent, ou ne comprendront que trop tard.

Nous vivons dans une ère de rapidité des résultats ; une époque où la tendance au dévoilement est une constante, une disposition énergétique avec laquelle il faudra cheminer à l'avenir. Peu de secrets demeurent cachés ; les plans les plus magnifiques comme les plus scabreux sont dévoilés par des observateurs maintenant sans frontières. Il est évident que cet état de fait commande une intégrité sans passe-droits.

Une allégorie populaire a décrété qu'au plus profond de soi est enfouie la sagesse. N'est-il pas temps, lorsque s'élèvent les passions déchirantes des peuples dans des débats et des rixes menaçant ou annihilant la paix sociale, de vérifier si une destinée plus heureuse se trouve à notre portée ?

PROLOGUE

Californie, É.-U. 1993

Assises en indien autour de l'animateur, douze personnes, dont Maude et Nathalie, prennent des notes. Parmi les apprentis, Nicole, une Américaine aux cheveux blond cendré âgée de la cinquantaine, est étendue sur un matelas au sol. Elle attend d'être conduite en état de transe grâce aux images intérieures qui se présenteront sous forme de rêve éveillé dirigé. Nicole partage à ses observateurs qu'elle est perturbée par un sentiment d'être trop dynamique, trop yang, trop dans l'action. Répondant aux besoins de son entourage et prenant peu soin des siens, elle sait qu'elle ne baigne pas dans une attitude d'ouverture à un homme qu'elle espérerait pourtant accueillir dans son intimité.

Le thérapeute indique au groupe que, selon le psychologue américain Morris Netherton, auteur du livre *Past Life Therapy* et concepteur moderne de la thérapie par les vies antérieures, l'ensemble des peurs serait lié à la peur de la mort. Cela est engendré par notre nature animale, explique-t-il. En effet, ancrés dans nos gènes, sont inscrits les comportements réflexes nécessaires à l'évitement de la mort. Par exemple, la femelle ayant mis bas mange le placenta pour ne pas laisser de traces ; rapidement, le jeune animal est poussé à se lever et à courir parmi les plus âgés qui lui apprennent comment demeurer au sein du groupe et protéger sa vulnérabilité. Happée par un prédateur, la bête lâche prise pour le maintien de l'équilibre des espèces. Nicole enterre-t-elle la peur d'être une victime sous son agitation continuelle ?

Lors d'une imagerie corporelle, les manques d'amour surgissent à travers des scénarios de personnages campés dans des époques et des décors distincts. Ces images issues de notre bagage imaginaire ont pour fonction de nous aider à résoudre nos difficultés présentes. Par exemple, dans leur crainte perpétuelle de solitude, de faim, ou de quelconques catastrophes, certaines personnes pourraient revivre en imagerie des scènes de gens ou d'animaux décédés faute d'avoir bénéficié du soutien d'un clan, d'avoir souffert de famine, ou d'avoir été coincés dans des endroits étroits, illustre l'animateur. Les gens souffrant de fibromyalgie entrent typiquement dans des scénarios de gens prisonniers d'une situation meurtrière et refusant de tomber. Pour eux, l'idée de s'arrêter et de se reposer équivaut à un arrêt de mort ! Alors le corps poursuit sans cesse sa fuite en avant.

Ces images de « vies antérieures » ont précédé la présente incarnation dans le temps, mais font-elles partie inhérente de la personnalité ? Ou apparaissent-elles en fonction du défi actuel ? Ici, les participants à l'atelier ne prennent pas position, ils sont simplement témoins de l'utilisation de la technique thérapeutique dont l'objectif est d'alléger des problématiques récurrentes.

La préoccupation de Nicole concerne sa déception de ne pas avoir rencontré de compagnon amoureux ces dernières années. Il lui semble que les hommes sont d'abord attirés vers elle, pour s'en éloigner rapidement. Que provoque-t-elle inconsciemment qui repousse les prétendants et saborde la rencontre ? Comment augmenter sa confiance en elle ?

À la question de l'intervenant lui demandant comment serait son attitude si elle était plus réceptive, plus yin, elle répond qu'elle serait moins conformiste, moins rigide, qu'elle aurait moins de jugements sur l'autre, qu'elle aurait moins peur des hommes. L'animateur lui offre alors de ressentir dans son corps, grâce à un modelage par imagerie, le vécu d'une femme dont la féminité incite les hommes à la conquête. Question d'apprivoiser les côtés positifs de cette attitude, car l'aspect soumis de la proposition frappe la censure de Nicole, occasionnant l'évitement. De ressentir le plaisir sans condamnation sera la suggestion qu'il fera à la conscience de la voyageuse lorsque son imaginaire arrivera au sommet de l'état de transe. Alors, le thérapeute la guidera dans un trajet lui permettant d'emprunter temporairement le vécu d'une autre personne, dans un autre lieu, dans une autre époque.

Nicole laisse son intuition la guider. Elle entre dans la sensibilité des pieds d'une femme dans la trentaine, déambulant sur le bord d'une piscine. Sous son épiderme plantaire, le carrelage est chauffé par les rayons solaires d'un début d'après-midi. Son corps est moulé dans un costume de bain cintré. Elle a des cheveux lissés, garnis d'une fleur exotique, rouge passion. Comme un personnage de film des années '30, elle s'assoit sur une chaise longue et sirote une consommation. Elle attend la venue d'un homme, rêvassant les tourbillons de leurs corps emmêlés sous une eau enveloppante.

Je suis Joséphine Baker, dit-elle. Nicole raconte que cette femme adopte une pose lascive en songeant à la façon la plus séduisante d'accueillir son homme. *Je suis consciente de jouer avec mes yeux afin de lui faire ressentir d'un regard admiratif qu'il est unique au monde. Elle a le sentiment d'être belle*, ressent clairement la voyageuse du temps. *En tant que femme sous influence de désirs, il lui importera d'afficher un sourire non équivoque quant à sa convoitise. Mon attitude visera à lui faire comprendre qu'il est lui, séduisant. Mon prétendant chatoiera de l'aura devant un accueil aussi invitant!*

Nicole perçoit l'assurance de son pouvoir de séduction. *C'est simple et facile*, ressent notre apprentie enjôleuse. *Il faut ajouter à cette assurance, le côté... pas fragile*, dit Nicole qui cherche le mot juste décrivant le senti de cette femme... *vulnérable... qui donne envie à l'homme d'être présent et lui offrir sa protection. Ouf*, remarque Nicole, *je démontre tellement de suffisance qu'aucun homme ne croirait en ma vulnérabilité !*

Joséphine dégage un côté sensuel, poursuit-elle, *son corps frémit de l'attrait concupiscent. Les moindres pores de sa peau attisent l'élu de son cœur*. Est-ce agréable ? interroge le psychothérapeute favorisant l'ancrage de ce sentiment dans le corps de Nicole. *Oui ! Très agréable !* répond-elle. *La sensation n'est pas que dans le sexe, le corps entier participe à ce mouvement de séduction !* constate Nicole qui perd passagèrement sa rigidité imposante d'adulte sérieuse et trouve une solution charnelle à sa peur mentale de l'échec et du jugement.

En fin d'imagerie hypnotique, la touriste intemporelle sent que Joséphine s'est simplement endormie dans un coma profond. *À son dernier souffle, ses pensées convergent vers un esprit de gratitude pour les talents dont elle a profité.* Sortant de son corps par le cœur et observant la scène d'au-dessus, elle constate que l'objectif de son incarnation aura été de faire l'expérience de la vie comme un jeu. *J'ai aimé séduire, j'ai aimé l'amour, j'ai aimé mes charmes, j'ai aimé chanter, danser et j'ai joui de cela. Je n'ai pas eu peur d'aller vers les hommes. J'ai bénéficié d'une fontaine de plaisirs et de séduction. Je suis fière que ma popularité ait servi à mon engagement social pour la libération de l'oppression.* Selon sa perception de l'actrice morte dans sa maturité, il y avait cependant un regret, celui qu'elle aurait aimé être aimée d'un homme qui aurait embarqué jusqu'au bout dans son projet d'adoption de ses douze enfants de nationalités différentes.

Voilà. Maintenant, Nicole comprend dans son corps, dans ses cellules, autrement que dans sa tête, ce en quoi consiste la séduction ; le charme, l'attitude admirative, l'ouverture qu'elle doit montrer, comme un chemin vers la personne qu'elle désire laisser entrer en elle. Le sillon est tracé. Elle comprend également qu'il importe d'attendre la rencontre d'un homme de cœur avant de s'engager. Un compagnon de route qui serait en harmonie avec ses valeurs, propulsant son élan vital vers un épanouissement intégral. Il ne tient qu'à elle d'agiter ses neurones miroirs pour devenir au fond d'elle la Joséphine à qui aucun homme de son choix ne saura résister.

1
DANS LE VENTRE DE L'AMÉRIQUE

Caroline, 1738

Ils sont une douzaine, placés en cercle, dos à dos, élevés sur un haut tréteau de bois. Les ravisseurs blancs les ont au moins arrosés d'eau fraîche en arrivant de leur long périple en mer. Ils les ont vêtus de pagnes décents. Les mains liées dans leur dos, pieds nus, désarmés, dodelinant, de grands yeux bruns sont ouverts chez certains, exprimant la peur de l'inconnu ; tandis que la colère chez les autres plisse les paupières pour cacher la méfiance, les sentiments de haine ou les espoirs de rébellion. Ces hommes effarouchés sont maintenant à la vue de ce qui semble être des marchands, car ces gens les scrutent avec intensité, tâtant sans gêne la chair sensible de leurs muscles endoloris.

Au zénith de la journée, sous un soleil plombant le sol de sa force imposante, les citoyens venus sur place ont faim ; c'est le seul point commun avec le nouvel arrivage. Léthargiques, ces villageois se plaignent de la chaleur, mais ils sont pourtant là, autour de la scène improvisée pour les enchères. Plusieurs pour la curiosité, quelques-uns par affaires. D'autres enfin saisissent cette occasion pour opérer le salut de l'âme de ces païens, psalmodiant des prières et jetant des regards furtifs sur ce cirque, mine de rien.

À deux cents pieds du centre de la place publique, des maisons construites en planches équarries les encadrent. Un grand espace d'accès entre deux bâtiments riverains laisse entrevoir la danse des vagues se brisant sur les quais. L'immensité marine fomente chez les prisonniers une attirance au-delà des mots, car la mer ne connaît pas les frontières tracées par les hommes. Cette vaste étendue d'eau est le lien fluide qui les unit à leur univers passé.

Épuisés, ceux-là qui ont réussi la traversée se sentent échoués dans un univers très étrange. Ils se sentent perdus, esseulés, sans repère tangible. Si loin sont ces hommes de leur fierté, si loin de leurs possessions. L'extension de leur âme déroutée recherche dans ce nouveau décor un détail, un trait de visage, un muret, des plantes, qui les rassureraient. Rien ne leur est familier. Virant la tête, ils réussissent à peine à entrevoir la bordure ensablée de la plage locale, coupée par des trottoirs en planches rectilignes. De l'autre côté de l'océan, le clan, les pirogues et les champs laissés vacants par leur départ subit. Des habitudes séculaires, les couleurs ocre et verdoyantes de leur savane, des odeurs familières, des lieux sécuritaires évacués auxquels ils ne peuvent plus s'accrocher pour donner un sens à leur présence en ces contrées agitées.

Encordés comme du bétail, ils sont examinés par des inconnus, des pieds à la tête. Ce qui semble être une femme, car malgré les nombreux tissus qui la recouvrent, elle a les formes d'une femme, cette maigre silhouette fantomatique s'approche de l'un d'eux. *Avec sa bouche si mince et le nez trop long, elle fait penser à une femme vautour*, se dit Taopé. Il a dédain d'elle. Ses yeux petits comme des graines d'ôkola semblent désirer le posséder, dénote-t-il avec dégoût. Il les voit fixer avec insistance son pagne dans l'espoir de voir le vent soulever le coin du tissu de façon à vérifier l'apparence de son membre viril. Elle ne regarde pas le captif dans les yeux, non. D'ailleurs, pas un seul homme blanc ne le fait non plus. Seules la rondeur de leurs muscles et la solidité de leurs dents sont discutées et monnayées par cette bande d'oiseaux de proie, piaillant dans une langue inconnue et indéchiffrable. Cette femme va de pair avec ses semblables, constate-t-il. Il n'y a aucune trace de bonté dans ces regards, aucune compassion, que de l'orgueil de vaincre. Des images surgissent, souvenirs de sa fierté lorsqu'il rapportait à son village les bêtes tuées lors des expéditions de chasse, au bénéfice de sa famille oui, mais combien cela flattait aussi son orgueil de traqueur. Il prend conscience que l'expérience de posséder, sans respect ni conciliation, n'est pas à la hauteur d'une humanité.

Une humanité réduite ici à ses caractéristiques physiques. Ils ne sont que de pauvres hommes exposés sur la place publique. Une vie d'esclavage les attend. Ils seront bientôt la propriété d'un autre être humain. Sans passé utilitaire et à l'avenir incertain. Aucune femme de leur territoire n'a survécu aux longues semaines de captivité, affamés et entassés qu'ils étaient, au fond de la carène.

Taopé observe, au-delà du rivage, les vaisseaux accostés plus loin. Si l'embarcation a fait le chemin de l'aller, croit-il, il devrait éventuellement regagner son point de départ. Son attention est ramenée au mouvement de cet essaim populace sur la place du marché, aux chiens qui courent, excités par le brouhaha de la foule et cherchent des détritus à consommer, aux chevaux qui attendent patiemment, attachés aux charrettes des marchands de pains et de fromage distrayant ces gens. Il garde en alerte la vivacité de sa jeunesse.

Un négociateur passe devant lui et cache de sa tête l'un de ces navires baignant au large. Comment un si petit bateau a-t-il pu transporter autant de personnes, d'animaux et de cargaison ? Il n'avait rien vu durant son embarcation, car il avait été surpris et séquestré durant la nuit, alors qu'il allait repérer la source d'étranges réverbérations très près de son village. Taopé espérait faire mieux que les autres.

Jeune homme mature, il avait réussi la dure initiation le consacrant guerrier de son village. Les pères lui avaient enfin octroyé une place parmi les braves guerriers de son clan. Survolté par la réussite de son passage à l'âge adulte, il s'était donné une mesure de plus pour retourner seul à la forêt. Il avait décidé que la noirceur serait son alliée. Un étrange pressentiment l'envahissait pourtant. Guidé par sa curiosité plus que par son instinct, il fit quelques kilomètres vers le rivage. Ces pas audacieux lui valurent cette expédition vers un nouveau monde.

Un intendant, à la peau noire celui-là, s'approche de lui. Dans sa barbe blanchie et ses rides profondes, la vieillesse ancre son passage. Élevant le ton de sa voix pour montrer de l'ascendance et du sérieux, il prend le menton du jeune prisonnier dans une main et glisse dans son langage « Tu ne penses pas t'enfuir vers le sud ? » en lui faisant un signe de la tête dans la direction de bâtiments arrière, à l'opposé de la côte.

Le sud, qu'est-ce que le sud ? s'interroge Taopé. Pourquoi est-ce que cet homme âgé ne manifeste pas plus de sagesse au lieu de ces gestes rudes ? L'Africain croit que cet homme a reconnu sa provenance tribale, certainement grâce aux cicatrices sur son corps, marques du clan auquel il appartient. Quel signal lui a-t-il donné ? Que peut-il faire pour lui maintenant ? Taopé fait ressortir en lui l'attitude d'un grand fauve : les sens tendus à la recherche du moindre indice de faille de ses capteurs, le souffle retenu, les muscles prêts à bondir, il est aux aguets.

Arrive l'attribution de chaque homme à un propriétaire foncier. Les marins détachent les otages des cordes qui unissaient leurs pieds. La résistance des hommes sur le tréteau, et le nombre imposant d'employés livrant les nouveaux esclaves à leur maître font que, lorsque ceux-ci les mobilisent, un branle-bas soudain ébranle la structure de rondins qui s'effondre. Les curieux rassemblés s'écartent, amplifiant le désordre, mais pas assez rapidement. Quelques marchands empêtrés se trouvent coincés et écrasés sous les billots.

La panique est générale. La foule, telle une horde d'hippopotames, tente de fuir le centre d'attraction. Mais elle est obstruée par les lourdauds pétrifiés sous le choc de ce qu'ils aperçoivent à quelques pas d'eux. Car si certains sont paralysés et fascinés par la violence de l'effondrement, d'autres perdent connaissance. Les cris des femmes augmentent l'égarement général et brouillent le jugement du troupeau affolé.

Taopé était prêt à réagir. Il repère les charrettes du côté du soleil baissant, à l'opposé de la scène chaotique. Car la plupart des otages se ruent vers le rivage où les hommes du village tentent de les maîtriser, brutalement. Les cris augmentent en intensité. Il ne peut que faire confiance à la seule voix qui lui a adressé la parole dans sa langue en terres nouvelles. Le coup de tête indiquait la direction des amas de caisses de bois au fond de la grande cour. Les bâtiments arrière sont abandonnés par une foule dispersée, courant tous azimuts. Le jeune homme saute habilement par-dessus les obstacles, les bras attachés par les cordes d'une promesse de libération.

L'intendant noir l'attendait pour le dissimuler sous les couvertures d'une charrette dont il prend les guides. Le vieillard émet un claquement sec de la langue et engage le cheval à une démobilisation expéditive. Ils s'esquivent aussitôt du chaos, la bête nerveuse n'en demandant pas plus pour quitter le vacarme. Personne ne prête attention à leur escapade. Empruntant d'étroites ruelles, ils sortent du village à vive allure.

Sous son abri de toile épaisse, le jeune évadé suffoque. Après un certain temps, n'entendant plus que le chant des oiseaux et les clics clocs des sabots du cheval, il replie enfin un coin de l'étoffe et fixe le faîte des arbres découpant le ciel bleu, assombri de quelques nuages. Un bleu plus tendre que celui du ciel de son pays, contemple-t-il.

Le roulement du chariot sur la route de terre le projette de droite à gauche, cognant sa tête et cambrant ses reins meurtris par les bastonnades des ravisseurs. Par ailleurs, il ressent le bonheur d'être sorti indemne de ces jours et ces nuits où son courage et son endurance avaient été davantage mis à l'épreuve que dans sa savane. Soudain, au-delà de la faim qui le tenaille, il sent monter un long courant de nostalgie.

Ouvrant très grand ses paupières, il tente de bloquer des larmes. Taopé est un homme maintenant. Son grand-père chuchote dans son oreille des histoires de bravoure, comme il l'a fait au long de sa captivité. Il lui raconte comment le lion ne cesse de rugir lorsqu'il est pris dans le filet, ce qui secoue d'effroi le chasseur le plus téméraire. Le lion ne cesse d'être un lion, même impuissant à défaire ses liens, se remémore-t-il.

Le chariot s'est arrêté. Le tirant de ses rêveries, l'intendant noir invite Taopé à descendre, coupe les lambeaux de cordes à ses mains et laisse le jeune homme au bord d'un chemin de terre rocailleux. Il lui indique qu'il n'est pas bon d'être nègre en Caroline. Il vaut mieux rejoindre la Floride, beaucoup plus au sud. Là-bas, un certain Gouverneur Montiano a donné aux rescapés de la mer les terres laissées vacantes par les autochtones massacrés deux siècles plus tôt par ces mêmes Espagnols. Aujourd'hui, les *conquistadores* ont besoin des cohortes de gens de leur race pour repousser les attaques britanniques. Il lui conseille de se rendre au Fort Mose et de prêter serment au roi Charles II. Pour trouver son chemin, il peut espérer l'aide des indigènes installés à quelques lieues plus loin, sur le bord de la rivière. Il y trouvera sa liberté.

...et un bateau, songea aussitôt Taopé!

***

Montréal, Québec, 2008

Le soleil chauffe ardemment le sol et invite les peaux sensibles à se protéger de ses rayons brûlants en ce début du mois de juillet. Malgré un taux d'humidité accablant, Nathalie a annoncé sa visite de façon impérieuse à Maude, son amie d'enfance. Une grande confiance lie ces deux femmes, aujourd'hui une fin de trentaine bien assumée. Comme d'habitude, lorsqu'embrouillée dans ses tourbillons privés, la blonde médiatrice, associée dans un cabinet de gens d'affaires, recherche l'opinion de Maude concernant sa situation. Aujourd'hui, elle doit choisir entre la direction fixée par sa pensée rationnelle et la ténacité d'une voix intérieure la pressant de bouger, de sortir d'un bourbier qui n'a plus sa raison d'être.

L'avocate n'a pas hésité à ranger les dossiers en cours pour se rendre chez son amie d'un pied ferme. *Cette fois, cela prendra plus que des conseils*, se dit-elle, sentant la trouille triturer son ventre. *La compétence de Maude en tant que psychothérapeute a plus de chance de clarifier l'objet de ma quête que les trop vagues propos de Madame Micheline*, se dit-elle. Jours et nuits, Nathalie tente de donner un sens aux paroles de sa voyante dont chaque mot a pénétré jusque droit au cœur. *Il y a quelque chose de vrai dans ce qu'elle m'a révélé, mais quoi?*

Après avoir appuyé sur le bouton cramoisi de l'ascenseur, Nathalie vrille sa bague de fiançailles sur son annulaire, consciente de contrevenir aux conseils de son conjoint de ne pas passer pour folle en dévoilant les prédictions de sa cartomancienne. L'ouverture des portes se fait attendre. Debout sur le plancher marbré, les yeux rivés sur les chiffres numériques indiquant l'approche de la cabine, sa forte structure osseuse frissonne pourtant à la perspective d'une aventure la conduisant au bout de ses rêves ; elle secoue sa tête, comme un arbre remue son faîte sous la brise annonçant un orage. Elle ne peut plus reculer. Tant pis si Carlos ne la soutient pas dans le soulagement de sa pressante curiosité.

La thérapeute habite un chic condo sur l'Île des Sœurs dans lequel son bureau professionnel s'intègre au calme du lieu et au superbe panorama sur les gratte-ciel du centre-ville de Montréal. Un espace où l'imaginaire de ses patients prend son envol en toute aisance. Vêtue d'un *legging* et d'une blouse ample tombant à mi-cuisse, ses clavicules saillantes font entrevoir autant que sa silhouette, le style d'alimentation d'une jeune femme active, peu portée sur les sucreries.

Sans aucun doute, la brunette aux yeux noirs et perçants est la ressource désignée, en tant qu'experte, pour la guider dans les dédales de ce mystère, par une imagerie guidée, croit Nathalie. La pensée de creuser les profondeurs de sa conscience grâce à cette technique d'intervention hypnotique fait vibrer les fibres de son anxiété. Va-t-elle enfin trouver réponse à ce qui la préoccupe intérieurement ? En ce faisant, combien de détails sordides trouvera-t-elle également dans les abysses de ses souvenirs ? Malgré cette inquiétude, son besoin de forcer les cloisons brumeuses de son inconscience est aiguisé. Un secret s'y loge, elle doit en trouver les clés. Elle ressent très fort que son mode de vie en sera transformé, profondément remanié. Elle se sent déjà bouleversée, trop irrationnelle, ayant besoin d'un solide appui.

— As-tu une idée de ce que tu veux explorer durant la séance d'imagerie ? s'enquit Maude, accueillant avec une tisane à la menthe et des fruits frais la jeune femme à l'attitude habituellement moins fébrile. Plus qu'amies, elles sont aussi confidentes et aventurières. Une vie réussie ne se préoccupe pas des limites imposées par la société, croient-elles impunément. Ainsi ont-elles exploré les confins de l'univers non américanisé, voyageant ensemble dans des contrées qui défient l'imagination de la plupart des Occidentaux bien rangés dans leur banlieue cossue. Je peux te conduire à ton personnage imaginaire, celui dont t'a parlé ta clairvoyante, ajoute Maude, mais es-tu prête à ce que celui-ci te conduise à sa propre destinée… et non à tes désirs ?

L'intervenante questionne Nathalie afin de vérifier si cette dernière est disponible à de surprenantes éventualités. Une imagerie corporelle est un voyage au-dedans de soi, une voie rapide vers sa vérité profonde. Malgré l'accompagnement de la thérapeute, la personne en transe est seule avec elle-même, identifiant et nommant les images qui émergent de sa psyché. Le caractère revendicateur de l'avocate ne faussera-t-il pas ces images projetées sur l'écran de son destin afin de voir ses rêves se réaliser ? Des rêves de richesse que lui aurait fait miroiter la voyante, l'a-t-elle prévenue au téléphone. Feu rouge. Très souvent, ses clients forcent les trames de leur visualisation afin d'en déterminer une orientation souhaitée ; une fin heureuse est ingénieusement destinée à leur personnage imaginaire afin d'éviter les affres de la mort. On s'attache, songe-t-elle, à ces êtres oniriques dont on accapare l'identité par cette croyance commodément nommée « vie antérieure ». Selon Maude, même surgies de façon spontanée, ces images ne sont qu'une fantaisie. Car malgré les nombreuses années de pratique clinique, elle n'est pas arrivée à se faire une idée juste sur la nature véritable de ces scénarios qui s'imposent à notre psyché et orientent les attraits et les évitements dans notre quotidien. Elle souhaite pourtant comprendre l'origine de ce phénomène.

Nathalie, quant à elle, mord facilement à la question de son amie puisqu'elle n'a pas l'expérience de Maude en la matière. Même si elle détermine un objectif précis, celui de clarifier, de bonifier, d'élucider les propos trop flous de la cartomancienne, a-t-elle une idée de ce qui va émerger de son imaginaire ? Elle devrait savoir que le mental ne dirige pas les imageries, contrairement aux pratiques de visualisations lesquelles sont déterminées par l'obtention d'un résultat désiré. On veut améliorer notre service au tennis, on veut se rendre au cinéma, on veut présenter une demande d'augmentation de salaire à son patron ? La visualisation secondera efficacement ces tâches en facilitant la maîtrise des mouvements, déplacements ou attitude choisis. Quant à la pratique de l'imagerie, son contenu surprend. Il surgit tout droit d'une matrice originale, autant dans sa thématique que dans la prolifération de ses détails, car ceux-ci dépassent les capacités d'imagination à froid des voyageurs de l'intemporel. Il n'y a rien à contrôler, il n'y a qu'à ressentir.

Nathalie risque donc une réponse.

— Selon les indices livrés par Madame Micheline, j'ai été dépossédée d'un legs de façon maligne. Ses cartes de Tarot indiquaient une direction : vers le sud. Personnellement, j'ai l'impression que je vais me diriger vers le sud de l'Espagne. Je crois que j'aurais perdu mes terres lors de l'envahissement des Maures, et la reine Isabelle lors de la libération du pays ne m'aurait pas redonné mon fief… Qu'en penses-tu ? J'aimerais bien passer mes vacances dans mon château en Andalousie.

— Joli synopsis ! Tu sais, ce pourrait être aussi l'Afrique du Sud. Dans les dernières décennies, grâce à l'élection de Nelson Mandela, les Noirs ont récupéré leur place dans la société de pouvoir. Une plantation d'avocatiers, voilà ce qui t'attend, tu seras reine des avocats! renchérit Maude sur les divagations de l'aspirante royale, laquelle est membre du Barreau du Québec.

— ... ou d'une mine de diamants! ajoute l'avocate en virant la dérision à son avantage. Et parlant d'autochtones, nos Amérindiens ont aussi été dépouillés de leurs terres, je posséderais peut-être un morceau de désert au sable carmin du Nouveau-Mexique, avec en sus un gisement de pétrole, tiens!

— Hey hey! On rêve de richesses? Allez hop, oublie ça! Étends-toi et allons droit au but : la découverte du plan de ce fameux trésor caché... de Rackam Le Rouge!

— Tu ne me prends pas au sérieux! Tu verras, je suis prête. Je sens cette destinée logée au fond de moi comme nulle autre. Mais j'ai trop de canevas en tête, je suis confuse! J'ai besoin de ton aide pour éclairer mes idées.

Maude entend parfaitement sa demande d'aide, mais demeure sceptique sur l'utilité de sa technique d'imagerie quant à l'atteinte d'un objectif de recherche matérielle. Une terre à revendiquer, une destination à préciser, une copine à recadrer quant à un idéal trop élevé... Pas certain qu'elle veuille s'engager dans les méandres d'élucubrations aussi nébuleuses.

— Cesse de te créer des attentes Nat, ce trésor revêtira l'apparence qu'il aura à prendre pour que le meilleur advienne. Il se présente rarement sous une forme attendue, crois-moi. Mais si tu veux, nous pouvons jouer le jeu. Étends-toi à l'aise dans ce fauteuil. Veux-tu une couverture?

— Je n'ai pas froid; j'ai chaud, même très chaud.

— C'était seulement pour te détendre... Très chaud? Dans un appartement climatisé? Je crois que tu es déjà entrée dans la peau de ton personnage. On va passer outre l'exercice de relaxation dirigée. Tu connais la formule. Prends une position très confortable, ferme les yeux, concentre-toi sur ton senti corporel. Respire profondément, retiens... et expire par la bouche. Tu constateras que chaque respiration te conduira à un niveau plus profond de relaxation. Répète simplement les mots que tu viens de prononcer : « J'ai chaud, j'ai très chaud ! » Ressens cette chaleur sur ton corps.

Nathalie est étendue confortablement sur la chaise basculante du bureau de la psychothérapeute. Elle se concentre et répète les phrases qui montent à sa conscience. *J'ai chaud. Je ne sais pas ce qui se passe !* ajoute-t-elle. Suivant la visite chez son médium, elle s'est sentie envahie par une angoisse diffuse dont elle espère maintenant connaître la provenance. Il lui semble ici que ce malaise au plexus n'a jamais été aussi fort, aussi prenant. Il envahit son ventre d'une pulsation fiévreuse, prisonnière de sa paroi cutanée.

— J'ai chaud. J'ai vraiment très chaud. Je sens la sueur perler sur mon front. Je me sens bloquée. Je suis bloquée ! Nathalie insiste sur le « je suis » comme si se précisait un drame insidieux... Gardant les yeux fermés, elle poursuit : je suis à sa merci. Je ne peux me déprendre. Je suis sans défense. Lui, il a tout le pouvoir sur moi.

Dans sa foucade, elle élabore un personnage féminin, une jeune femme frêle aux vêtements de coton très amples, une jupe recouverte d'un tablier fuchsia usé par les tâches ménagères, un chemisier et un bonnet sur ses longs cheveux ramassés. Cette femme est à la merci d'un homme dont le regard enragé la glace. Sa stature est imposante et il l'agrippe par le bras gauche d'une main ferme. Elle, naïve, tremblante, craint les chaînes que son tortionnaire secoue dans de froids craquements métalliques. Avec frayeur, son corps en état de rigidité extrême, elle se demande s'il ne va pas l'étrangler.

— Il sait qu'il a tous les pouvoirs sur moi et il va en abuser tant qu'il n'aura pas ma peau. Il jouit de ressentir ma peur… et moi, je sens mon corps faillir. Je ne peux plus avancer, mes muscles ne répondent plus à ses ordres sataniques. Finissons-en, lui dis-je, je sais que tu vas me tuer. « J'vais t'enchaîner le corps et c'est comme ça que tu vas mourir », me répond-il. Il m'enlace solidement pour que je ne puisse vraiment pas m'en sortir. Voilà qu'il me porte sur l'eau, au bord de la rivière. Il désire que le supplice perdure.

***

Gardant les yeux fermés, Nathalie est centrée sur ses impressions. De plus en plus de détails affluent à son esprit. Doit-elle en faire part à haute voix ? Car certaines pensées l'effraient et elle craint d'inventer ce déroulement, trop horrible pour être vrai. Pourtant, elle constate que son corps, balayé par des secousses incontrôlables, est propulsé involontairement dans cette histoire délirante et, en émoi, il en détient tous les droits..

Hors de ces tourments, Maude conserve stoïquement le rôle de guide attentif afin de garder son amie sur la piste. *Que ressens-tu ?* lui demande-t-elle.

Le stress est au maximum de l'intolérable. Nathalie cherche une esquive et son esprit passe à la scène suivante.

— Il s'en va. Je suis contente qu'il s'en aille… Il ne peut pas aller plus loin. Je ressens un soulagement.

Elle soupire, comme si son corps actuel transportait les indices corporels de la femme en captivité, provisoirement délivré de son bourreau.

— Mon corps repose dans l'eau. Je sais que je vais mourir, mais j'ai espoir… tout à coup quelqu'un me trouverait !

L'espoir fait dérailler ses pensées de façon opportuniste. Nathalie perd le contact avec son senti corporel, optant pour une solution miraculeuse. Vainement. Elle réalise que le mental venait de prendre le relais de l'insupportable.

— Mais non, reconnaît-elle avec l'intervention de Maude, cela ne se passera pas comme ça. La réalité, je la ressens dans mon corps... Je suis angoissée par la mort qui ne tardera pas à venir. Je pleure et je me dis : je ne mérite pas ça !

Les larmes de Nathalie jaillissent de ses yeux clos, en abondance. Dans des sanglots entrecoupant sa voix étouffée par la peur de mourir, elle tente de rassembler ses dernières forces.

— J'ai conscience que je ne suis pas folle, mais on me fait croire que je suis folle. Je sens qu'il voulait se débarrasser de moi. Je ne sais pas pourquoi cet homme est si méchant avec moi. Je vis de l'agitation. Il n'y a pas de solution ! Là, ça commence à réagir à l'intérieur. Je ressens un trouble intérieur... parce que je suis seule, parce que le monde ne veut plus de moi. Je tente de me défaire des chaînes. Je ne veux pas mourir ! Je ne veux pas mourir ! hurle maintenant cette femme à travers la voix de Nathalie.

***

Floride, États-Unis

Ce 2 juillet 2008, Elijah James téléphone à son oncle Ray, mais c'est sa tante Emma qui lui répond.

— Tantine, tu regardes la télé ? lui lance-t-il emballé. On y voit enfin Ingrid Bétancourt, députée de Colombie, tenue captive par la guérilla des FARC pendant six ans ! Elle est libérée, de même que trois de nos otages américains. Ils seront transportés dans une base de l'armée de l'air au Texas, à San Antonio, près de chez nous. Les familles seront réunies. Une épine de moins parmi les douleurs de la Terre!

***

Étendue dans la chaise basculante de Maude, Nathalie a cessé ses pleurs; la respiration courte, ses sens sont à l'affût d'une option salutaire, aussi ténue soit-elle.

— Nat, quel est ton sentiment, recule dans le temps, revois l'agresseur... que représente cet homme pour la jeune femme? Est-ce un inconnu, est-ce son mari? interroge Maude.

Laissant monter en elle une impression de véracité en fixant les yeux de cet homme de son regard intérieur, la réponse jaillit à sa conscience.

— Oh! Il est le frère de mon amoureux! Il veut se débarrasser de moi, car j'ai pris trop de place auprès de son frère. C'est comme si je sentais que son frère et moi, nous n'avions pas le droit de nous aimer. Alors il croit régler la question en me laissant enchaînée dans ces eaux malsaines.

— Continue. Que fais-tu, que ressens-tu?

Affublée de trop pénibles sensations, Nathalie voit maintenant la scène de façon détachée et parle de son personnage à la troisième personne.

— Tu démissionnes, tu te bats pour vivre. Je me vois flotter... Je renonce à la vie... Mais non! Elle n'a pas renoncé. Je la vois cette femme ligotée; ballotée par le courant, elle longe la rive. Elle s'échoue sur le bord d'une grève. Sur du solide. Elle pense que c'est plus sécurisant de mourir là que noyée dans l'eau, ne sachant pas ce qui l'attend.

Nathalie, telle une pèlerine des temps passés, fait une nouvelle tentative pour joindre son alter ego à travers ses sensations physiques et émotives.

— Je sens mon cœur battre ; mon corps tient bon, même si je suis abandonnée dans cet état-là. Je suis trempée jusqu'aux os et malgré la chaleur, je me mets à trembler à nouveau. Je claque des dents. Que se passe-t-il ?

L'oppression crispe ses mâchoires. La réponse ne tarde pas à survenir.

— Oh ! J'ai entrevu un alligator ! Je sens son guet. Là, j'ai l'impression que je n'ai plus de latitude. Je suis figée par la peur. Je ne veux rien sentir. Je ferme les yeux. Ma tête… j'étouffe, là je me sens vraiment seule. Mon cœur se serre davantage… Il n'y a personne qui m'aime ! La bête représente ce qui est méchant dans l'humain, la haine, la rage, la vile destruction. C'est ça qui m'engouffre ! Il représente l'inconscience à son plus bas étage. Je sais que je vais mourir, c'est clair, je ne peux lui échapper.

— Quelle est ta dernière pensée avant de mourir ?

— Je dirais à l'alligator : « Maudit que t'es laid ! » … Ah ! J'aurais aimé vivre ! Je suis triste, j'aurais voulu vivre ! Mais… j'ai très mal au ventre ! Ah ! Je le sens… je… je suis enceinte ! Je sens un bébé dans mon ventre !

— Continue…

— C'est le bébé de l'amour entre son frère et moi. C'est clair maintenant, nous nous aimons. Cet homme voulait se débarrasser de moi. Rose est de trop. Elle n'a pas sa place dans cette société hautaine.

— Rose, c'est toi ?

— Oui. C'est mon nom.

— Que ressens-tu ?

— Mes pensées vont à son frère… Mon amant… je ne sais pas s'il est au courant de mon sort… Je ne crois pas non. Nous nous aimions réellement très fort. Ah ! S'il le savait, il se porterait à mon secours ! Je me sens si impuissante. Ça se passe dans des temps anciens, il y a quelques centaines d'années. Aucune loi ne me protège. Personne ne viendra à mon secours. Je suis si triste.

— Qu'aimerais-tu dire à ton bébé ?

— Il ne te fera pas de mal parce que tu es dans mon ventre et je te protège. Je t'aime. Je n'aurais pas voulu que tu meures comme ça ! Aïe ! Jusqu'à maintenant, ce n'était pas très souffrant, mais là, je vis beaucoup de souffrance intérieure. Dans mon ventre, ça me fait souffrir parce que je ne te connaîtrai pas... parce que je ne pourrai pas te prendre dans mes bras... parce que je ne pourrai pas te protéger... parce que tu ne connaîtras pas la lumière... parce que je ne pourrai pas être mère !

Nathalie se remet à pleurer. Elle ressent très profondément dans ses entrailles ce trouble qui n'est pourtant pas le sien, mais qui en même temps est partie intégrante d'elle. Elle est stupéfaite de cet empiétement du temps, Rose et elle, des lieux communs, une tragédie qui la rejoint profondément. La perte d'un enfant... le sentiment d'être enchaînée, Rose dans la rivière, elle par son quotidien... le pouvoir d'un homme sur elles... Poursuivant silencieusement le parallèle avec sa vie actuelle, elle comprend aussi l'importance de ses études de droit. Protéger la veuve et l'orphelin a été sa raison de vivre. En un éclair de pensée, elle va et vient en alternance, des événements subis par Rose à ses préoccupations personnelles, toujours grâce à l'enracinement de ces sensations dans son corps. Maude la ramène au scénario... pour enchaîner, si l'on peut dire !

— Que se passe-t-il ensuite ? Que ressent-elle ? Quelles sont ses pensées ?

— On va mourir ensemble. On va mourir ensemble dans l'amour. Je veux que tu saches que mon ventre, c'est ta maison et que cette maison est pleine d'amour pour toi. Je veux que tu sentes que je suis avec toi, que je ne te lâche pas. Ce qui est important, ce n'est pas ce qui suit, c'est qu'on est ensemble. Juste toi et moi. L'alligator, je m'en fous. Il y a toi et il y a moi. Je veux juste profiter de cet amour-là ! Juste vivre cet état d'amour-là ! Sentir la présence de ce bébé. Je ne me sens pas seule, on est deux, deux contre l'univers, mais deux.

— Continue...

— Dès que ma tête est dans sa gueule, je sais que ça va arriver. Je pense : « Fais ça vite ». Je veux que ça se fasse vite. Je ne veux pas être consciente longtemps de ce qui va se passer. Aïe ! Je suis en dualité : une part de moi veut mourir, l'autre résiste !

— Laisse parler celle qui résiste.

— J'aimerais qu'il y ait un peu d'espoir... Je me parle : y a pas d'espoir, lâche ! T'es complète. T'es complète !

— Oui...

— T'es complète parce que tu sais que tu aimes, parce que l'amour est en toi, parce que tu le portes en toi. Tu peux partir parce que tu portes quand même la Vie en toi. La Vie est au-delà de la vie. La Vie est au-delà de l'alligator... C'est dans ce sens-là.

— Continue.

— Ta vie, ce n'est pas ce corps-là. Tu n'es pas limitée par ce corps-là. Ta vie est beaucoup plus grande que cet événement. La bête ne va pas te tuer. Oui, il a pris ce corps-là, mais pas l'être que tu es... Là, je vois l'être se détacher de l'alligator... elle tient l'enfant par la main. Elles sortent par la tête de l'animal. Ils sont longs, longs, des êtres... fluides. La mère et la petite fille se détachent de la scène. Elles ne le voient plus comme une menace.

Seulement... comme une peau d'ours sur un foyer, pas plus menaçant que ça!

— Comment te sens-tu? demande Maude voulant situer le niveau de quiétude de Nathalie.

— Très très bien! Y a comme une petite lueur, y a un bien-être.

— À quel endroit ressens-tu le bien-être?

— Dans le cœur. Oui, dans mon cœur, c'est tout chaud. Dans mon ventre aussi.

— Respire profondément et laisse la chaleur prendre de l'expansion à chaque inspiration. Tu peux aussi remercier cette femme et son enfant, car le drame qu'elles ont vécu, ce drame et leur libération te permettent d'accéder à une sensation d'amour intense... Maintenant, qu'en est-il de cette petite peur qui persistait dans ton ventre?

— Rose et son petit me soufflent: « Nathalie, tu existes, prends soin de toi! » Ouf! Ça me rend émotive! Comme une énergie dans mon ventre, je sens de la vulnérabilité, de la sensibilité, le goût de pleurer aussi... Ce que ces êtres de lumière me disent: « C'est dans ton ventre qu'il y a toute l'humanité. » C'est gros ça! Je réalise que j'en ai très peur de mon humanité.

— C'est vrai que c'est gros, admet la thérapeute. Il me semble que c'est le beau travail que nous faisons chacun, celui d'apprivoiser notre humanité.

Avant de terminer l'imagerie, Maude pense en des termes pratico-pratiques.

— Peux-tu sonder la présence d'autres renseignements, sur la localité par exemple. Y a-t-il un indice par lequel tu pourrais reconnaître ces emplacements et les situer sur une carte?

— Euh! Je dois pour cela revenir au quotidien... avant cet événement au bord de la rivière.

Nathalie prend quelques secondes pour retrouver son calme et, grâce à son imaginaire, elle retrace le quotidien de Rose.

— La famille allait faire son marché en ville. Il fait chaud, c'est un lieu avec des bâtiments de grosses pierres. Il y a un fort sur le bord de la mer... Mon amoureux me disait parfois qu'il devait aller en ville... à... à Saint Augustine. Il devait aller faire quelques achats en fonction de son départ imminent pour l'armée. Il est clair dans mon esprit qu'il ne se doutait pas de ce que son frère fomentait ! Ses yeux me fixent avec beaucoup d'amour. Malgré ma gêne, je lui souris ; j'ai des papillons dans le ventre.

— Magnifique ! On peut s'arrêter là-dessus ? Cela suffit pour aujourd'hui, es-tu d'accord ? vérifie Maude. On pourra y revenir plus tard.

La voyageuse remonte par étapes, comme en décompression, dans la conscience de son corps installé au creux du fauteuil de cuir et récupérant ses habiletés physiques dans la pièce fraîche.

— Oui ! Je n'aurais jamais pensé pouvoir être capable de faire une imagerie comme ça ! Je n'ai même pas vécu cet état d'amour aussi intense quand je portais mes enfants. Quelle imagerie, quel voyage dans le temps !

En fin de session, le travail de l'accompagnatrice est de ramener pleinement son amie dans les sensations physiques et psychiques générées par le contexte présent : l'air ambiant, les bruits de la pièce, son corps dans la chaise, afin qu'elle sorte de l'état de transe. La psychothérapeute sait que le voile est mince entre les fantaisies qui nous habitent et la présence à soi.

— Quel voyage au dedans de toi-même ! termine Maude, ébahie par le pouvoir de la fabulation, elle qui a pourtant accompagné des centaines de personnes dans leur espace imaginaire.

Consciencieuse, elle glisse quelques suggestions positives et réconfortantes.

— Remercie-toi de t'être permis de vivre des sentiments d'amour aussi profonds. Tu peux garder en toi ces perceptions de force intérieure, de complicité, elles ont émergé de toi. Tu peux les retrouver quand tu auras besoin de les ressentir à nouveau. Prends le temps de les ancrer en toi à travers l'amplitude de ta respiration...

Si Maude croyait que cette imagerie dramatique découragerait Nat de ses projets exploratoires et mettrait fin à sa requête, elle s'est piètrement trompée. Les copines venaient de pénétrer dans des siècles de concordances où leur aventure les conduirait dans des rencontres au-delà de toute prévision clairvoyante !

2

VERS LE SUD, AU SOLEIL

Les alligators veillent aux abords de leur marécage. Le lever de soleil est éblouissant en ce temps estival. En pleine canicule, chacun recherche son coin d'ombre, hommes autant qu'animaux, mais particulièrement ces sauriens qui ont hérité de leurs ancêtres préhistoriques la capacité de survivre à tant de catastrophes climatiques à travers les millénaires. Le jour, les amphibiens se dorent la couenne au soleil à travers les joncs des marécages. La nuit, recouverts de l'eau bienfaisante, leurs yeux brillent comme les points rouge vif de rayons laser sous les rayons de lune ou ceux des lampes torchères. Stratagème de camouflage efficace, on ne peut deviner la stature de leur impressionnante masse physique qu'en s'approchant d'eux.

Tôt le matin, Ray se promène le long du rivage afin de vérifier si l'un de ses reptiles ne s'est pas aventuré trop loin durant la nuit, ce qui pourrait faire peur aux campeurs un peu plus tard à leur réveil. Même si le terrain de camping est assez éloigné de la berge, il n'y a pas de chance à prendre pour la sécurité de ses locataires provisoires. Ray fait le même parcours depuis plus de soixante ans. Il porte des vêtements amples, de coton beige et brun. Les poils blancs ornant ses cheveux crépus et sa barbe imposent le respect chez la majorité des visiteurs. Ceux-ci se sentent attirés vers lui comme à une encyclopédie vivante et ils ont des tas de questions à lui poser sur la faune et la flore environnantes.

Au fil du temps, sa ferme d'alligators est devenue un lieu d'attraction touristique. Ce vieillard aguerri aime impressionner ses clients en nourrissant ces monstres préhistoriques de plus de deux mètres, les deux jambes dans la mare jusqu'aux genoux, tenant un poisson au bout de ses doigts. Il a été filmé par un visiteur et les images furent lancées sur *YouTube*, le rendant célèbre à sa façon. Il ne donne pas de spectacles au quotidien. Il attend de ressentir le *feeling* très spécial qu'aujourd'hui est une bonne journée pour lui et qu'il verra le soleil se coucher en toute quiétude... avec tous ses membres ! Car cela comporte un certain danger, mais le jeu et l'adrénaline, le rire et l'étonnement des campeurs et bien sûr les pourboires généreux, la publicité qu'il reçoit valent amplement ce risque !

Ray est né sur cette terre. Il sait que les alligators dans leur état naturel sont moins dangereux que leurs congénères en captivité, eux dont le coup de mâchoires est plus agressif, le corps plus robuste et la tête plus large. La claustration produit à long terme des changements morphologiques qu'on préfère ne pas affronter. Tandis que ses bêtes à lui sont libres. Le cœur léger, l'homme se dit qu'heureusement, son peuple s'est dégagé de l'esclavage lors de la présidence de Lincoln, car ils auraient eux aussi, comme les alligators en captivité, les dents plus longues et les coups de mâchoires plus féroces !

Ce matin, Ray traîne ses pieds sur le sol sablonneux plus qu'à l'habitude. Il remarque que le sillon tracé par ses pas se creuse davantage au fil des années. Habituellement, il a la tête altière et il est préoccupé par la hauteur des cocotiers et l'aspect du ciel lui révélant les prédictions atmosphériques de la journée. Un regard éclairé et des rides heureuses démarquent un état de gratitude authentique. Ray cultive l'état d'accueil.

Porter la tête penchée vers le sol signifie pour ce vieil homme qu'un événement hors de son contrôle allait bientôt se produire. Il se sent stressé, ne sachant pas d'où parviendra ce vent de changement appréhendé. Assumant la lucidité de ses 78 ans, il répète cette phrase fétiche : « Saisir le moment est l'affaire du sage, perdre son tour est l'affaire du condamné. » Dans le fond, il savait choisir son camp, se rassure-t-il.

***

— Qu'importe ce que les gens en pensent, je vais aller jusqu'au bout de cette aventure. Sinon cela m'obsédera éternellement et je suis certaine qu'à ma mort, je regretterai de n'y être allée. Tu es libre Carlos, de m'accompagner là-bas ou non.

Nathalie est à son ordinateur. L'ordre apparent de son décor personnalisé cache les tourments de la jeune femme qui repense à ces chaînes tenant captive la pauvre Rose dans de sordides marécages. Est-elle elle-même contrainte par des habitudes prises auprès de Carlos ? Elle s'interroge sur l'impact qu'auront ces images sur le cours de sa vie conjugale. Chaque année, elle doit utiliser des subterfuges créatifs pour convaincre son conjoint de l'accompagner dans ce qu'elle considère, elle, comme des vacances exotiques, c'est-à-dire un dépaysement complet, une escapade de leur train-train quotidien, et idéalement, cela exclut les sempiternels parcours de golf dont il raffole, lui.

Son bureau se situe dans la pièce adjacente à celle de la cuisine, au même étage où Carlos réchauffe les restes non subtilisés la veille par les ados. Mauvais signe quant à la fraîcheur, mais bon, c'est mieux que de casser des œufs dans sa casserole qui pourrait être l'ébauche d'une brouille moins appétissante entre sa compagne affairée et lui ! Quelques fois, il y a des repas fantastiques qui lui sont offerts, comme un gage d'amour de la part de sa belle ; d'autres jours, c'est comme si on lui demandait d'ignorer les exigences de son estomac ; comme s'il n'existait pas.

Avec Nathalie, le quotidien est une montagne russe. Des hauts et des bas. On est à peine remis de la discussion houleuse concernant le travail que les jeunes laissent tomber trop facilement à la défaveur d'une éventuelle autonomie financière ; il ne va pas remettre de l'huile sur le feu pour un repas de 'second plat'. Vivre avec les enfants de sa compagne, pas facile ! Cela exige du tact et Carlos planifie à son bénéfice une évasion salutaire.

En cette fin d'après-midi. Nathalie profite de l'heure de l'apéro pour clarifier ses idées. Songeuse, elle passe les paroles de madame Micheline au peigne fin. Ces révélations l'obsèdent, occupant totalement son esprit : « *Ma belle, ne te décourage pas. Les cartes indiquent clairement que la quête de ta vie s'amorce. Tu seras soulagée d'apprendre que ce pour quoi tu t'étais préparée connaîtra son aboutissement dans peu de temps… si ta foi te porte au bout de toi-même !* »

Comment concilier ces prédictions avec les impressions obscurantistes de la belle Rose ? Quel lien cela peut-il avoir avec son existence, autre que d'avoir ébranlé ses sentiments pour Carlos ? Doit-elle impliquer son amie Maude dans une aventure dont le fondement ne concerne qu'elle ? Plus fragile qu'elle ne le paraît, Nathalie doute de sa capacité à mener seule le déroulement de la pièce qui se joue ici. Mais la chance ne consiste-t-elle pas en une succession de rencontres et d'ajustements vers une finalité insoupçonnée ? Son phare, ressent-elle, c'est son enthousiasme. Elle doit garder les pieds sur terre mais seule, elle craint que son esprit s'égare dans les tourments de ses élucubrations. Au cœur de la tempête, les naufrages sont légion. Ça prend un capitaine expérimenté pour sortir des impasses. Ce sera encore Maude.

***

Longeant la rive, les pensées matinales de Ray sont axées vers la cupidité humaine. Hier, un client s'est fâché pour quelques dollars contestés sur sa facture, même pas le prix d'une bouteille de cola, songe Ray. Gardant son calme, il regarda avec sérénité cet homme qui cherchait querelle et peut-être un exutoire à une frustration refoulée dont le propriétaire ne se sentait aucunement responsable. Peut-être ce bougon sentait-il le besoin d'affirmer un sentiment de supériorité en tant qu'homme de race blanche. Il n'aurait pas été le premier. Le vieil homme avait fait face à d'autres bravades et il était reconnaissant des leçons apprises ; aussi ne regardait-il pas le doigt pointé vers lui, mais la direction indiquée par ce geste. Évitant d'entrer dans l'énergie combative de cet interlocuteur, Ray choisit de ressentir de la compassion pour ses frères qui exigent le magot, sans être capables de communiquer ce dont ils ont besoin. Impuissants devant leur désarroi, les malheureux crachent leur venin ; ils sont frustrés et bousculent les gens croisés sur leur chemin.

Comment explique-t-on autrement le phénomène de rage au volant ? poursuivit-il silencieusement. Celui de disputes conjugales ? De fusillades mêmes, et dans des endroits publics de surplus ? Oh ! Combien ces gens manquent de compassion ! À ce client-ci, il souhaite de trouver la paix et l'appréciation de ce qui lui a été offert lors de son séjour au camping. Secrètement, il le remercie de le ramener, grâce à cette apparente opposition, à ses valeurs paisibles de joie dans la simplicité. Quand il parle à ses crocos, il les remercie pour leur patience, aux iguanes pour leur rapidité, aux oiseaux pour cette légèreté l'incitant à lever les yeux au ciel. C'est sa prière quotidienne. Aux clients intrusifs et rouspéteurs... ouais, pas évident... mais à eux comme aux autres, merci pour l'immense plaisir de partager son amour de la nature avec ceux qui s'arrêtent au camping ! La gratitude est un cadeau, le bonheur ne se situe nulle part ailleurs que dans cette attitude de reconnaissance, croit-il sincèrement.

Dans le temps où elle était sur Terre, sa mère était une femme très joyeuse, à l'esprit vivace. Malgré une préférence marquée de Ray pour la réclusion, elle lui a patiemment enseigné l'art de faire face au public. De son grand-père il tenait le désir de s'informer sur ce qui bougeait dans la grande chaîne du vivant. Ray n'avait pas été à l'école longtemps, il n'avait qu'une deuxième année. Mais il avait dévoré du début à la fin les magazines National Geographic achetés pour les passants à l'auberge. De la religion, il retenait précisément cette parole de la Bible : « Les oiseaux du ciel ne sèment ni ne moissonnent, mais votre Père céleste les nourrit. » Oui, la nature est généreuse. Pourtant l'oiseau ne doit-il pas voler jusqu'à la graine qui ne tombera pas entre ses pattes ? Patient, Ray apprenait à cultiver la terre, apprivoiser les animaux et prendre soin du domaine. Jeune, il savait remercier le ciel de l'héritage de ses aïeux. Rien ne passait inaperçu à ses sens affûtés.

Une année, ses parents sont décédés. Se débrouillant pas mal et en tant qu'aîné, Ray prit soin de son frère et de ses sœurs. Quatre générations avaient donné forme à leur entreprise d'élevage. Les sœurs de Ray se sont mariées sitôt leur majorité acquise et sont allées vivre avec leur mari, au bord du lac Michigan, à Chicago. Quant à son frère Willy, il est décédé avec sa femme dans un tragique accident d'avion, il y a trente ans, le laissant seul pour régir la destinée de leur lopin de terre. De pareils événements, ça ne donne pas le goût de voyager !

Ayant bénéficié de la générosité de Ray, Willy lui a légué le soin de ses deux neveux, David et Elijah, aussi vaillants que l'était leur père au temps de sa jeunesse. Mais Ray ne peut en dire autant de la nouvelle génération, les fils de son neveu Elijah. Ces jeunes savent programmer le logiciel du camping, mais ne peuvent planter un clou droit, pas plus que de tenir leur dos à la verticale. Il y a beaucoup de travail à faire sur sa ferme et il se fait vieux. Et bien qu'il souhaite que ceux-ci prennent la relève, il ne sera jamais celui qui impose sa volonté.

Le vieillard connaît l'histoire de ses ancêtres. Ray est fier de sa lignée, car il croit que la mémoire d'un peuple définit l'échelle de son courage et de sa ténacité. Reconnaissant ses efforts, sa communauté voit en lui l'image même de la persistance. Au jour le jour, il lui importe d'agrémenter les aménagements pour les générations qui suivent, même s'il n'a pas eu d'enfants. Sa femme est tombée malade très tôt dans sa jeunesse, ayant souffert de tuberculose. Elle est une compagne en or pour ses ultimes années. Elle cuisine les tartes et les gâteries vendues au dépanneur du camping pour les touristes et les gens locaux. Ils ont très tôt compris que leur couple allait devenir pour des milliers de familles une figure parentale d'amour, de soins et de partage.

Le domaine de Ray est suffisamment grand pour que les alligators règnent en maître dans leur rivière tortueuse, tandis que cinquante acres de terrains adjacents garantissent un lieu de villégiature apprécié des campeurs américains et des oiseaux échassiers dans les eaux littorales peu profondes. En effet, il y a quarante ans, il a jouxté à l'auberge, à la ferme, à la production de noix de coco, et à l'épicerie, un terrain de camping où il accueille les roulottes et les tentes des voyageurs. De nombreuses essences de palmiers et de fleurs sauvages font la joie des botanistes amateurs, souvent des pères qui désirent instruire leur progéniture au sujet de l'abondance et de la diversité de la flore. Les vacances sont l'occasion de rapprochement et de jeux entre les parents et leurs enfants. Cantonnées dans leur grande ville bétonnée, les familles ont peu de temps pour jouer durant l'année, accordant peu de place à l'observation de petits animaux qui doivent, comme les citadins, se cacher pour survivre. Curieuse main du destin qui redistribue avec équité le fruit de nos actions.

Ici, un paysage de haies d'hibiscus rose et orangé et d'acacias rouge vif, des cactus, des rangées de palmiers et quelques murets de pierres et de pailles délimitent le territoire des villas de celui des reptiles. Ray élague les arbres, coupe des fleurs pour orner l'abri communautaire où les visiteurs préparent leurs repas près des tables de pique-nique. Il nettoie l'eau de la piscine et le pourtour des trottoirs. Il déclenche le moteur de la fontaine, suscitant le ravissement des jeunes enfants lorsque les jets les éclaboussent dans leurs trémoussements.

Dans son regard de patriarche, les enfants sont des fleurs qui poussent au passage de l'amour de ces jeunes parents qui eux, ont déjà oublié l'effet bulldozer de leur adolescence. Maintenant responsables, ils comprennent les efforts qu'ont déployés leurs géniteurs à les accompagner dans leur croissance. Le plaisir de la récolte va aux grands-parents qui auront le loisir de gâter leurs petits et de remettre la progéniture aux parents débordés par leurs tâches. Chacun son tour ! Il faut bien que la vieillesse jouisse de privilèges !

Au moment où Ray a repris un peu d'énergie grâce au soleil si généreux de sa bonté en ce mitan d'été, il voit arriver en trombe l'automobile d'Elijah. Son neveu n'a pas l'habitude de cette imprudence sur un terrain où circulent tant de familles et de jeunes enfants.

***

« *Les cartes indiquent clairement que la quête de ta vie s'amorce.* » Que pouvait-elle voir en moi ? De toutes les quêtes qui font l'objet de mes préoccupations, quelle est donc celle qui transparaissait dans mes pensées lorsque je suis allée rencontrer Micheline ? Il y a tant d'injustices sur cette terre auxquelles je suis sensible. Que ne puis-je voir en moi-même de façon limpide ! s'interroge l'avocate. Mes clients m'entraînent chaque jour dans leurs misères financières, conjugales ou sociales. Et heureusement, par choix, je ne suis pas impliquée en politique, sinon, je ferais face à des abysses incommensurables !

Nathalie est tirée de sa cogitation par son mari qui insiste pour poursuivre la conversation, avec à la main une pointe de pizza réchauffée dans son assiette de plastique triangulaire.

— Tu crains des regrets au moment de ta mort, dis-tu Nat ? À ton dernier souffle, tu auras certainement autre chose à penser que ce qu'aura révélé ta soi-disant diseuse de bonne aventure, belle rêveuse !

— Au contraire ! Lorsque notre vécu repasse devant nos yeux, il semble qu'on regrette davantage ce qu'on n'a pas osé tenter que ce qu'on a mal réussi. Les échecs sont pardonnés plus facilement que la lâcheté ne l'est.

— Foutaise de psys, rétorque rageusement Carlos. Tu te montes un bateau ma belle ! Le passé doit être la moindre de nos préoccupations lorsqu'on meurt. S'il y a quelques tristesses, c'est de n'avoir plus de territoires à conquérir. Il reprend son souffle et opte pour un angle moins sentimental, plus rationnel : non, en fait, je crois qu'on expire soulagé... soulagé que le carnaval trouve enfin son aboutissement... avec les caleçons que l'on porte cette journée-là !

— Et on regrette de ne pas en avoir acheté des neufs pour paraître plus dignes ! Tu sais, la plupart des femmes portent de jolis dessous très propres, au cas où elles se trouveraient à l'urgence d'un hôpital.

— Tu es très orgueilleuse, ma chère ! Et tu ne peux me le cacher, car je le sais, il y a des urgences de toutes sortes... Il termine cette phrase en la dévisageant, cherchant à vérifier la fidélité de sa conjointe.

Nathalie reçoit comme un dard cette dernière remarque soulignant la méfiance de son mari, une attitude récurrente chez cet homme au sang espagnol, frôlant une jalousie maladive. Qu'il ne craigne rien de ce côté, ce n'est pas ma tasse de thé, pense-t-elle. Ma limpidité expressive trahirait toute liaison extraconjugale. Il me faudrait investir beaucoup d'énergie dans une tricherie, énergie que je consacre à plusieurs autres projets.

La rêveuse porte donc peu d'attention aux remarques inquisitrices de Carlos. Elle s'interroge toutefois sur la signification de cette indifférence. N'indique-t-elle pas une faille, un manque d'intérêt quant à la présence essentielle de ce conjoint dans sa vie ? Apeurée de cette perspective, elle rétorque une phrase clichée afin de ne laisser planer aucune incertitude.

— Pour te plaire, mon cher ! Rien que pour te plaire. Mes astuces ne servent qu'à te séduire !

Touché. L'effet est immédiat. Les hormones mâles de Carlos font remonter en lui la bête de charme. Il rugit comme un taureau sous la cape rutilante du matador.

— Et je m'en réjouis ! clame-t-il, croyant avoir pris le rôle du conquistador.

Il se rapproche amoureusement d'elle. Il n'est pas d'humeur à jouer trop longtemps à l'avocat du diable, un personnage qu'il endosse très souvent pour piquer au vif sa procureure préférée. Il a trop à gagner à revêtir l'habit du tendre pour entretenir des affronts. Avec la meilleure volonté, l'homme n'a pas la tâche aisée ; il la sait idéaliste et souvent courroucée. Obstinée, elle ne change pas d'idée facilement. Cet entêtement le fascine et entretient sa fougue de séducteur.

Il aura subtilement tenté de la dissuader d'entreprendre un périple sans objectif précis, mais vainement. Car ce bon joueur a d'autres plans pour ses vacances estivales. Genre golf, golf et regolf ! Pas dans l'humeur d'argumenter, il sort la carte du chic type. Résolument, il a décidé de protéger sa femme dans cette aventure nébuleuse, peut-être contre elle-même. Elle ne voyagera donc pas sans lui.

— Et alors, où va-t-on ?

Nathalie saute dans ses bras. Quel homme compréhensif, pense-t-elle. Faisant volte-face, elle se dit qu'elle irait au bout du monde avec lui... mais aujourd'hui, elle est vraiment heureuse qu'il embarque dans son plan ! Ce fut moins difficile que l'an dernier où elle avait dû le convaincre de vivre une semaine entière sans eau courante, ni électricité, et donc sans ses émissions sportives, au camp de Bicolline, un site campagnard troqué aux agriculteurs de la Mauricie pour être transformé en terre médiévale où se côtoient plus de 2000 bonnes gens en fringues d'époque et en quête d'expériences fantastiques.

Justement, aujourd'hui si elle bosse sur l'ordi, c'est pour répondre à la question de son homme qui requiert du solide, du concret. Reprenant des notes sur le papier parsemé des dernières consultations et tentant d'accorder un sens aux indices recueillis lors de l'imagerie dirigée par Maude, elle réclame de Google Maps le tracé d'un chemin vers Saint Augustine. Elle aimerait le rassurer en précisant l'endroit visé par leur objectif. Mais selon une perspective humaine, il appert que son compagnon montre peu de soucis quant à ses préoccupations.

— Laisse-moi chercher Carlos, j'ai besoin d'inspiration pour que mon intuition pointe la cible, je trouverai bien.

— Il reste une pointe de pizza, lance-t-il terre-à-terre et rapide à tirer profit des jeux de l'esprit.

— Non merci !

— Tant mieux... une autre de sauvée !

Nathalie ne répond plus. Elle est replongée dans son imaginaire. Elle a senti une émotion si forte lorsque la voyante lui a parlé d'une vie antérieure dans un pays au sud, là où les marécages et les champs se côtoient, là où les contrastes sont percutants, tant au niveau de la peau des hommes qu'entre les idées nationalistes. Elle y aurait connu une histoire d'amour ; et l'attendait un legs fabuleux dont elle n'aurait pas réclamé le trésor. C'est sur cette dernière thématique, celui de l'héritage, qu'elle attise l'attention de son compagnon. Nathalie se garde de partager l'aspect passionnel à Carlos, car son sang latin contrerait son projet. Cette fabuleuse histoire avait pourtant pris un virage insolite. Sa requête ne serait pas de tout repos si elle devait affronter les gouffres de la cupidité humaine. Décidément, elle allait taire ses craintes anticipatoires. Il la traiterait d'aliénée.

— Où va-t-on ? insiste-t-il.

— Dans le sud, au soleil, se baigner dans la mer, comme le chante Charlebois, glisse-t-elle parcimonieusement, s'octroyant le temps de mieux planifier cette excursion.

3

LA RENCONTRE DE L'AUTRE

George Smith donne un coup de pied sur la cannette traînant sur le parterre menant à l'orangeraie. Il somme Daniel, le jeune étudiant qu'il emploie à temps partiel de ramasser ses détritus malgré les protestations de celui-ci comme quoi il n'aurait pas bu ce soda. Maugréant un peu plus qu'à l'habitude, Smith vient d'apprendre l'arrivée imminente de sa fille en ville. Il sera la source des verbiages du comté puisqu'elle a un petit sur les bras, pas de mari et des études supérieures écourtées. Il faudra lui payer un diplôme fictif.

Propriétaire de pères en fils du verger adjacent au terrain de Ray, Smith devra un jour léguer le domaine à fille unique. Les cinq cents acres que celui-ci possède avaient déjà été très rentables, mais les revenus ont chuté à cause de gels récurrents lors des derniers hivers. Le Floridien s'en plaint régulièrement auprès de son groupe d'amis entrepreneurs, ranchers ou cultivateurs de café, de noix ou de cacahuètes.

Ray ne participe pas à ce groupe sélect. D'autant plus que les passions sont fortes en ces temps de primaires électorales. Le groupe connaît le nom de celui qui sera candidat républicain et représentera les valeurs de leur parti. La question était de savoir qui serait l'adversaire démocrate entre Hillary Clinton et Barack Obama ?

L'un d'eux s'amusait à raconter la boutade suivante : *au cours d'une cérémonie officielle, Chelsea, la fille de Bill Clinton, salue des soldats de retour d'Irak. Elle leur dit : « Vous êtes si braves de faire face à de si terribles défis, n'y a-t-il rien qui vous fait peur ? » L'un d'eux répond : « Oh oui mademoiselle, trois choses me font terriblement peur ! » « Ah oui ! Lesquelles donc ? », demande-t-elle. « Osama, Obama and Oh ! you' mama ! »* Ce sur quoi, les vieux copains rigolent très fort. Ils se croient assurés de gagner leurs élections malgré la grogne générale contre George Bush fils, insatisfaction dont ils sont conscients, mais à laquelle ils n'adhèrent pas. John McCain s'est suffisamment distancié de son prédécesseur, estiment-ils. Il emportera le scrutin cet automne, l'électorat démocrate ayant le piètre choix entre un homme à la peau noire ou une femme !

***

Mettre le cap vers le sud, en Floride, oui, mais comment ? De son cabinet, Nathalie a haussé une voix qui soudain casse dans sa trachée : *Carlos, je te reviens là-dessus très bientôt.* Un gargouillis surgit de son ventre. L'exigence de Carlos active sa démarche. Elle ressent une boule qui veut exploser à l'intérieur, jusque dans la gorge. Maude lui dirait que le contenu de l'imagerie ressuscite à travers ces sensations physiques. Cette histoire de femme enchaînée n'est donc pas terminée ; des détails non ramenés à sa conscience la taraudent toujours. Elle craint de ne pouvoir mener son projet à terme et ne sait plus où donner de la tête. Comment convaincre Carlos de la soutenir à partir de ces informations éparses reçues quelques jours plus tôt ? Il exigera un but précis et, elle en convient, les indices sont très flous. Une histoire bâtie sur du sable mouvant ; trop mal échafaudée pour que l'ingénieur espagnol lui accorde tant soit peu de crédibilité.

Les minutes passent. Elle doit prestement poursuivre cette conversation en ce qui concerne leur destination de vacances estivales. Un air de tango joue en sourdine à la radio, soulignant le synchronisme du moment : *Vuelvo al Sur*, du groupe Gotan Project. Les musiques du monde peuplent l'imaginaire de ce couple qui a baisé sous des cieux de tous les bleus depuis leur rencontre, il y a quatre ans. Elle voudrait bien que cette mélodie présage une nouvelle randonnée amoureuse. Toutefois, elle s'ennuie des aventures plus exotiques en compagnie de Maude. Et si elle combinait ses besoins…

— S'il te plaît, donne-moi le temps de trouver chéri, grogne-t-elle intérieurement, ne me bouscule pas.

Elle pivote sur sa chaise de bureau et fixe, lunatique, une statuette olmèque en guise d'inspiration. Derrière sa table d'ordinateur, est coincé entre deux murs un simple cube de bois vieilli sur lequel sont posés une lampe de sel, quelques pierres et artefacts ramassés ici et là et auxquels elle a accordé une signification distinctive. Plus jeune, à l'école, on lui avait dit que chaque maison romaine possédait son autel familial, ce qui l'avait séduite. Peut-être une ancienne vie en tant que vestale avait-elle inspiré ce lieu de méditation quotidienne ? C'était sa façon d'ancrer sa spiritualité et de ralentir la pression affairiste de la modernité.

Sa pièce de travail est animée. Les plantes vertes envahissent le seuil de ses fenêtres, question d'épurer le gaz carbonique des dures journées de labeur sur son portable. Deux jours sur cinq, elle besogne dans son domicile, ce qui permet une relative présence à ses jeunes. Cette position la sécurise elle, davantage qu'elle ne leur rend service, croient ces derniers ; car les jumeaux se confortent dans la prolongation du sommeil matinal lors de ses absences. Les cadrages de chêne de son bureau découpent les couleurs rouge vif et vert printanier de ses murs, supportant en plus de la fénestration, des masques du Pérou, du Gabon ou des îles Fidji, rapportés au cours de ses pérégrinations. Le travail à domicile, soyons francs, lui permet de cumuler des heures supplémentaires avec moins de fatigue, question d'allonger la banque de temps pour des vacances. Sans cesse rêve-t-elle d'entreprendre des voyages inusités en terres lointaines.

Des nuages épars passent au-dessus de leur jolie maison de banlieue hors de la métropole. Sur le terrain paysagé, une piscine invite les ados oisifs à prendre une bière et écouter de la musique avec leurs amis. La résidence de Carlos et de Nathalie est un plain pied où ils occupent le rez-de-chaussée, laissant le sous-sol aménagé en pièces de débarras et salle de cinéma ou de jeux vidéo convenant à la horde de jeunes. Car ceux-là ne se privent pas de laisser traîner revues, dvds, guitares électriques et vêtements usagés qui servent de marque olfactive autant que visuelle de leur identité personnelle à affirmer. Y séjournent aussi en évidence les nombreuses assiettes, verres et bouteilles ; portrait moderne qui ferait l'envie des publicistes de consommation rapide.

Étendus sur une chaise longue, en train de peigner leurs cheveux mouillés ou de battre le dernier record sur leur jeu électronique, les ados cherchent un endroit où ils iront passer leur soirée. Ils sont un peu ici, et déjà là, égarés dans des labyrinthes de temps virtuel. Leurs pensées se ramifient en d'autres localités plus grouillantes, où s'étendre encore. Ils ne s'inquiètent pas d'un avenir lointain. Seul le futur qui se conjugue au présent les préoccupe : « À qui vais-je emprunter les vingt billets nécessaires à la sortie ce soir ? Qui sera présent ? Aurai-je du succès auprès d'elle ou de lui ? » Subtil, le plaisir du moment leur échappe. Ils ne savent pas combien ils sont relax, beaux et en santé. Ils pourront l'apprécier un jour, lorsqu'ils repasseront les photos prises sur le vif par une copine qui les aura immortalisés un après-midi en les fixant sur Facebook. Ils se diront qu'ils n'étaient pas si mal et qu'ils n'auraient pas dû s'en faire autant avec leur apparence, qu'ils auraient peut-être dû oser davantage.

Nathalie entend un cliquetis insolite au-delà de la porte du patio. Elle interpelle l'homme de la maison en élevant la voix. *Carlos, peux-tu rappeler aux jeunes de ne pas apporter de bouteilles de verre autour de la piscine ?*

Carlos ne répond pas. Le ciel s'est parcimonieusement couvert de nuages. Comme si de là-haut on préférait ne pas apercevoir ce qui se passe sur cette pauvre Terre, trop souvent délaissée par des dieux préoccupés par leurs histoires d'amour et de combats, pense Nathalie en vérifiant la météo sur Internet. Pas celle de Montréal, celle de la côte est, celle du Maine, jusque vers l'État de Virginie et plus bas que les Caroline et la Géorgie, vers la Floride, s'est-elle orientée, grâce à l'imagerie guidée par Maude. Silence dans la maison. Carlos ne répond toujours pas. Mais où est-il passé ?

***

Quelque part dans l'au-delà…

Plus léger que ça, tu meurs !

Si ce n'était pas de ces satanées savates qui traînent à mes pieds, je m'envolerais vers cette lumière ! Vers je ne sais d'ailleurs quelle destinée ! Je me sens attirée par mille et une ficelles. Pour quelle escapade ? Ma tête ne pense plus, je suis en état d'apesanteur, en état d'observation. Je monte. Je suis.

Je sens mon être… plus libre qu'un papillon. Je fonce à toute allure vers les cieux… vers une transparence lumineuse plus blanche que l'écume de mer, plus douce que la crème fouettée, plus enveloppante que les langes d'une opulente nourrice. Cela est hors de ma volonté. Mon cœur bondit d'une joie sans limites ! Je vole !

Je vole et je ressens une familiarité avec ce qui est de ce lieu. Le dedans et le dehors, le dessus et le dessous, en même temps. En fait, je ne vois pas ce que je regarde, je n'entends pas la douce musique qui parvient à mes oreilles, je perçois que ces choses existent, sans que je puisse les toucher. Je les perçois. Je sais qu'elles sont là !

J'ai le sentiment d'être dans une zone sans limites. J'ai l'impression d'être de ces lieux depuis des siècles et des siècles.

« Amen ! »

Amen ? J'ai entendu « Amen » ? Est-ce que ces mots proviennent de cette jeune femme devant moi ? Elle rit… elle rit de moi. Je sais intuitivement que j'ai simplement entendu ce que je croyais entendre, par habitude. Un écho d'elle ou de moi ? La réponse est absente, car il n'y a rien à dire. Il y a juste à ressentir. Elle est belle. Elle a la peau noire d'ébène. Elle est enceinte de surcroît ! Elle me sourit. Est-ce que je rêve ?

Je dois rêver ! Un de ces rêves lucides où on est endormi, mais présent aux sensations des mouvements d'un corps éthéré. Mon corps… où est mon corps ? Je veux me réveiller… rien ne bouge… pas de panique. J'examine la jeune femme de plus près. Elle sourit toujours. J'ai le sentiment de l'avoir déjà croisée… mais où donc ? Je lui adresse la parole : « Bonjour ma belle amie, que puis-je faire pour vous ? » Elle me sourit plus divinement en retour. Elle semble lire dans mes pensées, comme si j'étais transparent ! Elle paraît amusée du sentiment de légèreté et d'apesanteur qui me transporte dans un sentiment d'ébahissement.

Qui suis-je ? Que suis-je en train de penser ? En quel lieu est-ce que je me trouve ? En fait, je n'en sais plus rien. Le sentiment d'expansion qui m'envahit m'interdit toute référence habituelle sur mon identité et sur celle de la présence qui m'accueille. Elle... Où l'ai-je déjà rencontrée ? Elle sourit toujours et ne semble pas avoir besoin de mes services. Tant de charme, d'accueil, d'intimité même, et pourtant aucune contrainte, attente ou séduction, juste la présence de l'être.

Elle est vêtue comme je l'imagine. D'une robe diaphane, celle d'une vestale. Voilà qu'à la suite de mon observation, apparaissent en arrière-plan les poutres d'une demeure romaine, en fait, ce qu'il en reste. Les ruines sont toujours plus visitées que toute maison correctement érigée ; ce qui tient debout malgré les années fascine l'esprit. Comme si ces vestiges étaient à la fois un symbole de la solidité autant que de la vulnérabilité de la matière. Et quel contraste avec la grâce de mon hôtesse en ces lieux mystérieux !

Je lui demande son nom. Il apparaît un rosier débordant de fleurs d'un rouge éclatant, côtoyant le temple et soulignant avec emphase l'écart temporel entre la structure pétrifiée et la fraîcheur de la nature florale. Rose est son nom. Rose est mon inspiration.

Son bras droit s'élève, enfin. Elle m'indique une foule non loin. Soutenus par un nuage douillet, la conversation qu'ils entretiennent les rassemblent en une unité translucide. Ils ont un corps, un corps aussi diaphane que le sien. Et moi ? Pourquoi ne suis-je pas dans mon corps, car je ne le suis pas, je ne perçois que mes pieds. En fait, que les semelles de mes godasses ! Ah ça, c'est bizarre ! Ces chaussures, je ne les porte pas, je les regarde, de surcroît par la plante des pieds, comme si elles étaient en exposition dans quelque musée d'art moderne. Où est le corps du propriétaire ? Où est mon corps à moi ? Pourquoi ne suis-je pas dans ce corps ?

Mes pieds, suivre mes pieds. Regarder dessous le nuage… Voilà!

Voilà mon corps… inanimé!

***

Quittons cette plénitude intemporelle et retournons à notre toute première grande aventure, celle de Taopé, ancêtre de Ray en ces terres occidentales et dont l'histoire eut lieu plus de deux siècles et demi avant la naissance de notre gardien d'alligators. Reprenons donc le fil à l'arrivée déconcertante du jeune homme en sol d'Amérique.

L'intendant laisse Taopé penaud, au bord du chemin. Il est convaincu que les indigènes le trouveront avant que celui-ci ne réussisse à les repérer. Il n'entretient aucune inquiétude quant à sa survivance, au détriment de son protégé. Préoccupé, le cocher souhaite ramener sa charrette vers la ville le plus rapidement possible. Les maîtres le chercheront furieusement lorsque la cohue sera dispersée. Il ne jette même pas un regard sur son passager, habitué à ce que personne ne pose les yeux sur lui-même.

Quant au jeune Africain, il est conscient de son ignorance et ne sait de quel côté poursuivre sa fuite. Son premier réflexe est d'éviter la marche sur une route dégagée et de se cacher derrière un de ces arbres gigantesques. Toutefois, des questions pressantes affluent dans ses pensées.

— Attends! lance-t-il de façon impérative, montrant la teneur de son courage et de son intelligence. Attends! Pourquoi as-tu fait cela pour moi?

— Il n'y a pas de « pourquoi », seulement un « pour qui »! rétorque le vieillard, toujours sans se retourner et indiquant par un coup de rênes à son cheval d'accélérer le pas.

Taopé court à ses côtés et pose les deux mains sur la cloison latérale de la charrette, forçant le conducteur à arrêter son cours. L'intendant dépose ses bras, relâche les lanières de cuir qui se détendent sur ses doigts courbaturés et vire vers le jeune une tête basse. Levant enfin les yeux vers lui, Taopé constate que le serviteur a peu de forces pour afficher un sourire. Ses épaules sont affaissées et son souffle maintient le rythme court et oppressé de leur fuite.

Le cœur de cet homme est lourd, pense le jeune évadé qui, malgré sa courte expérience et son état de désarroi, ressent la résignation d'un semblable. Jamais n'aura-t-il croisé autant de souffrances que durant ces derniers mois.

— Je n'ai pas eu la chance de faire beaucoup de choses de mon propre chef, déclare le vieillard. Quand je t'ai aperçu sur le tréteau, ça a été plus fort que moi ; mais ne m'en demande pas plus. Je te souhaite bonne chance mon gars.

Cet appui ne suffit pas au jeune dont un éclair de panique sert la poitrine.

— Attends ! Que se passe-t-il ? Où suis-je ? Qu'est-ce que la Caroline ? Qu'est-ce que le sud ? Que vont devenir les autres, ceux qui n'ont pu se sauver ?

Qu'allait-il devenir lui-même ? Comment allait-il trouver un passage de retour chez lui ? Il avait faim, où allait-il trouver de la nourriture ? Pourquoi le vieux ne lui donnait-il pas un logis ? Où avait-il pris ces habits qu'il portait ? Quelle était cette contrée où il se trouvait ? Comment allait-il trouver son chemin ?

***

La pièce qui sert de bureau à Nathalie est assez vaste pour supporter les idées créatives lancées par cette sauveuse du monde, avocate des causes perdues à travers la planète. Une trop petite planète, car il semble y avoir constamment à quelques coins du monde un enchevêtrement de mètres carrés dont chacun se dispute pour répondre à son besoin d'expansion ! Si préoccupée par le sort du monde, est-elle libre elle-même ? Les réseaux sociaux lui permettent de garder le contact avec les événements planétaires. Paradoxalement, ce réseautage moderne crée un vide de solitude, alors que d'un clic rassurant, il comble de façon virtuelle les degrés de séparation, l'écart entre les gens fondant comme peau de chagrin de saison en saison. Nathalie passe plusieurs heures par semaine sur ses sites favoris, écoutant les vidéos de maîtres à penser, triant ses nombreux courriels et répondant à ceux qu'elle trouve pertinents. Elle rêve d'aider ses semblables sans vraiment prendre le temps de passer à l'action. Elle navigue dans sa tête, souhaitant dans son cœur un monde plus juste, mais ne sachant que faire pour aider à rétablir l'équilibre de la richesse. Happée par ce banc de poissons numériques, elle suit la masse, se dirigeant vers ce qui paraît désirable et à portée de portefeuille.

Un courriel entre sur l'ordinateur, signalé par la tonalité électronique habituelle. Son travail comme avocate en droit commercial oblige une concentration séraphine aux détails concernant les ententes explicites entre parties. Nathalie s'octroie peu de loisirs pour décrocher de ce monde hyperactif. Est-elle une proie facile pour l'épuisement qui la guette ? Une lucidité intérieure diagnostiquerait qu'elle accélère frénétiquement son rythme de travail pour fuir un corps blessé. Une blessure passée qui n'a pas trouvé sa fermeture. Elle court, parle, lit, exécute, rend des rapports dans l'espoir que demain, elle trouvera l'emploi idéal, le pays idéal, le partenaire idéal, aposant son nom à des organisations caritatives en espérant faire une différence. Est-ce que cette blessure qu'elle tente de panser à travers toutes ces démarches se résorberait enfin, comme le prédit sa voyante ? Nathalie sent l'approche du vent de changement. Oui, il doit être tout près l'objet de sa recherche intérieure. Comme on pressent un mot sur le bout de la langue, l'ombre d'une libération se dessine.

Lorsque les anticipations la tracassent trop, son amie Maude lui suggère de regarder la vidéo du conférencier britannique Tony Parsons. *L'espoir,* dit-il, *est un puissant moyen pour empêcher l'éveil*. Alors, Nathalie quitte les moulins à vent de sa quête, redresse sa position sur la chaise et contacte sa foi en sa compétence. Sur quoi son attention se porte, comme un signe, vers son chat Mélou.

Celui-ci trône sur son coussin royal, à côté de sa maîtresse. Mélou a eu la queue coupée par on ne sait quel accident. Cette brave bête semble en quête de réconciliation avec la vie qui lui a imposé cette sentence malicieuse. Nathalie comprend sa réticence à côtoyer les humains et le flatte chaleureusement, lorsqu'il y consent. Elle lui parle doucement de façon à ce qu'il comprenne la nature de son malheur. *Pauvre petit*, lui dit-elle. *Tu es pourtant chanceux ! Après ton accident, tes anciens maîtres ne t'ont pas euthanasié ; ils t'ont donné une chance d'avoir un autre foyer, chez nous, auprès de gens qui t'affectionnent. Eux aussi t'aimaient, à leur façon ! La séparation, ce n'était qu'une difficile épreuve.* Son cœur de mère prend conscience qu'elle prononce ces mots à l'intention d'un autre être, un bébé perdu, il y a longtemps. Quelques larmes forcent leur chemin jusqu'aux paupières. Pas pour le chat, mais pour l'enfant qu'elle a dû avorter toute jeune. Elle porte en elle un sentiment de culpabilité encore vif pour la décision d'avoir mis fin à cette grossesse. Quel âge aurait-il aujourd'hui ? À qui ressemblerait-il ? Cet enfant n'aura pas eu droit à un autre foyer comme son chat. Fera-t-elle un jour la paix avec cette absence ? Est-il possible d'effacer les traces douloureuses d'un destin mal assumé ?

Carlos entre par la porte avant. Il dépose des sacs d'épicerie sur les comptoirs de la cuisine. Les sentiments de Nathalie font preuve de gratitude lorsqu'elle le sent se rapprocher. Ils la ramènent à son attachement pour ce conjoint sensuel, toujours prêt à l'enlacer dans des pas de salsa. Mais soyons réalistes, Nathalie a un agenda pas toujours compatible avec les exigences de présence attentive à son mari.

— Où étais-tu passé ? s'inquiète la grande inquisitrice du *corazón* de Carlos.

— Je reviens de la féria, il manquait de caviar et de champagne ! improvise-t-il pour la faire pétiller... mais vainement, une fois de plus. Lorsque Carlos est déçu, il pique sur le vif, tout en rangeant docilement la viande hachée et les œufs au frigo.

— Je suis passé à la brûlerie prendre du bon café. Celui que tu achètes est infect. Et alors... poursuit-il en haussant le ton, cette fois avec force et conviction, car il exige une réponse claire : exactement, où logera-t-on cette année ?

Carlos s'irrite au constat qu'une nouvelle avenue se prépare à son insu. Il a horreur des surprises. Quel en sera le cap cette fois-ci ? Alimentation macrobiotique ? Cours de Taiji en couple ? Tantrisme ? ... ce qui n'était pas si mal, car cela nécessitait beaucoup de pratique ! Il se concocte un expresso corsé.

D'une carrure athlétique, sûr de lui, Carlos se rend vers sa compagne et remplit le cadre de porte de son bureau comme une insistance. Les effluves du divin breuvage l'accompagnent ; Nathalie hume, mais reste de marbre ; autant la prestance de Carlos peut la rassurer qu'elle la glace parfois. Il importe à Carlos d'exhiber son expectative, afin qu'elle montre autant de sensibilité à ses intérêts à lui qu'elle met de précaution dans sa recherche d'expansion universelle !

— Tu as parlé du sud ce matin, lance-t-il de façon rêche.

— Oui, c'est le cas!

— Ah! Bien! Pour la bonne cause, le charmeur refait surface. Je peux apporter mes bâtons de golf? On ne se convertit pas en chasseur de trésors sans creuser quelques mottes de terre sur les parterres de tous ces capitaines échoués, lance-t-il au cas où...

Nathalie retarde la divulgation du contenu de l'imagerie vécue chez Maude. Elle introduit prudemment la présence de son amie dans la conversation, incertaine du résultat.

— Garanti, il y en aura pour toi et pour moi! J'ai une idée de ce qui me mettra sur la bonne piste... Je vais téléphoner à Maude. J'ai besoin de ses conseils. Ce ne sont quand même pas tes cartes de golf qui donneront des indications à notre GPS pour repérer les marécages!

— Encore drôle, répond Carlos en s'éloignant. Encore drôle, répète-t-il plein d'espoir.

***

Sur la seconde insistance de Taopé, l'intendant tire les lanières attachées aux mors, forçant le cheval à s'immobiliser à nouveau. Le vieux dépose avec lenteur une main sur la planche fissurée de la charrette bordant son dos. L'opiniâtreté du jeune lui plaît, cela constitue un gage supplémentaire de sa survie. Il choisit de répondre à la seule question qui le touchait de près.

— Qu'est-ce qui se passera pour les autres? Ils vont entrer au service de ceux qui bâtissent ce pays. Ils seront mis aux champs. Leurs bras sèmeront et cueilleront les fruits de la terre. Hommes, femmes et enfants. Tous travailleront le jour, puis se reposeront la nuit, pour recommencer le jour suivant. Les labeurs de la terre exigent les efforts de tous. Gagnant leur pitance, ils mangeront et auront un toit sur la tête.

Plus le domestique parlait, plus ses épaules s'alourdissaient et son dos courbait. Elles portaient le poids de tant de douleurs.

— Mais toi, tu n'es pas aux champs?

— Regarde-moi, mon gars, je suis trop âgé. Mon temps de cueillettes est terminé. Le maître m'a vendu et je suis au service d'une nouvelle maîtresse. Je conduis le chariot pour faire les emplettes à la ville. Je suis reconnaissant de ce travail.

— Tes yeux ne mentent pas, vieillard. Tu portes une grande tristesse dans ton cœur. Ce pays ne t'a donc pas rendu heureux?

— J'ai eu mon temps pour être heureux. Mais le maître a trouvé que nous étions trop nombreux à nourrir. Ma femme est tombée malade et elle est morte, un triste jour de printemps. Il a vendu mon fils à un fermier, très loin d'ici, très loin… Ses yeux se vidèrent davantage de la parcelle de vie qu'ils reflétaient. C'est comme si la disparition de sa compagne, puis de son fils avait éteint peu à peu l'esprit qu'aurait dû animer son âme. Les larmes forment un ruisseau stagnant aux abords des paupières de ses yeux délavés.

— Vendu? reprit Taopé.

— Les Blancs nous acquièrent et quelques fois se départissent de nous, comme ils amassent et revendent du bétail ou des ballots de coton. Au début, je choisis de prendre le meilleur de ce funeste sort. J'étais jeune et fort, je pouvais trouver de la fierté où que ce soit, dans quelque tâche bien accomplie…

Suspendu dans l'éternité, il y eut un silence comme si le père de famille se remémorait des visages évanescents. Mais harassé par les cicatrices de son histoire, un rictus vint sillonner son menton dans l'effort de retenir à nouveau l'épanchement de ses émotions.

— Dans l'abîme laissé par le départ de Jeremiah, mon cœur s'est fendu. L'espoir est absent. J'attends le rappel du Seigneur.

— Du Seigneur ?

— Oh ! Tu entendras parler de celui-là aussi. Le Seigneur de l'Éternel, celui qui garde ses brebis avec compassion. Lui aussi a son cheptel mon gars. Une fois marqués, où que ce soit, nous n'en sortons jamais. Secouant la tête, les yeux baissés, il ajoute : la vie ici-bas n'a plus de sens pour moi. Le regardant à peine : Quand je t'ai vu, mon gars, j'ai vu en toi l'image de ce que j'aurais aimé que mon fils devienne, un jeune homme, plein d'audace, fier, résistant. Un mince sourire lève le coin gauche de sa bouche. Tu t'es battu pour ne pas périr durant ton long séjour en mer ! Il y a du feu en toi. Sauve-toi de cette destinée maudite de l'esclavage. Mon gars, n'appartiens à personne, ce n'est pas un sort enviable. Si cela est possible, où que ce soit en ce monde, retrouve ta liberté ! Fuis. Tu as une chance de voler ta liberté. Fuis. Vite. Ne reste plus ici. Allez, j'ai assez parlé. Je suis fatigué.

— Paix dans ton cœur vieillard, lui répondit Taopé en tendant sa main pour toucher celle de son conducteur.

N'est-ce pas le plus beau cadeau que l'on puisse faire à un homme seul, de le toucher ?

La délicatesse de ce geste arrache l'éclisse le reliant au passé. Le jeune homme saisit la cause de sa profonde tristesse : elle trahit l'impossibilité de modifier sa situation. Taopé se promet de ne pas connaître le même sort et il éprouve de la gratitude envers cet homme, le premier père croisé en ce lieu. L'ayant salué, il tourne le dos promptement afin de le laisser repartir vers sa tâche, comprenant qu'il doit maintenant déterminer le cours de son histoire.

En claquant les rênes du cheval, l'intendant pense que les exploiteurs ne font qu'imiter le Seigneur dans sa bonté, rassemblant son cheptel. Il faut leur pardonner. À chacun son rôle, à chacun son outil pour rendre hommage à la Création. Ainsi fait-il la paix avec son sort. Le vieillard a cessé de se porter en victime, à l'instar des compatriotes qui ont trafiqué leurs plaintes mélancoliques en chants collectifs, il a décidé d'accepter son lot et de faire du mieux qu'il peut. Cela lui apporte même un soupçon de satisfaction. Qui sait, peut-être a-t-il changé le cours de l'histoire ce soir en aidant ce jeune à fuir la scène du marché ? Il ne le saura jamais. Le serviteur garde en son cœur l'intime conviction qu'il a été un humble rayon de la destinée, tout geste posé étant un pas en avant, vers autre chose, vers un avenir. Il repart allège après avoir vérifié que l'impétueux frère de sang avait amorcé son périple. Reprenant le rôle de cocher, il dirige ses pensées vers son maître. Lorsque celui-ci lui réclamera des comptes pour son absence et exigera d'amener les blessés au dispensaire, il alléguera que le cheval a pris panique, justifiant cette sortie de la bourgade.

Quant au jeune homme, il n'a qu'un seul avantage, celui du regard neuf sur ce pays ; il a la tête pleine des observations récoltées depuis son arrivée dans ces nouveaux territoires. Son désavantage est de ne pas en connaître les coutumes. En recherche d'un sens pratique à ses constats, son esprit philosophe. *Curieux peuple inventant un Seigneur qui emprisonne ses créatures,* songe-t-il. *Mais ne s'agit-il pas en effet d'un peuple conquérant ? Celui-là n'agit pas en concordance avec la nature, il veut la soumettre à son acharnement.*

Selon la sagesse de son peuple, l'abondance se présente à l'homme quand il fait émerger l'esprit de la gratitude. Comme la femme apparaît sur le chemin de l'homme quand son cœur lui est ouvert. *Je dois prendre garde et éviter d'autres pièges,* se promet-il. Cela suppose également qu'il usera de méfiance pendant un certain temps. *Ma survie dépend,* ressent-il sagement, *de la poursuite de mes observations.* Et il se remet à scruter le sol à la recherche de la moindre piste.

***

Nathalie profite de l'absence de Carlos, parti reconduire les jeunes chez des amis, pour rejoindre son amie en conversation téléphonique. Les idées foisonnent, un plan s'esquisse.

— Salut Maude, comment vas-tu?

— Je crois que c'est à moi de m'enquérir de l'impact de ton imagerie sur ton humeur et tes projets, lance Maude suivant le « Ça va! » coutumier.

Ça va même sur des roulettes. Car Maude planifie un voyage en motorisé avec Samuel, son nouvel ami. C'est ce qu'elle confirme ici à Nat. Le véhicule récréatif est stationné dans l'entrée pavée du complexe résidentiel. Orné de fleurs et de lignes ondulées multicolores, il attend ses passagers, comme dans le temps où les Westfalias, vestiges de l'époque flower power, transportaient quelques bandes rebelles à travers les Amériques. La roulotte de Maude est cependant plus vaste et plus confortable que ces premiers modèles. Avec l'âge, on se préoccupe davantage de commodités sanitaires et d'électroménagers.

Que la vie fait bien les choses, songe Nathalie! Elle ne s'éternise pas sur le propos de son appel. Le cœur battant comme si elle allait sauter en bungee, elle prend le taureau par les cornes. Ne se préoccupant pas des inconvénients que sa fronde pourrait entraîner, elle s'invite chez elle sans plus de préambule. Entre copines, on peut tout se dire, mais en personne.

Ayant fermé l'appareil, Maude informe Samuel de la visite de son amie. Ils discutaient des préparatifs de leur voyage. Un moment propice pour les présenter l'un à l'autre, songe-t-elle.

— Elle mange avec nous ?

— Non, il semble qu'elle ait quelque chose d'important à me demander. Elle ne peut le faire par téléphone.

— As-tu une idée de ce qu'elle attend de toi ?

Maude se doute que Nat veut se joindre à elle dans ce voyage. Lors de sa dernière visite, son amie était si préoccupée qu'elle n'a pas pris le temps de lui parler de la présence de Samuel, ni du fait qu'elle compte décamper en balade motorisée avec son nouvel amant pendant ses vacances estivales. D'anciens chums étaient du genre sédentaire, des hommes à cravate, leur agenda les menant au quart d'heure et leur portefeuille conditionnant leurs ambitions ; jamais elle n'aurait pensé à leur proposer un accompagnement dans un voyage frugal. Mais ce Samuel est du type nerveux, genre mustang, cheval sympathique et fringuant. Il a besoin d'être sécurisé, mais est toujours prêt à prendre le large.

— Ton amie est aussi célibataire ?

— Non, question familiale, elle est mère de deux ados dont elle a la garde partagée avec leur père. Elle vit maintenant avec un homme charmant, installée avec sa marmaille dans une maison d'un quartier paisible. Elle a un côté petite-bourgeoise.

— Tu sembles mépriser ce statut. À mon sens, on appelle ça de la stabilité.

— Oui et non, elle s'épivarde dans des projets parfois farfelus. Et c'est justement ce dynamisme qui nous rassemble ! Toi, Samuel, est-ce que tu réalises tes rêves ou es-tu prisonnier du raisonnable ?

— Sérieusement, lorsque j'ai ouvert mon entreprise, j'ai réalisé une grande part de mes rêves. J'y ai pensé longtemps et j'ai dû me lancer rapidement lorsque l'occasion est venue de suivre un bon client de l'imprimerie qui demandait un service informatique. Mon patron m'a encouragé à me lancer dans le vide, sinon, je me serais accroché à lui ! Et ton amie, qui est-elle pour toi ?

— Nathalie est une voyageuse, une fonceuse. Elle me sert de modèle pour la moitié de mes romans ! Elle a souvent des idées saugrenues, originales pour ses vacances. Toujours, elle est à l'affût de la vie qui palpite... Avec précaution, Maude ramène la raison de sa venue... Et ne ris surtout pas de... bien... Nathalie veut me parler des dernières prédict...

Maude hésite à poursuivre sa lancée spontanée, craignant l'éclat de rire de son partenaire. Elle se sent coincée entre l'amitié qu'elle porte à son amie et l'image qu'elle désire projeter auprès de son amoureux. Parler de cartomancie fait fuir les esprits cartésiens... et les hommes n'aiment généralement pas paraître crédules. Vite, elle doit trouver la bonne formule, car Nat se pointera dans quelques minutes.

***

Ce n'est pas juste. Je ne voulais pas perdre pied. J'aurais voulu prolonger le temps auprès de ceux que j'aime ; auprès de ma femme, côte à côte, savourer sa présence, me blottir infiniment dans ses bras.

J'aurais dû consacrer plus de temps à ma douce. J'aurais dû voyager avec elle partout dans le monde et l'amener dîner dans de grands restaurants. J'aurais dû lui faire couler des bains chauds et moussants. Elle aurait aimé ça.

J'avais des plans. Tant de « J'aurais dû »! Maintenant c'est clair : pour moi, il n'est plus temps.

***

Devant son comptoir de cuisine, Maude rit intérieurement de l'effet présumé de son propos. Poursuivant sa révélation, elle pèse ses mots, gardant la tête penchée vers sa planche à découper. Elle taille finement haricots, poivrons et autres légumes qu'elle fera revenir au fond de son wok, crépitant dans l'huile d'olive de première pression. Savourant les situations inhabituelles, l'hôtesse ne contourne pas la vérité.

— ...de sa voyante. Elle veut me parler des prédictions de sa cartomancienne.

Pendant qu'elle divulguait les grandes lignes de la quête de son amie, l'effet était visible sur le visage de Samuel. Il a d'abord un léger recul, tournant sa tête vers la droite, gardant la bouche en forme d'interrogation, ses yeux ont quitté la direction de son interlocutrice. Maude regrette de lui présenter sa meilleure amie sous cet éclairage mélodramatique. Observant son comportement entre la coupe de champignons, elle parie sur les probabilités qu'il quitte les lieux avant l'arrivée de Nat, prétextant un rendez-vous oublié. Peut-être a-t-elle forcé la note ?

Mais celui-ci n'est pas aussi fermé qu'elle le croit aux arts divinatoires ; cependant, il n'aime pas admettre qu'il est intrigué par des discours qui reposent sur des feuilles de thé et non sur une base mesurable. De plus, l'arrivée de son amie allait rompre le contact exclusif avec sa nouvelle copine et il se demandait sincèrement quelle place occuper dans ce trio. S'il est plus confortable dans son studio à bosser seul sur ses devis de designer de site Web, c'est qu'il préfère l'intimité à la foule. Sensible, Samuel perçoit toutefois l'embarras causé par son silence et tente d'expliquer la distraction affichée. Il se recompose une présence en ramenant le sujet sur le sujet de la clairvoyance.

— Excuse-moi. J'ai décroché de tes derniers mots. Ce n'est pas que je veux éviter de rencontrer Nathalie, mais quel hasard ! Ma cousine me disait tout juste hier matin que sa mère, ma tante, a visité régulièrement une voyante après la mort de son mari. Cette dame aurait des compétences extrasensorielles. Elle recevrait des messages de celui-ci et les lui transmettrait. Qu'en penses-tu ?

Une façon peu subtile de vérifier si je suis aussi crédule que mon amie, imagine Maude qui choisit de reprendre du pouvoir en revêtant sa personnalité professionnelle.

— Je trouve ça immensément triste de s'accrocher aux morts. Tu veux vraiment mon avis clinique en tant que psychothérapeute ?

Maude adore aborder ces sujets palpitants. Le monde de l'imaginaire de l'après-vie s'immisce dans la psyché de plusieurs personnes, mais il est peu examiné dans l'analyse du comportement humain. Quelle perte d'informations ! Nous voici aux frontières de la psychologie. Il reste tant de mystères à élucider par cette science si on veut situer la place de l'être humain dans notre immense univers, dont la majeure portion est immatérielle. Comme l'iceberg, songe Maude, seule une pointe visible émerge hors de l'océan des possibilités.

— Euh, ton avis, oui, répond Samuel hébété. Je ne vois pas le rapport entre psychothérapie et voyance !

— Tu vas comprendre. Écoute, dit-elle en déposant son couteau alors que l'éclat de ses yeux illumine sa passion de l'insolite, mon expérience m'enseigne que ces gens qui cherchent à rejoindre les morts sont ceux qui n'arrivent pas à en faire le deuil. Ils sont à la recherche d'un prolongement de contact avec ces êtres chers auprès de qui ils n'ont pas bouclé la boucle.

— Est-ce pareil lorsque ce sont les personnes décédées qui cherchent à entrer en contact avec les vivants ? Parce que ma tante est allée rencontrer la voyante lorsque des choses bizarres sont arrivées autour de la maison, m'a confié ma cousine.

— Par exemple ?

— Oh ! Un oiseau entré subitement par la porte... des rêves lucides où elle lui parle la nuit avec l'impression d'être assise sur la toiture... des rayons de soleil perçant les nuages en forme de cœur. Elle croit qu'il s'agit de messages de la part de son mari.

— Ça, je ne sais pas. Ma théorie concerne la psyché de ces clients. Je dirais que ta tante a quelque chose à se faire pardonner. Le sentiment de culpabilité que l'on ressent face à des gestes qu'on regrette de n'avoir pas posés ou des paroles non dites, ce sentiment empêche la fermeture de la relation, empêche de passer à autre chose. On veut garder le contact pour rectifier ce qu'on croit avoir mal fait.

— Comme un parieur ayant un problème de jeu compulsif ! Il retourne à l'infernale machine pour se refaire !

— Oui, c'est une bonne comparaison. Je crois même que s'il existait un phénomène d'incorporation dans une vie ultérieure, ce serait pour la même raison. On espère une chance de faire mieux.

— Et on fait mieux ? suit à son tour Samuel, intrigué cette fois.

— Si l'on en croit les théoriciens de la réincarnation, le nombre de retours est très grand. Il faut croire qu'on refait les mêmes erreurs, les mêmes manques d'amour à répétition ! Tout en touillant la salade, elle ajoute, sérieuse et inquiète pour sa tante : ta cousine devrait lui suggérer de consulter une personne qui l'aiderait à évacuer ses émotions.

— Oh ! Tu prêches pour ta paroisse... mais c'est un signe de confiance en tes bons services, je suppose ! Le hic, c'est qu'elle ne veut pas abandonner son mari. Elle le pleure sans cesse ; ça fait dix ans qu'il est décédé. Elle n'est pas prête à passer à une autre étape, je suppose.

— Plusieurs personnes croient qu'en conservant la peine ou la colère, c'est une façon de garder le lien. Pourtant le détachement permet à chacun d'aimer mieux et plus fort !

— Et ton amie, que recherche-t-elle ?

Maude refuse d'en révéler davantage sur Nathalie préférant que Samuel tisse une opinion originale. Le jugement que l'on porte sur l'autre est comme une toile d'araignée, ça colle ou ça perce ! Si ces deux-là pouvaient s'entendre, elle inviterait son amie à se joindre à eux pour l'aventure qui se dessine.

Autant que sa copine, Maude est empreinte d'un esprit de curiosité et encourage l'éclosion de l'objet véritable de sa recherche. Elle sent que ledit legs n'est qu'un appât pour amorcer une démarche plus profonde provoquée par le jeu de sa conscience.

Les questions de Sam ont attisé son esprit fureteur. Nathalie aurait-elle un deuil à vivre ? Cela présage-t-il la mort d'une personne proche d'elle ? Voilà ce qui l'aurait possiblement menée à consulter la cartomancienne... La thérapeute conserve cette analyse dans l'espace privé des secrets professionnels. Nathalie plongera dans son destin bien assez vite.

***

Fort Mose 1739

Beaucoup plus au sud, le fort Mose domine la côte nord-est de la ville de Saint Augustine. Cette citadelle érigée il y a deux ans à peine abrite une centaine d'anciens esclaves noirs. L'Espagne et l'Angleterre sont en guerres coloniales. Des rumeurs circulent à propos d'une nouvelle attaque des Britanniques tentant de conquérir la péninsule de la Floride. Malgré une première défaite en 1702, les Anglais estiment avoir avantage à devenir maîtres de la plus ancienne ville européenne de l'Amérique. Mais l'Espagne ne veut rien céder ; elle accorde protection à la colonie d'anciens esclaves noirs en échange d'un guet parant un assaut assuré. En 1728, le Gouverneur Montiano avait d'ailleurs aboli l'esclavage en reconnaissance à l'aide apportée lors d'une précédente attaque.

À plusieurs semaines d'expédition de ce point d'arrivée, Taopé est très loin de son affranchissement. Tel que l'avait prévu l'intendant, il a été repéré rapidement par les Indiens à l'affût de tout mouvement sur leurs terres ancestrales. Ne sachant pas comment distinguer une racine comestible, l'indice de la proximité d'un ruisseau ou la validité de la piste d'un animal qui pourrait satisfaire sa faim, il est soulagé d'être entouré par les chasseurs Sémioles à la fin de cette première journée d'errance. Mais comme un événement n'attend pas l'autre, il est fait prisonnier et amené au village.

Ne montrant aucun signe de résistance, la tribu juge la jeunesse et l'absence d'animosité de Taopé comme un gage pacifique. La couleur de sa peau jouant en sa faveur, elle l'adopte pendant quelques mois. Il se familiarise prestement aux rudiments de leur langue et à la façon de survivre dans cette contrée, beaucoup plus luxuriante qu'elle lui paraissait dès le premier abord. Les poissons abondent dans les rivières et il apprend à pêcher, habile qu'il est déjà avec une lance. Les pièges animaliers, la fabrication de canots, de vêtements, de tepees, le troc avec les Blancs, bien qu'il n'y coopère pas afin de ne pas être repris captif, tous ces éléments de la culture amérindienne sont imités avec succès par le jeune apprenti en mode de survie.

Les indigènes lui parlent de l'étendue de leur nation. Fier de son appartenance, le nègre dessine sur des peaux séchées sa hutte, sa communauté, des formes d'animaux inconnus des indigènes, les singes, les lions, les girafes. Augmentant l'étendue de son vocabulaire, il leur parle de son pays, de bateau, de retour chez lui. Il insiste sur la recherche d'un navire. Traçant une carte sur la berge en sablée, on lui indique l'endroit d'un port, plus loin, plus au sud. Qu'après la saison automnale, la tribu migrera, longeant les rivières. Avec patience, Taopé noue des liens avec ce peuple autochtone envers qui, pour une seconde fois, il éprouve de la reconnaissance. Cependant, il ne tisse aucun lien privilégié avec les femmes du clan. Son regard, tourné vers un avenir issu du passé, vers une espérance de retour à son peuple, l'empêche de créer un lien d'attachement. Son corps en symbiose avec un esprit de fuite ne se dépose parmi ses hôtes que le temps des accomplissements quotidiens.

Après plusieurs lunes, un groupe de chasseurs accepte de le conduire vers la Floride, au fort Mose apprend-il, havre dont il rêve comme étant le canal de retour à son village natal. Le chef du village fait cadeau à Taopé d'un pendentif sculpté dans un bois de chevreuil. Attaché à son cou par une lanière de cuir sertie de huit pierres, le collier comporte des signes et des barres que Taopé identifie comme étant le nombre de lunes passées auprès de ce peuple autochtone. Il s'agit d'un compte du temps, lui confirme le chef. Grand-Ours souligne que cela signifie aussi qu'il y a un temps pour chaque chose, et que les vœux sont toujours exaucés lorsqu'on fait appel aux forces divines. On ne sait quand, ni comment, nos objectifs se concrétisent, mais le jeune doit se souvenir qu'il n'est jamais seul, même dans les jours les plus désespérants. Grand-Ours lui souhaite patience et ténacité dans son cheminement. C'est avec une gratitude immense que Taopé accepte ce lien qui l'ancrera plus qu'il ne croit au nouvel horizon.

Parvenus jusqu'au fort à la brunante, les Indiens refusent d'entrer dans l'enceinte des bâtiments. La mémoire des leurs, cruellement décimés par les conquérants débarqués de leurs galions à la fin du 16e siècle, hante les monts, lui disent-ils bravement. Les esprits parlent aux chamans. Quant à eux, tout en les honorant, ils ne veulent pas les confronter. Chacun son espace. Ses accompagnateurs quittent aussitôt les abords de la citadelle. Délaissé par ses frères amérindiens, Taopé se retrouve seul au pied de la forteresse. Avec la précaution nécessaire à celui qui ne veut pas être confiné contre son gré, il observe minutieusement les allées et venues des gens qui circulent aux alentours de ces édifications avant d'y pénétrer.

La Vie réserve cependant des surprises, car refusant d'être confinée à nos désirs, elle se présente rarement sous la forme espérée. Souvent, elle s'échine patiemment à nous montrer qu'elle est son maître d'œuvre, sculptant nos destinées, structure planifiée à l'intérieur d'une mécanique mathématique régissant l'infiniment petit comme l'infiniment grand. Heureux sont ceux et celles qui avancent en harmonie avec ses propositions. Toutefois, ne sachant pas lire la carte de la matrice universelle, Taopé a tant des choses à apprendre avant de reposer sa philosophie sur cette sagesse.

***

D'ailleurs, pourquoi irait-on consulter une voyante, si ce n'est que pour se faire confirmer ce que l'on veut entendre, pense Maude. Le célibataire veut croire qu'il rencontrera bientôt sa dulcinée, la personne criblée de dettes veut recevoir des sommes d'argent inattendues, la personne malade espère une guérison miraculeuse, car elle veut vivre sans avoir à changer les éléments nécessaires pour retrouver sa santé. *Samuel a de la suite dans les idées*, note-t-elle silencieusement alors qu'il veut connaître l'objet de la recherche de Nat. Il insiste. Elle fouille son esprit analytique.

— Que recherche Nathalie ? répète Maude qui se convainc qu'elle devrait deviner ce qui se cache sous la dernière lubie de son amie. Occasionnellement, Nathalie consulte un médium, lui répond-elle, quand elle a une zone d'ombre dans ses choix. Elle clarifie sa réalité à la lumière de l'intuition de cette personne. Cela confirme ou infirme ce qu'elle en pense. Mon amie Nathalie est avocate, explique-t-elle à son copain assis près de la table.

Samuel l'observe dans ses aller-retour, du frigo au comptoir. Elle est dynamique, ses mouvements sont assurés autant que féminins. Il lui offre de l'aider dans sa préparation de repas.

— Est-ce que je peux faire quelque chose ?

— Non, on ne peut rien y faire ! déclare-t-elle en riant. Nat se sent inconfortable dans les marais tièdes de dossiers non résolus. Elle a sa profession dans le corps et veut aider le monde à régler les différends !

Prenant un accent mexicain, Samuel poursuit avec d'amples gestuelles.

— Yé né parlé pas de ton amiga ! Y'en souis aux légumes à couper ! précise-t-il. Cé lé chop chop de lé pimenté qué mé préoccupé !

Ce quiproquo fait sourire Maude de plus belle, révélant de petites dents alignées comme les délicates pierres d'un mâlâ. *Elle devrait sourire plus souvent*, constate Samuel.

Il aime voir Maude sauter de joie. Ses mouvements de hanches l'excitent. Elle est svelte et, sans être athlétique, solide sur ses deux jambes joliment galbées. Ses cheveux mi-longs et effilochés se balancent au rythme de ses déplacements autour du comptoir central. Il la prendrait maintenant si ce n'était l'annonce de la venue de la copine. On ne fait pas l'amour en dix minutes dans les premiers temps de rencontre, ce pourrait être mal interprété et fatal pour une relation à long terme !

La conversation reprend au sujet de la table culinaire avant que ne tourne la sauce de l'amitié féminine mise à l'épreuve. Au début d'une relation, il faut apprendre à lire les codes de l'autre, et les mots d'humour se situent à la limite de la susceptibilité de chacun. Samuel n'est pas très à l'aise, car ils se connaissent peu. Il n'ose pas s'imposer chez elle, dans son domaine privé, enfin, pas dans sa cuisine…

Ce que Maude ne connaît pas de lui, c'est qu'il se débrouille comme un grand chef dans les plats méditerranéens. Il a séduit plus d'une femme en présentant sa spécialité : les pétoncles sautés au muscat, accompagnés de riz parfumé au cumin et d'un arc-en-ciel de délicieux légumes à peine passés à la vapeur. La tendreté de ces petits filets de fruits de mer qui fondent dans la bouche en a mené plus d'une au bord de l'extase. Le sabayon au dessert est de mise pour finaliser la montée de la marée d'amour. Il écoute avec attention les paroles de sa copine qui l'introduit à la connaissance de sa meilleure amie. Il se dit qu'il faut toujours être tolérant de l'amitié entretenue avec les amies d'une amoureuse, car c'est à celles-ci que les femmes se confient lors des difficultés de passage dans leur couple !

— Tu sais que la NASA a découvert de l'eau dans l'atmosphère de Mercure ? Si, si ! insiste-t-elle devant le regard sceptique de Samuel songeant comment utiliser cette information. La sonde Messenger a rapporté des indices qui supposent que la vie pourrait être présente sur cette planète.

— On aura le choix entre les canaux de Mars, le rouge guerrier, et Mercure, le messager des dieux, lorsque les Terriens devront quitter la planète devenue inhabitable. Toi, quelle voie choisirais-tu?

Mieux connaître son partenaire amoureux à travers des tests faciles constitue une attitude avisée lors des premiers pas en amour. Les retours sur ces détails permettent de mieux prévoir la teneur de futures ruptures douloureuses après l'évaporation des brumes du coup de foudre. Dans une division éventuelle des biens, opterait-elle pour la bataille ou la communication?

***

Nathalie n'en était pas à sa première imagerie auprès de Maude. Ayant été mise sous hypnose par la psychothérapeute il y a une quinzaine d'années, lorsqu'elle avait accompagné celle-ci à Los Angeles lors d'une formation en hypnose, la blonde avocate avait troqué son tailleur cintré pour s'accoutrer, en imaginaire, de fringues de tous âges et de toutes contrées, sensations dont elle ignorait rationnellement la provenance.

Induite dans un état modifié de conscience, sous un mode de transe légère, l'intervenante lui avait proposé de suivre le fil de son senti corporel. Du simple agacement dans le dos, ressenti contre sa chaise de relaxation, au poignard ensanglanté transperçant ses poumons et la transportant dans une autre époque, un autre lieu, Nathalie n'avait fait qu'un pas, a-t-elle constaté, surprise de la vivacité des impressions. Bien sûr, cela supposait que sa créativité voulait bien jouer le jeu de l'imaginaire, en gardant son esprit concentré sur les images qui émergeaient de façon très précise et souvent dérangeante, autant dans leur intensité que par leur aspect inusité.

En tant que jeune professionnelle, Maude se sentait confrontée par la vigueur de ces images. Jamais elle n'avait entendu parler de la pertinence de ce bagage imaginaire à l'université, dans ses cours de psychologie. Collégienne, elle avait bien lu l'histoire de Bridey Murphy, mais elle tenait le contenu de cet ouvrage comme de la pure fantaisie romanesque. Un autre auteur, québécois cette fois, relatait sa fabuleuse histoire de chasseur d'épaves, fouillant de nombreux navires naufragés au large des côtes de Terre-Neuve. Ayant finalement retracé le bateau qui avait causé la mort de tous les membres de l'équipage dont il aurait été le capitaine, celui-ci s'était libéré d'un souvenir tragique qui l'avait hanté. Soulagé du sentiment de culpabilité, il soulignait en conclusion l'importance de la recherche du trésor au fond de soi. Cependant, cet ouvrage en deux tomes pouvait également être issu de la pure fabulation ; extravagante, mais bienveillante.

Et pourtant, chez son amie qu'elle considérait comme fort intelligente et logique, les émotions et la description d'ambiances et de détails concernant d'autres vécus étaient aussi époustouflantes. Il était bien inutile de tenter de réprimer ce flux narratif ; la participante volontaire surfait sur des incidents historiques fabuleux lesquels, curieusement, reflétaient précisément la teneur de ses préoccupations. Celle-ci ressortait des drames imaginaires avec des pistes de solutions concernant ses problématiques ; un sentiment de chaleur remplaçait les boules et barres d'anxiété qui l'accablaient. Prenaient place en elle un allégement, une paix, la reconnaissance d'une vérité personnelle. Le calme après la tempête. Elle relâchait un soupir semblable à celui que l'on ressent lors de l'arrêt de fonction d'un appareil électrique : le soulagement physique d'une tension désuète.

L'habile thérapeute qu'elle est devenue utilise cette technique hypnotique pour amener les voyageurs de l'imaginaire dans les sombres labyrinthes de souvenirs refoulés et d'images surgies d'une grande conscience universelle. Au-delà de la mémoire, limitée par les voiles de l'inconscience, des souvenirs de l'enfance, de la naissance, de la vie fœtale font surface grâce à la transe légère. Et parfois, des images d'autres modèles suggèrent des pistes créatives à des solutions inefficaces. En effet, les gens cherchent trop souvent de nouvelles avenues dans les ornières usuelles, sans succès. Ces dévoilements d'autres expériences, cueillis à travers le temps et les cultures, fournissent d'excellents repères de transformation du comportement humain.

***

Maude entend la sonnerie. La porte est débarrée.

— Entre Nathalie !

— Où est Samuel ? Je suis curieuse de le rencontrer.

— À la salle de bain. Profites-en pour me dire où tu en es !

Toujours dans l'idée d'évaluer l'impact de l'imagerie vécue il y a deux jours, Maude scrute les détails de ses traits. Ses yeux ont-ils conservé de la tristesse, ses mâchoires de la peur ? Souvent, l'effet de ces imageries poursuit son travail intérieur pendant les trois ou quatre jours suivant la séance.

Quant à Nathalie, elle ne cache pas son pari sur la faible chance du plus récent prétendant de la célibataire endurcie qu'est son amie romancière.

— Où l'as-tu rencontré celui-là ?

— Demande-moi COMMENT je l'ai rencontré ? Maude tourne les yeux vers son ordinateur, en rappel à ces heures rapiécées d'espérance et de sentiments bigarrés. Encore des recherches sur le Club Internet de réseaux rencontres, il y a environ un mois. Mon massothérapeute disait vrai : lorsqu'on persiste, on trouve !

Sa patience a enfin payé, songe Nathalie, heureuse pour elle. Mais ne pouvant laisser passer le tumulte des années passées, elle ajoute :

— Ouais, mais entre-temps, tu es vraiment tombée sur toutes sortes de numéros... des mecs volatiles ou boîte à surprise, qui se dérobaient ou se dégonflaient dès le voile des premières rencontres soulevé.

— Que oui ! se rappelle Maude sans vraiment faire le compte.

— Comment as-tu fait pour persister justement. Tu as été désappointée si souvent.

Tant de confidences a-t-elle reçues de la part d'une Maude qui augmentait sa connaissance de la faune masculine proportionnellement au découragement ressenti. Mais Maude refusait d'obtempérer aux histoires stéréotypées au sujet de l'homme qui ne pense qu'à travers les pulsions de son organe sexuel. Elle voulait débusquer l'oiseau rare.

— Il faut croire que j'ai appris à faire le tri, à identifier ce que je recherchais chez un homme et essentiellement ce dont je ne voulais plus. Il n'est plus question d'endurer des choses que je ne veux plus vivre : manque de respect, intimité précipitée, des gars chiches, beaucoup, qui veulent que tu donnes tout, mais ne sont pas prêts à te payer un café !

— Ou le fameux partage 50-50 ! Moi, j'ai été claire avec Carlos, dès le début... Lorsqu'il parle de souper au resto, c'est lui qui invite. Et moi, je n'en parle jamais.

— Tu ne lui retournes pas la faveur ?

— Oui, bien sûr, mais d'une autre façon. La table est mise pour le plaisir des yeux. Et je ne m'en tiens pas qu'à la cuisine ! ajoute Nathalie avec un sourire enjôleur dont le contour des lèvres est parfaitement dessiné et souligné par un rouge à lèvres de teinte capucine. Mais toi, l'indépendante, ne me dis pas que tu es rendue à partager ta vie avec un mec !

— Vraiment pas. Ce printemps, je me sentais plus... accessible. Je rencontrais mes soupirants la plupart du temps, tu le sais, pas plus d'une soirée, rarement deux ou trois. Mais c'était peine perdue, la chimie ne se force pas. Les phéromones agissent ou pas. J'avais presque abandonné mes démarches.

— Et avec ce Samuel ? s'enquiert la pétillante blonde qui s'électrise d'imaginer son amie dans les bras d'un homme qui la choie.

— C'est lui qui a cliqué sur ma fiche. Sans attentes, nous avons eu notre premier rendez-vous dans un bistro... Il y a trois semaines de cela !

— Wow ! Tu as fini par trouver un bon candidat ?

— C'est possible... Maude se penche vers son amie pour chuchoter à son oreille : Sam me dit qu'il m'aime dans ma folie raisonnable ! Ça risque d'être un bon chum, enfin, pour un bout de chemin ! C'est à suivre !

Elles rient toutes deux, sachant subtilement ce qui est sous-entendu par là. Maude est une feuille transportée par le vent. En tant qu'auteure de romans, elle est à l'affût de tout ce qui bouge comme sujet d'inspiration. Là où un imprévu la porte, elle observe et prend des notes. Le gars qui vit auprès d'elle doit s'acclimater de sa disparition, ou doit voler à ses côtés sur les ailes de sa rafale !

Tiens, son dernier roman parlait des relations de couples à distance. Les amoureux se rencontrent uniquement aux vacances, une ou deux fois par année afin de partager le meilleur d'eux-mêmes. Aujourd'hui les gens ont trop à faire pour prendre soin de l'autre. Ils cultivent leur succès professionnel, ce qui exclut assurément une vie familiale continue avec des mômes. Sa devise était claire : « vaut mieux vaut baiser souvent, que d'attendre le prince charmant ». On ne saurait être plus claire. Et vlan pour la culture de perles !

4

LE HASARD FAIT BIEN LES CHOSES

Floride 1740

En cette année 1740, les occupants du fort Mose collaborent avec les soldats espagnols du fort San Marcos voisin, emblème du pouvoir de la civilisation castillane. Après avoir gagné la succession du trône de Charles II, Philippe V, légataire de la maison des Bourbons, consolide sa présence coloniale et son étendue culturelle en Espagne grâce au cumul des richesses extraites des nouveaux pays. Au début du siècle, en 1704, les Anglais avaient conquis la pointe de Gibraltar, limitant l'accès à la mer sur leur territoire. En ces temps de victoires chaotiques, le roi Philippe est résolu à consolider la possession de ses terres outre-Atlantique.

Taopé a rejoint le groupe de réfugiés noirs et fait rapidement le constat de la relative liberté de ces hommes et femmes. Tous vivent au jour le jour, n'ayant peu sinon aucun espoir ou même aucun désir de regagner l'ancien continent. Cette observation le décontenance. Il croyait trouver en ces réfugiés des alliés, des compagnons de route en faveur d'un retour à leurs racines profondes. Les navires sont à quai et il ne trouve aucun moyen de monter à bord. Il n'a le choix que d'attendre et se réfugier temporairement dans le fort pour repenser sa stratégie.

Bon pourvoyeur, il offre ses talents au profit de sa nouvelle communauté. Grâce au contact des indigènes, il connaît maintenant les rives et l'habitat de ce territoire, sans négliger un rudiment des langues parlées dans ces contrées. Il a repéré les petites barques qui mènent les pêcheurs au large et il se joint à ceux-là qui ont le pied marin. Tôt le matin, ils jettent leurs filets dans une eau limpide et abondante de poissons de tailles et de formes diverses. Les plus petits sont rejetés à l'eau pour honorer la nature et implorer la faveur des dieux qui ont pour tâche de les guider vers de plus grosses prises. Petit poisson deviendra grand si l'homme lui prête vie ! Une petite barque mènera peut-être à un grand bateau, et qui sait, le capitaine aura-t-il besoin d'un matelot pour une longue traversée ?

En attendant ce jour, de retour à son village, il entre fièrement porter le produit de sa journée en mer à la salle de cuisson. Manifestation d'un hasard dont l'issue dépendra de sa ténacité, il y fait la rencontre de Magnolia. Opulente jeune femme à la poitrine généreuse recouverte par la bavette d'un tablier interdisant les coups d'œil invasifs, ses longs cheveux noirs bouclés sont retenus par un foulard jaune comme les mangues très mûres de son pays, vrillé et noué à travers des mèches éparses. Elle chante divinement en éviscérant les poissons. Quel contraste entre la force assurant des gestes précis et la douceur de sa voix. Il est envoûté.

Taopé lutte quelques jours contre l'attachement qui se profile. De prime abord, il recule et refuse l'idée d'ancrer un avenir dans ce lieu. Cependant, il constate que son corps ne ment pas. L'alliance avec cette beauté ne serait-elle pas la cause ultime de son grand déplacement ? Remerciant les esprits pour cette rencontre, il abdique devant la force inéluctable de cet attrait et promet au soleil qui éclaire sa peau soyeuse de la ramener avec lui à son village.

Il guette d'abord sa gazelle comme un habile guépard dissimulé parmi les longues herbes dorées et clairsemées de sa savane. Quelque temps. Comme elle se hasarde souvent sur son passage, il amorce une approche calculée. Mais il doit circonscrire son périmètre, mesurant sa convoitise au pouvoir de décision de celle qu'il sollicite. Car malgré la rondeur de ses mouvements, Magnolia a le caractère tranché :

— Je ne suis pas ta possession, je suis une femme libre ! rétorque cette toute jeune femme, éprise de chaque parcelle d'affranchissement dont elle peut jouir en contrepartie de la sécurité offerte par cet endroit clos.

Avec patience, pendant ses journées en mer, il sculpte dans l'otolithe d'une énorme capture un pendentif qu'il offre à sa... panthère. Taopé a appris la patience du chasseur : les événements jouent en faveur de l'homme qui respecte la nature, car celle-ci le comblera en retour.

***

Lorsque Samuel entre dans la cuisine, Nathalie remarque ce qui a attiré son amie vers cet homme. Il a les yeux bleu pastel, tranchant sur des cheveux bruns ondulés, un regard translucide qu'on n'oublie pas, une démarche décontractée, une aimable physionomie. Plus grand que Maude d'à peine dix centimètres, ils semblent se fondre l'un dans l'autre lorsqu'il se rend d'abord vers elle pour l'embrasser tendrement, sans trop d'ostentation, avant de se rasseoir et saluer la nouvelle venue :

— Alors Nat, que t'a prédit ta cartomancienne ? lance-t-il sans préambule. Je suis curieux. Maude et moi sommes tout ouïe ! ajoute-t-il pour marquer la pertinence de sa présence. Car Nathalie n'a agréé qu'à demi lors de son entrée. Il s'est senti dévisagé jusqu'à la moelle des os et, comme il a la timidité facile, il désire se mettre à l'aise et assurer sa place auprès de sa blonde ; enfin, de sa brune.

Mais oups! Sa spontanéité est décodée comme de la maladresse. Nathalie le trouve trop familier. Se moque-t-il d'elle? Elle aime les types plus langoureux, une synthèse de langue/goût/heureux! Autant par la parole que par l'art de séduire et de baiser. Ce spécimen mâle semble démontrer une intimité précoce qui lui occasionne un léger malaise. *Le pauvre, je vais lui laisser sa chance puisque mon amie le trouve gentil*, concède-t-elle généreusement.

Soupesant à son tour l'effet qu'elle désire produire, Nathalie relève une mèche de cheveux, reprend le cours de son plan. Négligeant avec diplomatie la question trop directe de Samuel, elle prend soin de résumer à son intention le message de la voyante.

— Comme tu le sais Maude, la charmante dame, Micheline, m'a dit que dans une vie antérieure, j'avais été dépossédée de mes terres et que je devrais aller les réclamer par droit. Elle soutient qu'aujourd'hui, la personne qui demeure sur mon domaine est en état de faiblesse et qu'elle serait ouverte à me céder son lot mal acquis.

Maude veut éviter les réactions laconiques prélevées des yeux de son ami.

— Je t'ai mentionné Nat que tu dois être prudente avec les visions d'une personne qui voit les choses à travers les filtres de ses croyances, ajoute-t-elle, pour injecter une crédibilité à ce tableau.

— Tu n'es pas sérieuse, tu la crois cette personne? réplique Samuel s'adressant à la jeune femme blonde. Il fixe son regard sur elle, cherchant à exprimer les mots pour tenter de débusquer quelque arnaque.

Nathalie veut bien répondre à cet homme, car elle témoignerait d'une confiance en sa déclaration. Elle tient cependant à nuancer ses propos dans un réalisme convivial.

— Micheline livre ses impressions comme elles lui parviennent, sans censure, sans contexte légal ou logique.

Sinon, elle serait comme nous tous, rationnelle et raisonnable, n'osant pas traduire les messages qu'elle reçoit d'une autre dimension.

— Comme nous ?

— Oui, comme nous tous, Sam, seconde Maude, des peureux, à se préserver des jugements d'autrui. Cette attitude prudente nous coupe de notre voie intuitive.

— Une autre dimension... Vous parlez des médiums comme étant issus d'un autre monde !

— Pas des extraterrestres, précise Nathalie, simplement des gens capables, en état de transe, d'aller au-delà des apparences. Cela ne veut pas dire qu'il faut prendre leurs révélations au pied de la lettre, je le sais... mais j'ai un sentiment étrange qu'il y a quelque chose de vrai dans ce qu'elle a éveillé en moi !

Comment expliquer ce qu'elle ressent lorsque la dame lui répète, année après année, la même prédiction. Celle-ci rencontre des tas de gens quotidiennement. Comment se souviendrait-elle de ce qu'elle lui a dit la dernière fois ? « C'est pour bientôt », avait-elle insisté à cette récente visite. Micheline lui a suggéré de ne pas retarder sa recherche, « sous peine que les aiguilles du buisson ne sèchent avant de s'y rendre. » Lors de sa transe, elle s'exprimait sous forme symbolique, ce qui compliquait la compréhension du message. De toute façon, avait déclaré Nathalie auprès de ses confidents, *j'ai grand besoin d'un divertissement. Et c'est maintenant que j'en ressens l'élan.*

***

Il n'est plus temps. Il n'est plus lieu.

L'homme que j'étais n'est plus.

***

Désirant se justifier à son avantage en octroyant de la crédibilité à madame Micheline, Nathalie reprend une explication qui pourra peut-être convaincre Samuel, car il s'agit des événements autour de sa rencontre avec Carlos.

— C'est la même voyante que j'ai consultée il y a cinq ans lors de ma peine d'amour, tu te rappelles Maude ? La même qui m'avait prédit la rencontre prochaine avec Carlos. Elle me l'avait décrit si précisément, un bel homme brun, professionnel, sans enfants, terre-à-terre et disponible, par des indices séduisants, au point que j'ai reconnu ce profil en Carlos dès que je l'ai aperçu. Ce n'était pas mal comme présage, vrai ?

L'esprit critique de Samuel s'affûte. Sceptique, mais ouvert, il se pose cette question fatidique : qui de la poule ou de l'œuf a précédé l'autre ? Ici, quelle version a donné naissance à l'autre : la prédiction de la voyante a précédé la rencontre avec Carlos, si bien que l'esprit de Nathalie pourrait avoir été suffisamment suggestible pour se laisser convaincre de l'apparence de ce conjoint idéal... mais encore... la pensée ardente de la recherche de cet homme aurait-elle vraiment pu parvenir à la conscience extrasensible de la voyante, de telle sorte que celle-ci aurait révélé ce qui était déjà présent dans les souhaits de cette âme en peine qui venait la consulter ?... Ou en fin de compte, est-ce l'effet du hasard... c'est vrai, on finit toujours par rencontrer quelqu'un un jour ! Il retient la troisième hypothèse comme la plus raisonnable, la description du prétendant était suffisamment vague pour qu'il ait pu être choisi par toute dulcinée en mal d'une étincelle d'amour : cheveux bruns, célibataire, sans enfants. Plus désinvolte que terre-à-terre, mais c'est un détail, lui semble-t-il.

— Et votre relation tient toujours, c'est heureux! relance-t-il, satisfait d'avoir évité cette fois de piétiner de ses pieds de bouc les fleurs du jardin imaginaire de Nathalie.

Celle-ci opine sèchement. Elle n'est pas venue chez Maude pour subir l'interrogatoire de son nouvel ami. Nathalie choisit donc de poursuivre son propos. D'ailleurs, que répondrait-elle? Les premiers mois papillonnants sont déjà passés. Carlos et elle forment un couple moderne, enlisé dans les exigences de la classe moyenne: la présence des ados, la maison et les comptes à payer, les ambitions professionnelles à assurer... Ils se confrontent parfois plus brutalement qu'ils ne le souhaiteraient pour les prises de décisions. L'éventualité d'une séparation fournit des sueurs froides quelques fois par année... mais diable que les réconciliations sont délicieuses! Et heureusement qu'entre-temps, il y a les amies pour se réconforter lors des temps houleux!

Moins romantique, Maude est certainement plus pragmatique. Son amie d'enfance vit en couple avec Carlos depuis quatre ans. Cet homme au sang chaud apprécie la stabilité familiale et agit en bon père pour ses enfants. Elle se dit que Nathalie devrait être heureuse et comblée... Pourquoi cherche-t-elle le bonheur dans les astres et les cartes divinatoires? Qu'est-ce que cette quête de l'absolu? Cela cadre mal avec son travail de législatrice où l'ordre est régi par des lois strictes. Elle a tout pour être satisfaite et en sécurité, après quoi court-elle? Ah oui, soupire-t-elle, après l'amour, l'argent... il lui manque la gloire!

Nathalie poursuit, car elle n'a pas de temps à perdre, comme lorsqu'on doit se presser d'écrire son rêve au petit matin, avant qu'il ne s'évanouisse.

— J'insiste Maude, sur ton aide, parce que je crois sincèrement que tu pourras faciliter les retrouvailles avec mes racines. J'aimerais cheminer avec toi, euh, avec vous. Si vous voulez de nous!

— Tes racines? Dans une autre vie? Comme c'est intéressant! s'exclame Samuel chez qui l'intérêt est suscité au centuple. Il tourne un regard interrogateur vis-à-vis de l'intruse, comme pour reprendre pied dans une conversation des plus bizarres. Lui qui pensait étonner Maude en partageant l'expérience de sa tante. Il se trouvait effectivement dans une pièce où deux femmes discutaient ouvertement d'une vie antérieure au sujet de laquelle on ne semblait poser aucun doute sur son authenticité.

Maude s'empresse de résumer pour Samuel le contenu de l'imagerie de Nat, laquelle l'a conduite à revivre les événements épiques d'une personne née il y a quelques siècles, Rose, décédée dans des circonstances dramatiques. Cependant, la thérapeute précise qu'elle ne croit pas à l'appropriation de cette identité comme étant celle de Nathalie. Elle a d'autres hypothèses encadrant ce phénomène d'émergences d'images.

— Maude, tu sembles effrayée par un aveu concernant la plausibilité de vies antérieures. Puisqu'ici, c'est moi qui en ai fait l'expérience, je souligne que je ressens la véracité de ces faits, à travers tous les pores de ma peau. C'est clair pour moi, poursuit l'avocate défendant sa cause. Tous les indices sont présents comme quoi mon chemin est aligné sur le sens que prend cette prédiction.

— Toi, tu sembles certaine de ton but, lui répond-elle en s'interrogeant sur le trajet qu'ils devront suivre en tant qu'accompagnateurs, puisque la psychothérapeute garde en tête le défi personnel qui se pointera à son amie, malgré la naïveté qu'elle affiche.

L'épée de la justice mène les combats de Nathalie qui ne fait aucun lien entre la blessure à guérir en elle, celle de l'enfant perdu, et la recherche du trésor imaginaire dont le défi se présente de façon fort attrayante. La poussée énergique du « Go with the flow », celle d'aller dans le sens du courant, balaie son jugement sur le bien-fondé de la requête et l'épreuve à affronter.

— Évidemment, j'irai sur place quérir ce qui m'est dû par droit. L'objectif est noble, tu ne crois pas ? Je sens déjà que les prochaines semaines seront palpitantes.

— Est-ce que je peux intervenir ? lance Samuel poursuivant sa réflexion. Les legs antérieurs ne peuvent être amenés en Cour, pas à ce jour ! Comment feras-tu pour réclamer quoi que ce soit, en supposant la justesse de ton intuition, ou celle de ta voyante ?

En effet, Maude acquiesce au commentaire pratique de la part de Samuel. Malgré les difficultés vécues par des clients en mal de justice absolue, Nathalie cultive un optimisme candide quant à l'avenir de l'humanité. Tandis qu'elle est une femme soucieuse, cherchant à se rassurer à travers une écriture brodant des fins salvatrices à ses protagonistes.

Écrivaine, Maude évite d'être captive d'un travail à plein temps. Elle choisit de laisser voguer son imagination au service de récits qu'elle aimerait voir traduits en plusieurs langues à travers le monde, comme le sont les romans de son auteur préféré Marc Fisher, un déchiffreur de l'âme particulièrement perspicace en ce qui concerne la vie conjugale. Ce sujet fascine la fine observatrice de la démystification du couple. Les heureux élus sont-ils victimes d'une incantation extatique jusqu'à ce que l'effet se dissipe peu à peu ? Doivent-il sans cesse cultiver la connivence jusqu'au-delà de la séparation ?

Au fil de ses lectures, de ses voyages, de sa clientèle et de ses rencontres amoureuses, elle puise des sujets les plus originaux pour ses ouvrages.

Les réseaux sociaux sont aptes à lui fournir une brochette de spécimens pour ses personnages romanesques, comme le mentionnait Nathalie. Les histoires sont savoureuses… mais plus souvent déconcertantes qu'heureuses ! Il y a ces hommes et ces femmes qui se présentent en faussant leur statut matrimonial et/ou leur âge, ceux qui tombent amoureux de vous avant le premier rendez-vous, ceux qui cherchent une nanny ou un sugar daddy, ceux qui manquent de transparence et dès le premier souper ne cherchent qu'une baise sans lendemain ! Samuel ne répondait à aucune de ces catégories. Il avait quelque chose d'attachant autant qu'intrigant. Elle ne le situait pas dans sa grille de faune animalière. Maude avait donc été tentée de donner suite à leur premier café. L'été étant amorcé, ce compagnonnage vacancier ne manquait pas d'agréments.

— Samuel marque un point intéressant Nat ! Faire valoir tes droits constituera un énorme défi. Difficile à imaginer comment tu y parviendras. Ne serais-tu pas très déçue si le succès n'était pas au rendez-vous ?

— Vous m'étiquetez d'une grande naïveté, les amis. Il s'agit de pistes, d'éclairages, de directions à suivre… mais pas à la lettre. Maude, tu le sais, les paroles qui touchent le cœur et dérangent le corps sont l'entrée impériale vers la réalisation de soi. Je me sens bouleversée depuis plusieurs jours, incapable d'effacer de ma mémoire la sensation de cette femme, Rose, baignée dans sa tragédie. Je dois me rendre au bout de cette histoire.

Assis à revers sur la chaise de cuisine, les bras appuyés sur le dossier, Samuel espère l'effet de surprise. Il a émis une quatrième hypothèse, celle que son amie passera à l'aveu que ces divagations sont un coup monté… ou une excellente suggestion pour le sujet de son prochain roman. Oui, il doit y avoir du rocambolesque là-dessous !

Il observe les indices où les filles se trahiront. Veulent-elles connaître son degré de crédulité ? Ou encore Nathalie, et peut-être Maude, sont issues de ces groupies nouvel âge qui n'ont pas débarqué du bateau peace and love et croient à la magie livrée par le *bestseller* américain « Le Secret » ? Ou encore, vient-il d'entrer en contact avec une nouvelle race humaine en transmutation ? Savent-elles quelque chose du monde dont il est inconscient ? Égaré dans l'étalement de ses pensées, Samuel demeure perplexe.

***

Elijah

L'homme sort du bureau électoral de son organisation politique. Il est grand et mince et le sourire à l'émail impeccable des gens de sa couleur. Ses vêtements amples et sa démarche souple signalent l'aisance d'un homme d'âge mûr et d'attitude sereine. Une réflexion s'impose à lui, celle que si chacun collabore, un changement radical est possible. Il faut simplement compter sur la ferveur d'une majorité. Aussi a-t-il composé des numéros de téléphone pendant son heure de dîner afin d'inciter les gens à oser choisir et voter pour son candidat lors de l'élection prochaine.

Elijah se dirige vers son camion afin de revenir aux vergers de son patron George Smith, un homme pour lequel il est à l'emploi depuis son adolescence. Trente ans de récoltes, de réparation des bâtiments, et maintenant de gestion de la flotte de camion pour la livraison des produits de la terre, destinés à la transformation dans les usines locales et régionales. Un peu de café, de la noix de coco et les fameuses oranges à jus.

Quoiqu'il s'estime en très bonne forme physique, il a pris la décision de laisser sa place dans quelques années à ses deux fils travaillant pour Smith les weekends. À la différence que ses jeunes adultes, Daniel et Nathaniel, sont aux études et pourront opter pour un métier plus aisé.

En ouvrant la porte de son véhicule, il jette un coup d'œil derrière lui et aperçoit son patron en train de discuter avec d'autres hommes devant le bar de l'autre côté de la rue. On y entend résonner la voix d'une chanteuse country qui "yodle" sur une mélodie country, à la recherche du cow-boy qui la capturera de son lasso. Sans la voir, il la devine... elle a sûrement des cheveux blond platine, crêpés, une robe cintrée, peut-être toute blanche avec des rayures ou des pois rouges sur un tissu chatoyant, des souliers à talons aiguilles et, pour attirer un maximum de clients, une poitrine à la Pamela Anderson. Les tables de la terrasse extérieure accueillent les habitués qui fument une cigarette à leur aise. Un homme au verre à demi-plein, empâté et vacillant, regarde la chanteuse par la fenêtre et lui crie :

— « Hey, j'te ferais une bonne monture, pas vrai ? »

D'autres hommes à une table voisine parlent du prochain lancement de la navette spatiale, un peu plus au sud, à Cap Canaveral.

— « Who cares ! » lance-t-on, « ça m'est égal ; ce n'est pas le passage de cette fusée qui fera nos récoltes cette semaine ! »

— « J'attends juste qu'elle atterrisse dans mes champs, j'imagine quelle compensation la NASA me donnerait, je prends ma retraite avec ça ! »

Ces rires sarcastiques sont révélateurs quant à l'idéal engendré par l'argent et de la surabondance, décrète intérieurement Elijah en les entendant ricaner. *Est-ce que des ambitions autres qu'un cumul matérialiste peuplent leurs rêves ?* Il porte un jugement sur ces hommes, comme ceux-là en portent aussi sur sa condition à lui. En apparence, ce sont deux mondes très distincts. En réalité, le jugement de l'un n'est-il pas aussi sévère d'un côté comme de l'autre?

George Smith observe de son regard acuminé, lancé furtivement sur l'autre côté de la rue, son employé sortir du local du candidat opposé à ses convictions politiques. Il attendait patiemment de s'en assurer, car la camionnette de l'entreprise était garée devant. Il avait reçu suffisamment de taquineries à ce sujet de la part de ses pairs. Son idée était faite de toute façon. Sa fille étant de retour du collège de Houston, il lui offrira le poste de son employé. Elle pourrait éventuellement assurer les livraisons avec son petit à ses côtés jusqu'à son entrée scolaire. C'est une entreprise familiale après tout!

Elijah ressent quelque nervosité d'être à la vue de Smith cet après-midi. Conscient de son animosité envers lui, il ne sait comment réconcilier ce sentiment d'opposition avec ses valeurs humanistes. Peut-être pour affirmer son identité distincte, il amplifie un sentiment de supériorité compensatoire à son inquiétude. Aussi glisse-t-il dans le mépris vertueux: *quel fossé*, critique le bénévole politique, *entre ces gens attroupés autour d'une bière et préoccupés par la gestion de leurs avoirs et les gens du groupe que je côtoie pour qui l'espoir d'un monde meilleur garnit l'essentiel de leurs efforts!* Elijah réagit, croit-il, comme son oncle Ray lui a appris à faire, en consacrant son temps à un avenir prometteur. *Le côté cupide de l'être humain le prive très souvent de sa conscience collective*, juge-t-il dans sa peur d'être semoncé par son patron.

Gonflé à bloc, il se plaint de l'esprit grégaire de l'homme. *Rencontré seul, un homme peut parler et serrer la main d'un autre homme en le regardant dans les yeux afin de décrypter un message clair, celui de la complicité ou de la compétition. Cela suffit souvent à ancrer le respect et les frontières territoriales. Mais en ce qui concerne ces gens regroupés de l'autre côté de la rue, songe-t-il insidieusement, ce sont des êtres brisant les conventions sociales d'égalité et de fraternité.* En cela, il décriait l'exclusion de sa famille, et singulièrement de son oncle Ray dans ce cercle de notables.

Alors que tout semble séparer ces hommes, ils ne sont de part et d'autre que le reflet d'un besoin de sécurité et d'approbation sociales. Dans les faits, le motif des attroupements diffère, mais le besoin d'une cause commune les rassemble, que celle-ci reflète l'intérêt d'un patron matérialiste, ou d'un ouvrier idéaliste. Dans la crainte de l'autre, en s'engageant dans l'énumération de ce qui le sépare de ces hommes, il perçoit ce qui le distingue de ces derniers, avant de percevoir ce qui l'unit à eux. N'est-il pas en train de recréer la dualité qu'il désire tant dissoudre ?

Travailleur manuel, Elijah a développé son humanisme grâce à l'accompagnement de son oncle Ray, un grand sage à ses yeux. Aux côtés de celui-ci, le jeune homme qu'il était, impétueux et épris de justice sociale, est passé à une compréhension d'événements dans une perspective évolutive globale, voguant généralement, sauf aujourd'hui, vers une prise de position moins orageuse et plus rassembleuse. Ray est un homme bon que les visiteurs de son camping aiment côtoyer. Elijah a beaucoup d'admiration pour cet oncle qui a pris soin de lui et de son frère à la mort de leurs parents.

Avide de lectures nourrissant son âme et intrigué par son besoin de comprendre l'évolution de la nature humaine, il a suivi les ateliers de croissance popularisés par la talentueuse animatrice Oprah Winfrey qui donnait son aval prestigieux à l'auteur Eckhart Tolle. Devenir ami avec le moment présent, suggéraient-ils, accepter la situation telle qu'elle est plutôt que de créer un stress d'évitement, ce qui est en fin de compte inutile, puisque la situation est là, incontournable et nécessaire. Il a appris que l'émotion créée par le refus de l'événement modèle une identité précise à laquelle on s'accroche : « Je ne suis pas aimé », « Je suis frustré » ou « Je me sens injustement traité », par exemple. Ces idées nous éloignent de nos objectifs, car notre énergie est sapée par ces émotions destinées uniquement à contrer ou maquiller la réalité.

Accepter ne veut pas dire se soumettre, pense-t-il. *Accepter, c'est d'abord simplement reconnaître que les choses sont telles qu'elles se présentent. Ensuite, il est sage de revoir ce que nous pouvons accomplir afin que les résultats de nos actions soient différents. Ou enfin, si nous en sommes satisfaits, il s'agit de répéter les gestes qui nourrissent notre bien-être. Il y aurait une leçon à comprendre dans toute expérience.* Lorsque ses parents sont décédés, combien de fois s'est-il demandé pourquoi cela lui est arrivé à lui ? Ses parents étaient de bonnes personnes. Ils vivaient heureux tous les quatre, en tant que petite famille dans leur communauté. Pourquoi cet accident d'automobile à quelques miles de leur maison ? Pourquoi à cette époque où les deux garçons, jeunes et vulnérables, avaient grand besoin de leurs parents ? Pourquoi ?

Lors d'une conversation avec Ray, un soir devant un feu de camp, Elijah a compris que ces questions du « pourquoi » ne lui apporteraient aucune réponse valable. Peut-être un jour comprendrait-il, après avoir fait du mieux qu'il pouvait pour utiliser cet événement en sa faveur... Après trois décennies, il pouvait en effet juger que cela lui avait permis d'accéder à une maturité personnelle à un très jeune âge. Cela lui avait notamment donné l'avantage de se rapprocher de Ray et d'Emma auprès de qui il a augmenté ses compétences non seulement humaines, mais aussi de travail. On ne peut donner un sens aux choses qu'après avoir bénéficié de l'événement, aussi douloureux soit-il lorsque nous y sommes contraints.

Elijah démarre la camionnette et quitte le centre-ville. Il aime s'esquiver du travail pour humer l'air marin de Saint Augustine. Lorsqu'on se retrouve devant le profond mystère de la mer, un attrait hypnotique nous invite à imaginer comment celle-ci a sculpté la vie des millions de gens qui l'ont parcourue. Il y a tous ceux qui s'y sont engouffrés, leurs familles éprouvées, ceux qui y ont fait fortune et ceux par qui l'océan a été une libération de leur joug ancien ; et tous les autres ayant dû quitter leur liberté et lutter pour la reconquérir ! Enfin, il est hallucinant d'imaginer tous les trésors protégés par l'océan, sans compter toutes les civilisations disparues sous les fonds ensablés !

Combien d'histoires fantastiques nous parviennent-elles par des récits mythiques pour n'avoir laissé aucune trace historique vérifiable ? Des récits de bateaux pirates, de galions espagnols gorgés d'or, de continents séparés des terres par des tremblements de la croûte terrestre et des cités ensevelies avec leurs avancées technologiques ; combien de légendes au sujet de l'évolution des races humaines géantes, naines, souterraines ou éthériques. Il existe un ordre, oui, une finalité qu'on ne comprend pas toujours. Le sens des grands événements échappe à notre entendement.

Elijah prend une grande bouffée d'air salé. Son âme en profite pour invoquer la présence des forces invisibles qui font que l'ordre des choses est maintenu par des lois cosmiques. Étonnamment, cet ordre évolue avec constance vers la libération et l'allégement du cœur. C'est sa conviction intime.

Ragaillardi, il reprend sa route. Le boulevard est bordé d'hibiscus et d'arbustes remplis de fleurs de potentilles d'un jaune éclatant. Le long du rivage, en passant devant les fortifications du fort Mose, ou du moins ce qu'il reste de ces vestiges, témoins d'un passé héroïque, il songe avec gratitude à ces colons arrachant de force ses ancêtres à leurs terres africaines pour les amener à cette terre inculte de promesses. Cette idée est nouvelle pour lui, car il connaît le point de vue historique, celui de l'arrivée des Nègres en Europe et en Amérique, enchaînés aux mâts de navires arabes ou de ceux des colonisateurs, marchands d'esclaves. Quitter son pays de force dans des conditions très difficiles, se retrouver dans une position de domestique et devoir lutter pour chaque fragment de respect, quel défi karmique la communauté noire s'est-elle donné ! Mais quelles opportunités offertes à ses descendants quatre cents ans plus tard. Quelle richesse pour ses garçons et leurs enfants à naître ! Est-il réaliste de croire que ce karma de lutte et de misère prendra fin grâce à cette génération-ci ? Il y croit.

L'élection d'un homme issu des deux principaux groupes communautaires américains démontre que ces deux peuples peuvent et doivent se donner la main pour collaborer en une harmonie complète s'ils veulent bâtir un pays sur des bases nouvelles. Des bases autres que celles de l'exploitation maximale de ressources humaines et terrestres au profit d'une minorité, comme l'indique l'état de l'économie actuelle. Obama lui-même parle de la cupidité des familles riches de ce pays comme une cause à la faillite du rêve américain. Aux États-Unis, la devise française des Mousquetaires paraît avoir bifurqué au début du siècle passé ; c'est plus que jamais : « Tous pour un, un pour lui-même ! » Un goulot qui étrangle des millions de compatriotes perdant leur maison et leur travail depuis plus d'un an maintenant. Ce cauchemar américain aura-t-il une fin ? Soyons réalistes, estime-t-il à la baisse, l'espoir d'un changement, même avec la meilleure volonté politique, n'est jamais une certitude. Il lui importe, pour l'instant, de se positionner dans l'action. Il se blâmerait de regarder passer le train du changement, immobile, sans y mettre le pied.

Fin des réflexions existentielles. Il doit retourner au travail jusqu'à trois heures. Puis, il se préparera à recevoir les gens chez lui, comme à l'habitude, tous les samedis soirs. Mais d'abord, il faut remettre le véhicule à la ferme et chercher les gars aux champs.

Elijah souhaite que ses dons d'animateur soient mieux connus du public, mais la pratique de coach spirituel ne paierait peut-être pas le collège de ses jeunes ou l'assurance médicale pour la famille. Pour ces raisons, il demeure au service de monsieur Smith. Un seul soir par semaine, il savoure le contentement que lui procure ce qu'il ressent comme le vrai visage de son être. Il s'y prépare intérieurement. Plus qu'il le souhaite, le cours des événements lui imposera une thématique pour la soirée.

***

Samuel s'amuse de voir les copines divisées au sujet de l'existence ou non de vies antérieures. Maude ne semble pas y croire et Nathalie est prête à investir les prochaines semaines dans un sentiment qui la dépasse. Il se risque à replonger dans la vague de la conversation. *Ces adeptes de l'ici-et-maintenant apprécieront sûrement une réplique branchée*, croit-il :

— Puisque demain nous serons peut-être morts. Au hasard, vaut mieux profiter sur le champ de ce qui s'offre à nous ! Ne rate pas cette occasion Nathalie de creuser cette histoire jusqu'au fond !

Stupeur chez les femmes. Il n'avait pas prévu ces regards ébahis comme s'il sortait de sous de la coquille de Calimero, le naïf petit poussin des bandes dessinées de son enfance. Mentalement, Samuel repasse sa déclaration et en rajoute.

— Il ne se présente pas tous les jours une occasion en or de réaliser son destin !

Nathalie ne retient pas sa moquerie.

— Encore un autre homme à éduquer, dit-elle, feignant la résignation. Évidemment qu'elle ira au bout de son intuition, elle n'a aucun doute là-dessus. *Comment se fait-il que la majorité des hommes n'ait pas suivi le courant ?* songe-t-elle prétentieusement. *Où était-il lorsque le vent de la libération énergétique a passé ? Ne sait-il pas que nous favorisons nous-mêmes notre destin… qu'il n'y a pas de hasards… enfin c'est ce qu'en disent les disciples de la pensée positive, ceux qui définissent aujourd'hui les clefs de l'actualisation de nos vœux !* Elle se dit que Samuel a frappé hors champ en lui offrant cet encouragement ne collant pas à sa nature aventureuse. Elle ne cherche pas une occasion. Au contraire, elle suit à la lettre une ligne volontaire. À son amie, elle ne demande qu'un coup de pouce pour clarifier sa destination et non pour vérifier la pertinence de sa quête.

Ne voulant pas laisser son copain errer, et afin de rallier l'opinion de Nathalie, Maude ouvre une porte complice qui le conduira vers une pensée moins hasardeuse, espère-t-elle.

— Tu as raison, glisse-t-elle pour ne pas le prendre de front, la vie offre des occasions merveilleuses… lorsque notre intention indique clairement notre choix d'action !

N'ayant pas saisi la nuance, Samuel se détend. *Bon, je suis rassuré,* se dit-il, *je parle leur langage. Quelle épine dans une vie que de se tortiller pour se glisser dans une conversation de femmes à la recherche d'avoir raison, là où il n'y a que décisions à prendre ! Le naturel de l'homme n'est pas de trouver sa place, mais de prendre sa place. OK, j'avoue, ce n'est pas naturel chez moi, je suis l'homme rose, celui qui veut faire plaisir pour être aimé. Mais je m'aime comme ça.*

D'ailleurs voyez-vous, j'y suis presque avec Maude. Je sais construire mon cheval de Troie. Je me sens déjà l'élu de son cœur !

— Cependant, je ne suis pas certaine, poursuit Nathalie au vol, avec un semblant de manque d'assurance, s'il faut vivre comme si on allait mourir demain, donc faire n'importe quoi comme s'il n'y avait pas d'avenir… n'as-tu pas l'impression qu'il importe d'avoir simplement le sentiment d'être au bon endroit au bon moment ?

Il interprète l'hésitation dans la voix de l'avocate comme étant celle d'une personne à la recherche de sa vérité. Samuel ne perçoit pas qu'elle ralentit le débit de ses mots pour ne pas l'offusquer. Elle tourne autour du pot pour ne pas le traiter d'opportuniste. Quoi qu'il en soit, il n'est pas offusqué ; il est en accord avec lui-même.

— C'est pareil ! opine-t-il et croyant clore ce débat. Être au bon endroit, c'est profiter des occasions qu'offre la vie.

Mais il trahit, sans le savoir, son manque de subtilité… toujours selon les filles. Dans leur conception, chacun doit se porter responsable d'être au bon endroit… comme si la clairvoyance était acquise à chacun !

— Dis-moi Samuel, si tu savais que tu mourais demain, serais-tu ici aujourd'hui ? pique Nathalie dans son flanc gauche.

Samuel reçoit cette question comme une option de rejet. Un couteau tranchant sur sa gorge de séducteur. Rapidement, Maude reprend l'arme lancée par son amie afin d'éviter une confrontation entre ces deux comparses. Dans la perspective d'un voyage en motorisé, comme sur un voilier, tous doivent octroyer à l'autre un espace vital et le respecter. Ça sent le brûlé !

— Chacun son idée là-dessus ! C'est une question d'évolution selon moi, ajoute l'écrivaine qui, par la bande, veut aussi marquer son point : lorsque nous arrivons au seuil de notre mort Samuel, que notre vie ait été longue ou courte, le cumul d'occasions mal fichues ne fait pas le poids avec une seule qui aurait été assez stupéfiante au point d'avoir fait évoluer notre âme.

— Wow ! Il faudra plus tard que je songe à cette avancée, murmure Samuel entre ses lèvres. Mais revenons à nos moutons parce que je ne vous suis plus les filles. Et s'adressant à sa copine : Maude, veux-tu dire que Nathalie a cette chance inespérée ici de plonger dans son destin ? *Vaut mieux garder les pieds sur terre*, se rassure-t-il intérieurement, tout en s'interrogeant sur l'univers ésotérique dans lequel il se débat. Partira-t-il en vacances avec cette femme laquelle, bien qu'attirante, semble le prendre pour un hurluberlu alors qu'elle affiche elle-même des croyances hirsutes !

— Je me suis mal expliquée. Maude sent la soupe chaude. Ne pas brûler une belle relation potentielle, pense-t-elle. Je suis probablement trop pointilleuse. Vous avez raison tous deux, Sam, ce serait une occasion en or pour Nathalie d'aller au bout de sa quête, et Nat, je sens que pour toi, c'est plus qu'une aventure. Je voulais seulement…

Le feu passionnel bouillonne dans le sang de Nathalie et elle renchérit, ne laissant pas de place à Maude pour terminer sa pensée rassembleuse, ni à Samuel pour triompher de sa théorie passe-partout. Elle exploser subito de son côté écolo salvateur.

— Samuel, ta proposition de se livrer à ces fameuses « occasions » a conduit les hommes aux coupes à blanc, aux pillages de fonds publics, aux gestes politiques dont on néglige les « dommages collatéraux ». En cela, elle calque les apostrophes avec deux doigts de chaque main. Tu parles de conséquences… il aurait mieux valu aux stratèges de notre civilisation arriviste de mesurer les gestes posés sur notre environnement avant de vider les ressources de notre planète.

Samuel, interloqué, tombe de sa chaise. Comment est-il passé de simple curieux à méchant capitaliste opportuniste ? Toute Furie incarnée dans sa montée d'adrénaline, Nathalie était vraiment hors champ, car il se passait ici entre Maude et Samuel une trame essentielle au couple qui se dessinait. Un début de guerre de pouvoir... Qui allait avoir raison sur l'autre ? Comment la conversation allait-elle se terminer ? À l'avantage d'un seul ou au profit des deux ? Comment l'orgueil de chacun allait-il être préservé sans écraser celui de l'autre ?

— En fait, ajoute enfin Maude comme si elle avait sauté le discours de son amie de qui elle connaît le caractère revendicateur... en fait Nathalie, tu parles de saccages, mais honnêtement, ta marmite imaginaire déborde. Je te l'ai dit : tu dois terminer ton imagerie et vider l'histoire orageuse de cet homme qui a limité le bonheur de Rose. Ton humeur va certainement en tirer avantage !

— J'ai parlé de destructions Maude, pour illustrer nos choix de consommation ! La vie est un combat. J'aime bien aussi profiter de ce qu'elle offre, mais peut-on ignorer la surexploitation de la nature par l'homme ? Actuellement, j'aurais été lésée de biens immobiliers ou terriens, et je ne lâcherai pas prise parce que certaines personnes doutent de l'acuité de mon intuition.

Maude n'adhère pas à l'attitude dualiste de combat que reflètent les paroles de Nat. Et elle veut préserver l'amitié qui se profile avec Samuel. Elle s'institue en tant qu'arbitre, s'adressant d'abord à son copain pour laisser Nathalie se calmer.

— Selon moi Samuel, la sagesse n'est pas de profiter de l'abondance comme si nous allions mourir demain. Planifier une entreprise subjuguée au saccage des ressources n'est pas gagnant. Et s'étourdir dans des activités très nombreuses est suggéré pour éviter la morosité quotidienne, mais cela conduit à de l'épuisement. Des culs-de-sac ces occasions de pillage d'énergies ! Quant à toi Nat, tu es bien brave de voir la vie comme un combat, mais dans ce jeu, il y a des gagnants et des perdants. Je n'ai aucun plaisir à gagner au détriment d'autres personnes, et toi non plus il me semble.

Utilisant ses stratégies de thérapeute, déformation professionnelle oblige, Maude trouve un terrain d'entente.

— Que pensez-vous tous deux des gens qui croient que la vie est expérience ? Simplement une expérience à savourer, sans règles, sans balises à respecter.

— Certains se retrouveront en position de combat d'une façon ou d'une autre, réplique Nat. Ça fait partie de la panoplie d'expériences terrestres.

— Tu gagnes Nathalie, répond Samuel la relançant sur le registre de son vocabulaire. Si le passé est si important pour toi, je comprends que tu te rebelles contre ce qui a été. Les guerres, l'exploitation, les sévices que tu soulignes ici. On peut se pencher en effet très longuement sur la triste histoire de l'humanité.

Samuel n'en peut plus de ce penchant des filles pour le mélodrame. Sa case personnelle « victime/bourreau » est déjà pleine. En choisissant la profession libérale et le célibat, c'était se situer dans une ère où il vivrait le moins de frictions possible.

— Mesdames, tente-t-il d'introduire à son tour, sans ignorer les leçons du passé, peut-on poursuivre son chemin et enterrer les dépouilles. Nathalie, je pense comme toi que le bonheur se conjugue au présent. Et pour toi Maude ?

Dans les faits, Maude aime contrôler les situations de façon plus serrée et ne pas mordre à toute occasion qui se présente. D'ailleurs, elle se sent coincée entre son désir de rouler seule avec son copain ou de recréer un duo dynamique avec son amie.

— Oui, oui, le pouvoir du moment présent. Ça va. *Un cliché!* juge-t-elle tout bas. Pour moi, la perspective d'un avenir sain est importante. J'aimerais inventer cet avenir à ma façon. Selon mon expérience, et si je comprends bien les propos de Nat, le présent sans conscience conduit à des impasses. Je le répète, je n'ai pas le goût de me retrouver devant un cul-de-sac et de recommencer toujours... euh personnellement, je veux surtout ne pas prendre de décisions précipitées... euh...

Maude s'aperçoit qu'elle définit sa relation avec Sam et non plus la quête de son amie. Elle se sent confuse et en grand besoin d'une reprise du contrôle de son esprit. Son cœur bat très fort et une arythmie l'oblige à se taire. Elle pose la main droite sur son plexus, tentant de prendre une grande respiration pour baisser son pouls. Autant elle aime l'attitude spontanée de Samuel, autant elle la craint. Qu'a-t-il désigné plus tôt comme une occasion à ne pas rater? Pensait-il à leur relation?

Quant à Samuel, il s'amuse du retranchement des filles dans leur réserve. N'ayant pas souvent l'occasion de ces joutes philosophiques, il considère un voyage prochain de bon augure. Pas besoin de cartes divinatoires pour voir que l'ennui ne sera pas des bagages! Il vaut mieux ne pas envenimer les relations au-delà de ce jeu. Préférant l'humour, il raille:

— On parle d'une aventure et vous menez une révolution? Très peu pour moi. Permettez-moi, mesdames, de revenir au sujet de la visite de Nathalie. Comment donneras-tu suite à ces... révélations?

Un autre Carlos, songe Nathalie. *Avant d'amorcer le départ, il faudrait être parvenu au but. Décidément, ces hommes manquent de fantaisie. Maude et moi allons leur en fournir de toutes les couleurs!*

Que de philosophies féminines utopiques! pense Samuel. *Bien paradoxale cette Maude: elle veut faire évoluer son âme, mais elle craint le présent et évite le sujet de la mort... Elle n'est pas si indépendante qu'elle aime bien le paraître!* Samuel comprend qu'ils auront plusieurs conversations intéressantes au sujet du détachement, peut-être du vieillissement aussi. Des problématiques qui trouveront leur place un beau jour où, si leur relation se développe comme il l'aimerait, ils feront face à des défis épineux.

Maude arrose de vinaigrette la salade, donnant le signal à son amie d'abréger sa visite. Nathalie réfléchit à la pertinence d'un exode conjoint avec ce Samuel confrontant. De plus, un accompagnement de la part d'un Carlos rétif ne constituera-t-il pas une affaire délicate?

Aimant le concret, Samuel brise le silence en partageant la teneur de ses soucis actuels.

— Je ne cherche pas à vous contredire, reprend-il de façon posée. Ce qui me préoccupe de ces temps-ci est une sacrée question existentielle concernant mon récent choix d'être à mon compte. Dès cet automne, je me souhaite une pluie de contrats lucratifs. Comprenez que je suis sensible à ce que m'apportera la saison prochaine, à ces « occasions » de favoriser l'expansion de mon cabinet de consultation informatique. Ma préoccupation a pris une allure impérieuse. Une légère anxiété dont je devrais me départir en vacances! Je suis désolé Nathalie d'avoir détourné la conversation au sujet de ta voyante! Je t'écoute.

Recentrée sur son projet, Nathalie ne s'excuse pas de sa charge offensante et profite de l'ouverture sincère de Samuel pour reprendre effectivement l'objectif de sa visite; car si elle est ici, c'est qu'elle veut poursuivre l'exploration de la vie de Rose grâce aux habiles interventions de Maude. S'il faut s'immiscer dans les plans de voyage de Maude, cela ferait bien son affaire. Elles n'en sont pas à leur premier circuit exploratoire, mais accompagnées toutes deux, oui.

Lorsqu'en Californie les deux amies avaient voyagé, grâce à leur imaginaire, dans des époques et des contrées lointaines, cela les avait bien fait rigoler, car elles avaient retrouvé des lieux communs. Lubies ? Coïncidences ? Néanmoins, ces concordances avaient scellé leur amitié plus que jamais. Pour Maude, ce cours avait constitué le début d'une pratique professionnelle plus créative, et pour son amie, une pause bien agréable dans le sérieux des aléas quotidiens. Mais aujourd'hui, l'allure revendicatrice que prenait la présente recherche de reconquête d'un territoire poussait le jeu au niveau d'un état d'urgence.

— Merci Samuel, poursuit Nathalie. Je dois ajouter que la cartomancienne a dit que je ne suis pas seule à réclamer ce manoir, que d'autres personnes le convoitent également. Ça, c'est un mystère. Si ce bien est à moi, enfin... à Rose, pourquoi d'autres personnes le réclameraient-elles aussi ? Je dois poursuivre mon imagerie, Maude. Pourras-tu m'éclairer sur ce sujet ? Oh ! J'ai tellement hâte de savoir ce qui s'est passé pour que cette femme soit ainsi ligotée et condamnée à terminer sa vie de façon aussi cruelle !

Ce sujet des vies multiples passionne autant Maude qu'il n'insuffle de vent dans les voiles de Nathalie. La quête de son amie touche sa fibre de psychothérapeute, animée par l'attrait de l'exploration de territoires vierges. Toutefois, Maude ne se sent pas à l'aise quant à l'aspect irréaliste de son désir de richesse matérielle.

— Oh ! oh ! Un manoir ! D'abord, tu nages en pleine hypothèse Nat ; tu sais, quand les médiums voient ces images et font des prédictions, ils les interprètent à la lumière de leur grille d'analyse. Des biais personnels peuvent intervenir comme un filtre dans leur voie intuitive. Ce qu'ils révèlent n'est pas toujours à prendre au premier degré. Et même s'il émerge une histoire semblable en processus d'imagerie, ce qui serait surprenant, il vaut mieux que tu en utilises les leçons pour mener celle-ci de façon optimale, au lieu de redresser les torts passés, non ?

— Pas s'il y a une fortune dans la marmite de pièces d'or au bout de l'arc-en-ciel ! répond-elle sans concéder son enthousiasme.

— Ouais, on peut faire d'autres imageries en route. Pour ne pas perdre de temps de vacances, êtes-vous prêts Carlos et toi, dès après-demain ?

Et comment donc ! La valise de Nathalie est prête. De toute façon, elle ne peut apporter trop de vêtements, car ils seront restreints par l'espace du motorisé. Reste à trouver un coin pour le sac de golf de Carlos qui suivra ses bâtons comme le chat fixe l'oiseau en mouvement. Malgré l'avertissement de son amie, elle est confiante, savourant à l'avance la cueillette de son trésor. Femme ne remettant pas facilement en cause ses convictions, elle implique sa meilleure amie, son nouveau copain et son conjoint dans une aventure casuelle, convaincue qu'il y en aura pour tous… Mais qu'y aura-t-il pour chacun ?

***

Europe 1740

La colonisation des continents explorés depuis quelques siècles est très payante pour ces pays européens qui rivalisent en intérêts économiques et batailles navales. Sur terre comme sur mer, les ambitions d'acquisitions de territoires deviennent une obsession européenne renforcée par le cumul de richesses que favorise l'exploitation des pays conquis. La marine marchande française, par exemple, compte plus de 5 000 navires. Les compagnies commerciales faisant affaire en Afrique, aux Indes, autant qu'en Amérique sont en pleine expansion.

Les grandes puissances européennes s'entredéchirent dans des combats féroces. En cette année 1740, l'Angleterre appuie la cause autrichienne dans la querelle contre la Prusse sur la succession au trône de Charles IV ; une guerre qui va durer huit ans. La Prusse aura comme alliée la France, l'Espagne et la Bavière, ce qui explique l'exportation des conflits au-delà des océans.

Car outre-mer, les Britanniques ont le vent dans les voiles. Tant de colons ont débarqué en Nouvelle-Angleterre, qu'on y dénombre 900 000 habitants, dont 150 000 esclaves noirs. Nous sommes à quinze ans de la victoire de ceux-ci sur les Acadiens du nord, ce qui occasionnera la déportation de ces derniers sur trois continents. Cependant, les conquérants anglais ont de la difficulté à prendre les terres plus au sud. Cette année-là, ils devront retourner vers l'État de Géorgie et capituler à nouveau du siège de la Floride, grâce au renfort de navires espagnols ; cela évitera aux paysans la famine planifiée par les Anglais comme stratégie d'assaut. Les victimes de ces guerres ne sont jamais pour les commandants que des « dommages collatéraux », selon l'expression encore actuelle du président des États-Unis d'Amérique en 2008.

5

DESTINATION U.S.A.

Samuel profite de la soirée pour fermer son bureau de designer pour les semaines de vacances qu'il s'est accordées en compagnie de Maude. Sur la route, il compte trouver des cafés branchés pour suivre ses courriels et finaliser des tâches et des devis, quelque deux heures par jour… au maximum, se promet-il. Il est reconnaissant du hasard l'ayant comblé de la rencontre de cette belle femme grâce au réseau Internet. L'offre de Maude de l'accompagner dans son périple à la découverte d'un morceau d'Amérique, lui plaît énormément.

Terminant ses bagages, il repense à la rencontre du troisième type vécue cet après-midi ! Il a trouvé son amie Nathalie très dogmatique, mais il apprécie son côté défiant autant que passionné. Cela ne doit pas être ennuyeux de vivre auprès d'elle, songe-t-il en imaginant que l'homme qui avait comme compagne cette jolie blonde devait avoir les pieds bien assurés pour ne pas sombrer dans les turbulences de ses épopées. Bien que pétillante, elle n'est pas de son genre, précise-t-il, car il préfère en définitive le côté pacifiste, bien qu'angoissé, de Maude.

Aujourd'hui, leurs plans de vacances n'avaient pu être bâclés à cause de l'intrusion de l'aventureuse. Mais puisqu'il se joint à sa nouvelle compagne pour un séjour dans la roulotte de cette dernière, il n'avance aucune préférence quant à la destination choisie proposée, pas plus qu'au choix d'accompagnateurs.

À la radio, une des plus belles chansons des Beatles jouait un air de joyeuse parade, percutante et convaincante : *All you need is love!* Tout ce dont le monde a besoin, c'est l'Amour. Le cœur en chamade à l'idée de passer quelques semaines auprès de Maude, il fait le tour des pièces avant l'arrivée de son frère qui profitera de son appartement sur le Plateau pour s'éclater parmi les festivités à l'air libre du centre-ville de Montréal. Le routier remplit son vieux sac à dos usé par tous les dépôts dans autant d'auberges qu'il y a de bouteilles vides dans sa collection de bières importées. Son frère aura la responsabilité de garder son chien labrador Orphée, un fidèle compagnon qui aurait tôt fait de lui faire connaître ses besoins et les aires du quartier.

Samuel met un peu d'ordre dans son 4 et demi. Il a commandé deux plats de sushis du resto voisin. Une salade d'algues wakamé est au frais et le saké trône près du réchaud. Quelle que soit l'heure où le frérot arriverait de la Gaspésie, le souper serait prêt à être partagé. Un concert de Carlos Santana allait accueillir Olivier et lui rappellerait de bons souvenirs du temps où ils jouaient ensemble dans un groupe de musique avec trois copains du secondaire. Éloigné de sa famille par plus de mille kilomètres, il n'a pas revu ses proches depuis deux ans. Olivier a peu d'argent pour voyager et, pour Samuel, la Gaspésie est plus loin de la métropole que la ville ne l'était à chemin inverse lorsqu'il était jeune et qu'il s'y rendait souvent. À son avantage, les occasions d'affaires se trouvent en ville. C'est ici que foisonnent les colloques et les contacts, multipliant les échanges sur les dernières avancées techniques en matière de marketing et de programmation.

Maintenant citadin, il se remémore l'année où il quitta sa petite ville du bord de mer pour la grande ville aux bords de « trottouère » comme on disait dans les vieux quartiers de Montréal, il y a vingt-cinq ans ! Ses études collégiales terminées, il demeura à l'emploi de l'entreprise qui le prit comme stagiaire avant d'oser l'affranchissement du travailleur autonome, statut dont il jouit maintenant. Chaque jour, il savoure la liberté dont plusieurs personnes rêvent sans l'atteindre, même si cela signifie beaucoup d'incertitude quant à la régularité de ses revenus. En fait, il la peaufine intentionnellement, comme les filles le mentionnaient avec justesse. Le larron fait l'occasion... ou est-ce l'inverse ? Il ne sait plus. La soirée avance. Il a bu la bouteille de saké à lui seul... son frère devrait se souvenir où il cache la clé. Il va se coucher. Il déjeunera demain avec cet Olivier pas plus fiable au 21e siècle qu'au temps de leur jeunesse. Ça promet quant à la quiétude pendant son absence !

***

Le lendemain midi, Maude se hâte de rappeler son amant à ses côtés. Elle brûle d'envie de se coller contre lui. L'engouement du voyage gagne de frénésie et elle compte décrire en détail, avec la permission de Nathalie, la teneur de l'imagerie vécue par elle. Il comprendrait mieux l'ardeur de sa quête.

Mais peut-être n'aurait-elle pas dû faire le premier appel téléphonique de la journée, car elle est déçue que Samuel doive retarder son arrivée pour attendre le réveil de son jeune frère entré très tard dans la nuit. Olivier avait choisi de rester en ville pour écouter les spectacles gratuits du Festival de jazz, à sa sortie de la gare Centrale. Il avait poursuivi sa soirée dans les bars de la rue Saint-Denis. Non, il ne se souvenait pas où son grand frère cachait la clé et il réveilla tous les voisins en « fessant » dans la porte à trois heures trente du matin. Avant de quitter l'appartement, Samuel devait tout de même prendre le temps de faire ses recommandations de vive voix pour lui indiquer l'heure de la promenade quotidienne du chien. Enfin, ce serait une proposition, il n'allait pas multiplier les attentes !

Ce laps de temps requis pour Samuel donna à Maude l'élan pulsionnel de le désirer davantage. Quand Samuel arriva dans l'entrée de son stationnement, elle sentait la chaleur dans son ventre stimuler son sexe jusqu'à la faire rougir, bien avant qu'il ne sonne à sa porte. Elle rêvait éveillée à cette relation d'amour et se dit que c'est bien la meilleure étape des fréquentations lorsque le désir la transporte aux nues avant même que l'homme ait baissé ses pantalons. Elle avait restreint sa propension à se caresser pendant la nuit, car elle voulait garder la vivacité de la charge sexuelle pour accueillir Samuel ce matin, question de marquer avec fougue le début de leurs vacances.

Maude laissa Samuel sonner à deux reprises afin que lui aussi mobilise son impatience de la retrouver. La règle dit que la femme doit laisser l'esprit conquérant de l'homme se déployer sans que la belle lui accorde trop d'attention gratuite. Mais au diable les convenances aujourd'hui ! Maude sauta sur lui dès qu'il eut déposé le bouquet de roses miniatures qu'il avait acheté le matin chez le fleuriste, à deux pas du resto japonais. D'ailleurs, il avait aussi entre les mains les deux boîtes de makis qu'il dut brusquement lâcher sur la table d'entrée. Décidément, ces bouchées devaient attendre leur tour plus que de raison.

L'amant pressa son amoureuse contre son corps en la reculant jusqu'à sa porte de chambre. Elle l'ouvrit en mettant la main droite derrière elle et le tango se poursuivit vers le lit où Samuel prit sa dulcinée dans ses bras pour l'étendre sur son édredon. Là, sa bouche voulut goûter au moindre grain de sa peau, abandonnée à sa passion fiévreuse. Il la fit jouir plusieurs fois avant de la pénétrer ardemment. Maude était ravie et lui offrit de jouir à son tour.

Exploitant la nouveauté des premières semaines de fréquentation, ils avaient fait le tour de plusieurs sujets légers. Maintenant qu'ils prévoyaient passer les prochaines semaines ensemble, Samuel profita de l'attendrissement de Maude dans ses bras pour lui poser quelques questions au sujet de ses attentes.

— Maude, es-tu à l'aise pour qu'on se définisse en tant que couple ?

Elle relève la tête de son épaule, surprise par la possibilité d'un lien surgissant si rapidement de sa part. Voilà pourtant un sujet creusé par elle au fil des pages de ses romans et des passages de mâles dans son carnet de bal. Maude a pour expérience que les hommes tombent amoureux rapidement, mais que ce sentiment ne dure pas. Un feu de paille, croit-elle. Aussitôt qu'il est question d'engagement, ceux-ci reculent soudainement, refroidis par la perspective d'un manque de défis stimulants. Rarement prennent-ils l'initiative du sujet des attentes. À l'image de l'une de ses héroïnes romanesques, elle répond promptement :

— Il me semble que deux personnes doivent toujours se donner le droit de choisir un autre partenaire si l'un des deux ou les deux ne sont pas heureux conjointement. Cette éventualité limite la notion de couple normal. Qu'est-ce qui t'amène à poser cette question si tôt dans notre relation ?

D'avoir pris les devants amuse Samuel, c'est nouveau chez lui ; cette relation, comme elle dit, est-elle en train de transformer sa timidité ? Son audace est facilitée par la perception d'un romantisme dissimulé sous de la bravade chez Maude : elle affiche un côté indépendant, alors qu'une partie d'elle a soif du grand amour. Sinon, pourquoi serait-elle romancière ? Elle n'est pas si antiadhésive qu'elle veut bien le paraître !

— Mon souhait, lui répond Samuel, hésitant et scrutant sa réaction, serait de vivre heureux, longtemps, auprès d'une compagne avec qui j'aurais le sentiment d'être en complicité. Pas que je la retiendrais toujours près de moi pour ne répondre qu'à mes besoins, non, pas un état fusionnel dans le sens d'infantile. Une complicité mutuelle, une entente sereine, ayant comme base une sensualité du toucher, de la caresse, de la satisfaction d'être pris dans un gros câlin chaleureux, réconfortant. Il raffermit son étreinte.

— Je suis surprise ! avoue-t-elle. Je te percevais comme un célibataire sans compromis.

— Je sais, j'en suis là dans ma vie. Le respect est important, c'est une base essentielle à une relation. Mais la complicité est une valeur que j'admire, sans compromis. Ça fait rétro ?

La sincérité de Samuel permet à Maude de creuser le passé de son ami. La façon dont les relations se sont conduites et terminées en disent long sur ce qui risque d'advenir de leur propre histoire. Le relâchement profond que lui a insufflé la poussée d'endorphines ouvre son écoute au vécu de son ami et ses oreilles sont dressées à l'affût du moindre indice concernant le sérieux du prétendant.

— Ça fait ambivalent Sam, tu parles de complicité et tu vis comme un homme qui n'aime pas les engagements. Je suis curieuse, dis-moi, qu'est-ce qui fait que tes anciennes relations n'ont pas conduit à la réalisation de ce désir de permanence ?

— La dernière relation s'est rompue lorsque j'ai quitté mon employeur pour me lancer à temps plein dans mon entreprise. Cela l'insécurisait, disait-elle. Je me suis longuement posé moi-même la question à savoir si j'avais bien fait. En fin de compte, elle a pris la bonne décision pour nous deux. J'ai plus de temps pour travailler sans que cela intervienne dans mes rapports avec une compagne. Je dois dire que je me suis lancé dans la recherche de contrats, avec succès, et n'ai pas vu passer la dernière année!

— C'est elle qui t'a quitté? revenant avec insistance dans une ardente curiosité.

— Oui. Il faut croire que d'autres raisons sous-tendaient sa décision. Il lui a fallu peu de temps pour nouer une relation avec un collègue de travail ayant, lui, une caisse de retraite bien garnie.

— Ça t'a blessé? poursuit Maude vérifiant l'ouverture de cet homme à une nouvelle relation. Transporte-t-il le souvenir de la flamme précédente au fond de son cœur?

— Vraiment, oui. C'est fou comme la tête et les sentiments sont en bataille dans un tel déchirement. La tête sait qu'il vaut mieux accepter la situation puisque je ne me sentais pas appuyé dans mes choix, mais le cœur est brisé et veut éviter la perte d'une relation qui était somme toute insatisfaisante. Ça ne fait pas de sens.

— Les émotions sont viscérales, jamais rationnelles! La rupture de l'attachement, la peine d'amour, certaines personnes arrivent plus difficilement que d'autres à s'en consoler.

— À se séparer, en fait. Parce qu'ils sont plus épris? Plus dépendants?

— Possiblement parce qu'ils fondent l'essentiel de leur vie sur la présence de leur compagne ou compagnon, suggère Maude en reprise dans son rôle d'analyste, car Samuel a vu juste, elle préfère prendre une distance quant à ses attentes.

— Avec le temps, on passe à autre chose, réplique Samuel. Le jour arrive où on se dit qu'on ne comprend pas comment on a pu maintenir cette relation cahoteuse. C'est une évolution normale, je suppose !

— Nos besoins changent avec le temps. C'est ce qui fait la rareté d'une relation à long terme et du bonheur éternel à deux.

Maude revêt le tailleur de la femme raisonnée et refroidie par tant de brèves rencontres. Elle justifie son point de vue pessimiste.

— En fait Sam, je ne suis par certaine de croire en la pérennité d'une relation. Je pense qu'une seule bouchée capiteuse peut donner une sensation éternellement imprimée dans nos cellules pour autant qu'une attention sublime y soit portée quant au complexe de saveurs, d'odeurs, de textures. Quand je savoure une mangue, une seule bouchée remplissant ma bouche suffit à entrer le code de cet aliment en moi. Manger la mangue en entier, c'est de la gourmandise, une prise inutile de calories. C'est pareil en amour. Une seule fois est nécessaire pour entrer ton code dans ma mémoire cellulaire. Ainsi l'impermanence peut-elle faire son travail de détachement.

— Comment veux-tu créer un couple quand tu parles de détachement ? La beauté d'un couple ne réside-t-elle pas justement dans l'esprit de sa permanence ? « Plus qu'hier, moins que demain », non ?

— Ça, c'était l'idéal de nos parents, Sam ! Selon mon expérience, la beauté réside dans la rencontre elle-même. Après, chaque pas doit être vécu comme le dernier, le plus intensément possible, car la vie reprend son cours sans avertir de ses intentions. Rien n'est permanent en ce monde matériel !

— Sauf la mémoire des papilles ? Démontrant son côté taquin, Samuel calque la conception de sa copine. Il n'est pas d'accord avec une vision tronquée du couple, mais il comprend que cette opinion reflète une expérience probablement très décevante de ses relations précédentes. *Certaines personnes ont abdiqué à l'idée de vivre un amour avec un grand A!* songe-t-il.

— Sauf la mémoire des cellules, effectivement. Et ces souvenirs gustatifs peuvent être éveillés lorsque le corps recourt au rappel des mémoires, en se replaçant dans les mêmes conditions physiques, réelles ou virtuelles. C'est ce que m'a appris l'utilisation de l'imagerie corporelle auprès des clients. On peut revenir à des souvenirs imaginés de tout âge, il suffit de recréer le contexte grâce à l'imagination. « Kiss. »

— Kiss?

— Keep it simple and... Maude ne se souvenait pas du dernier mot. Elle dit: smart. Garde cela simple et intelligent. Sur ce, elle fait une moue accompagnée d'un index posé sur sa tempe, indiquant qu'elle fouille dans sa caboche comme on frotte une allumette sur le grattoir, ce qui fait sourire Samuel. Il raffole de son assurance toute féminine.

— N'est-ce pas: simple and smooth...? Simple et doucereux, traduit-il, passant la main sur son ventre, du pubis à la gorge. Les conversations sur l'oreiller confortent Sam qui veut demeurer dans l'ambiance de cette rencontre amoureuse. Pensant à l'avenir de leur couple, il chuchote subtilement à sa compagne:

— Si on peut recréer le passé, peut-on aussi créer le futur?

— J'en suis convaincue! N'est-ce pas ce qu'on fait sans y penser? Le futur est le produit du présent. Et dans l'imaginaire, « the sky is the limit! » comme disent les Anglais dont l'horizon est illimité. Suffit de ne pas être accroché au passé, ce qui n'est pas si facile!

Où vogue-t-il avec cette histoire de futur et de création et de couple, craint Maude qui préfère garder l'accent sur un sujet intellectuel, plus près de sa compétence, celui de l'imagerie ; elle se sent à mille lieues de la planification d'une permanence conjugale.

— Lors des imageries de mes clients, poursuit-elle, j'ai entendu tant de personnages à la veille de leur décès, se lamenter de la perspective d'une mort prochaine, ayant l'impression de n'avoir pas vécu assez longtemps, tristes de n'avoir pas eu le temps de dire « adieu » à leurs proches !

— Comme s'ils n'avaient pas suffisamment... comment dis-tu, goûté à ceux qu'ils aimaient ? Comme s'ils ne s'étaient pas imprégnés de leur saveur ? Ce disant, Samuel pense qu'il tentera d'explorer le potentiel de cette relation. Est-elle illimitée ou encerclée de fils barbelés ? Il pressent qu'il aura un long chemin à parcourir pour apprivoiser la mégère insoumise en cette Kate moderne, selon l'expression de Shakespeare ! Tristement, il regrette de ne pas être un Richard Cœur de Lion.

— Exactement ! répond la psychothérapeute, comme si elle avait pénétré les pensées de Samuel par résonance. À mon avis, on doit toujours être prêt pour la dernière scène ! Il importe d'être satisfait du choix que l'on fait. Et toujours prêt à remettre le pendule à zéro !

Cette femme parle-t-elle inévitablement de la mort ? Vraiment, cette thématique semble l'obséder, remarque Samuel. Sans être convaincu de la force d'une impression virtuelle en comparaison à l'expérience d'une sensation physique, il revient sur l'importance du toucher. Car il préfère manger la mangue au lieu d'y rêver. Pour lui, impermanence rime avec évanescence.

— Mais Maude, la mémoire du corps n'est jamais aussi impressionnante que la réalité physique. L'imagerie a ses limites et les gens s'ennuient réellement des personnes qu'ils aimaient. C'est pour ça que tes gens pleurent leurs personnes décédées.

— Stupide.

— Hein?

— Les deux “s” de Kiss, c’est “simple and stupid”! Enfin... elle poursuit, cérébrale et centrée sur son propos. Souvent, le deuil se fait lorsque les gens ressentent que la personne décédée est heureuse. Ils doivent d’abord résoudre les sentiments de culpabilité pendants, pour ensuite se réjouir de l’envol de l’être aimé dans la légèreté de l’infini.

Il y a quelque chose de vrai dans ces mots, se rappelle Samuel lorsqu’il repense au soulagement ressenti quand il a appris que son ex-copine était heureuse auprès d’un autre conjoint. Un petit pincement à l’ego, oui, mais quel bienfait ressenti dans ce retour à la liberté d’aimer.

— Le cerveau, enchaîne Maude dans son penchant professoral, réagit avec la même intensité, que la stimulation soit réelle ou virtuelle, que l’être aimé haï ou craint soit là en personne ou seulement en pensée. Si tu penses mordre dans un citron, ta bouche salivera, comme si...

Elle en sait quelque chose puisque le seul désir de le retrouver cet après-midi l’a virée à l’envers. Mais la célibataire n’est pas prête à l’admettre et à se laisser aller plus loin que sa raison veut l’y amener. Pour rester en contrôle, elle réajuste la position des oreillers.

— Ce qui empêche la résolution du deuil n’est pas un sentiment d’amour, poursuit-elle, mais un sentiment de culpabilité; celui de n’avoir pas fait ce qu’on croyait qui aurait dû être accompli du vivant de l’autre... ou quand eux-mêmes vivaient pour ce qui en est des personnes décédées.

— Tu parles aux morts? s’exclame-t-il en levant les sourcils.

— Pas moi Sam, mais j'amène les gens à imaginer qu'ils communiquent avec les personnes décédées.

— C'est pareil, tu viens de le dire ! Le réel et le virtuel...

— Je n'avais pas vu cela sous cet angle ! En fait, je n'interviens pas dans leurs représentations. S'ils y croient, les gens ont vraiment l'impression que la personne décédée est présente auprès d'eux. Ils laissent émerger les paroles de leur senti. Je ne suis pas un médium, c'est pour cela que Nathalie est venue me voir. Elle sait qu'elle peut en apprendre davantage en fouillant dans son bagage imaginaire. C'est beau qu'une personne extrasensible perçoive des impressions, mais il demeure que cette personne procède à l'aveuglette, ne ressentant qu'une couche de ce qui doit être révélé.

— Et Nathalie, a-t-elle réussi à cueillir les informations nécessaires à sa quête ?

Nous voilà dans le mille du sujet, se dit Maude, et de plus, il s'intéresse à l'objectif de Nat. Je peux sceller ce projet de voyage à quatre !

— Oui, elle a une cible. Pas celle à laquelle elle s'attendait, car les impressions émergées de l'imagerie surprennent plus qu'elles ne confirment ce que le mental espère. Sa cible consiste à retrouver les traces de Rose. Tu es d'accord ? Nous partons tous les quatre ?

Malgré la joie qu'elle arbore, Samuel remarque que Maude aborde cette question d'accompagnement sur un mode de tâche, plus que de plaisir.

— Tu veux dire l'accompagner dans sa quête ? C'est déjà bien amorcé, il me semble ! Et revenant aux aspects concrets : comment vois-tu l'organisation de cette expédition ? Et où est-ce que cela nous mènerait au juste ?

— En Floride. Ah ! Je suis contente que tu sois d'accord. Tu verras, son mari Carlos est un homme correct. Nous aurons chacun notre petit espace amoureux dans la roulotte, ajoute-t-elle avec une mine complice.

Mais trop brève au goût de Sam, car Maude se raidit; dans son entêtement, elle attrape le téléphone portable pour appeler Nathalie et vérifier ce qui se passe de son côté.

— Euh... correct... ça signifie quoi pour toi? vérifie Samuel.

— C'est un gentleman. Il a de la classe et c'est aussi un bon vivant. Je suis certaine que vous vous entendrez bien. Joues-tu au golf?

— Deux coqs dans une basse-cour, ça peut causer d'impitoyables combats... dit-il en la reprenant dans ses bras, soulignant son intention d'avoir la priorité, quelle que soit sa décision d'inclure sa grand-mère si grand bien lui faisait.

— Pas quand les deux poulettes ont choisi leur option! Sur ces mots qu'elle voulait affirmatifs, Maude se défait définitivement de l'étreinte chaleureuse de son amant et compose le numéro de Nat sur l'appareil. Son esprit est déjà ailleurs, songeant que son amie devrait avoir vérifié avec son ex et son conjoint les détails des préparatifs et déterminé l'heure de l'appareillage..

Effectivement, Nathalie était ravie. À vrai dire, elle n'en espérait pas moins. La présence d'un amoureux auprès de Maude lui avait fait douter de son importance en tant que vieille amie. Quant à Carlos, comme il avait promis de l'accompagner, elle peut confirmer leur disponibilité pour un départ hâtif. Il suivrait son itinéraire encore cette année, croyait-elle, malgré son sentiment qu'il n'était pas très chaud à l'idée de prendre l'allure d'un gitan dans le véhicule récréatif de Maude; mais on lui avait réservé l'espace d'un coffre pour y glisser son sac de golf. Il n'avait plus de raisons, selon elle, de refuser la balade floridienne.

Le père des jeunes prendrait la marmaille, et le chat, pendant le temps nécessaire, ce qui allait la libérer, avec plaisir. Feux verts.

Lorsqu'elle barre la porte pour quitter la maison, Carlos remarque que sa femme ne porte aucun bijou, même pas sa bague diamantée. *C'est une drague cette histoire de voyage?* Nathalie justifie son choix comme quoi camping ne rime pas avec pierres précieuses. Un détail pour elle, une situation inacceptable pour lui. Une de plus. Il allait mettre son poids pour faire avorter cette excursion loufoque.

***

En quittant son travail, cet après-midi-là, Elijah se rend directement chez son oncle Ray. Il a repris sa Mercédès antique et conduit son véhicule à travers quelques terrains où sont soigneusement alignés des centaines d'orangers. Il emprunte la route principale, puis vire à nouveau pour prendre le chemin de terre menant au terrain de camping adjacent. Cinq minutes, à peine, séparent le terrain familial des terres cultivées de son patron. Elijah n'a d'autre objectif que de partager avec Ray son désarroi d'apprendre que Smith a mis fin à son emploi. Qui plus est, avec un très court préavis. Il sera remplacé par la fille de celui-ci dans deux semaines. C'est un choc, il est décontenancé! Comme si son âme s'était décalée de son contenant physique dans la secousse intérieure!

En désarroi d'abord. Et soudainement en colère, son pied enfonce l'accélérateur pour les quelques arpents qu'il lui reste à longer. Il doit freiner d'urgence à l'approche de l'auberge familiale. Jardinant dans sa quiétude habituelle, Ray est surpris de cette arrivée intempestive. Cela ne ressemble pas à son filleul de faire tant de vacarme.

Un sentiment d'injustice tenaille Elijah qui clame sa condition de victime devant la décision précipitée de son patron. Il rage et serre les dents et les poings. En passant la guérite, il tente de contrôler ses émotions dès qu'il aperçoit Ray et le rejoint d'une cadence ferme. Une cassette de musique de George Winston joue dans un vieil appareil branché à une rallonge la reliant au mur extérieur de l'auberge, côté privé.

Elijah voit son oncle rechausser chaque plant avec précaution. Il admire le temps que prend cet homme pour réussir ce qu'il entreprend. L'homme dans la quarantaine ne sait pas ce que signifie de vivre dans le corps d'une personne âgée. La lenteur des mouvements est imputée à l'arthrose qui s'installe tranquillement, mais sûrement, dans chaque articulation du corps. Elijah racle sa gorge pour libérer quelque peu l'émotion présente, de façon à garder une prestance devant son oncle. Prenant une grande respiration, il tente d'abord une explication rationnelle qui a tôt fait de passer à l'explosion émotive en accusant son patron de tous les maux de la terre.

De l'auberge, sa tante Emma lui envoie la main. Ses yeux sont pleins de sollicitude à son égard. Vraiment, rien dans ce paysage bucolique ne pulse au rythme de sa tension. Sa tante lui fait signe de piger dans l'assiette posée sur la bûche, débordante de biscuits aux pépites de chocolat qu'elle a cuisiné pour son mari. Elle reste quelques secondes de plus sur le perron à remplir son cœur à la vue de cette visite impromptue. Ray chérit l'affection que porte sa femme envers leur neveu.

Ces sucreries et autres pâtisseries rappellent Elijah à la bonté d'Emma. Certaines personnes sont présentes à travers le silence de leur tendresse plus qu'avec leurs paroles. Emma et Ray se complètent bien, observe-t-il, décalant l'objet de sa colère.

— Prends des biscuits, Elly, sers-toi, c'est Emma qui les a cuisinés.

— Je reconnais sa délicatesse. Il s'appuie sur ce détail pour reprendre son souffle et recréer un lien rassurant avec son oncle. Sur un plateau d'argent ? C'est nouveau ?

— Le plateau ? Emma s'est enfin décidée à le sortir du vaisselier. C'est un souvenir de notre voyage en Espagne, celui qu'on a fait pour notre vingt-cinquième anniversaire de mariage. Tes parents avaient cotisé aux dépenses de nos vacances. C'était l'année de leur… disparition. Emma rêvait de visiter Barcelone, je ne sais pas pourquoi.

— Il y a de ces attirances qui sont inexplicables par la seule logique. Et pour votre cinquantième, vous êtes allés en Alaska !

— Oh oui ! Nous avons visité ton frère pour cet anniversaire-là. Ça aussi, c'était son rêve. Ta tante s'ennuyait de son David après trois ans d'absence. Quel immense plaisir ce fut pour elle de serrer ses petits-enfants dans ses bras ; ils avaient tellement grandi depuis leur départ pour Barrow. Emma craignait tout le temps pour eux. Tu sais, là-bas, il y a des avertissements de passage d'ours polaires ! Quand je pense que les gens ont peur de mes alligators, ce n'est rien par rapport à la férocité de ces immenses bêtes à la recherche de nourriture sur des miles et des miles de paysages glacés !

— Heureusement qu'elle t'a fait connaître la nature de ses rêves Ray, sinon vous n'auriez jamais quitté ce camping !

Le soleil, lui, quitte-t-il son univers ? *Pas besoin de quitter ce lieu*, lance Ray, blessé par ce commentaire. Il prend une respiration profonde en levant la tête vers le ciel, pour apaiser son malaise de n'avoir pas sorti Emma plus souvent hors de leur domaine et pour reprendre contact avec les odeurs ambiantes. Il se sent le gardien de ces jardins, autant que le bénéficiaire. L'équilibre est maintenu, croit-il fermement. Les affaires roulent à longueur d'année. *Si je quittais mon terrain, qui taillerait les haies ? Qui cueillerait les œufs des poules et nourrirait les oiseaux colorés qui égayent le terrain et font leur œuvre divine de se débarrasser des parasites ailés et rampants autour du camping ?* Durant son dernier voyage, l'homme d'entretien a cru bon d'abattre quelques très vieux arbres qui accueillaient des milliers d'insectes colonisateurs et servaient de garde-manger et de lieu de nidification pour ses parulines orangées, ses tangaras vermillon, ses guiracas bleus.

Un cauchemar avait longtemps froissé le sommeil de « l'homme qui parlait aux alligators ». Il rêvait qu'il plantait un chêne et de retour à la butte, cet arbre était abattu. Il en replantait un autre, et toujours ce chêne quittait mystérieusement la terre qui pourtant recouvrait bien ses racines. Ray accordait une signification d'avertissement à ce rêve prémonitoire. Il savait au fond qu'il n'avait jamais mené à terme la promesse faite à son père sur son lit de mort, celle de régler les papiers concernant les droits légaux sur le terrain familial. Pas assez prévenant, mais surtout voulant éviter toute dispute avec le voisin quant à la délimitation de leur territoire. Le plus sage était d'occuper le lieu, comme pour bien marquer les bornes par sa présence. George Smith faisait de même après tout. Ils se guettaient, comme deux fauves tournant autour l'un de l'autre pour mesurer leur force respective. Ray n'avait pas la détermination de faire face à un conflit ouvert. Et l'autre non plus. Le statu quo, mais à quel prix ? Car son cœur marquait des signes de fatigue. Les nymphes du sommeil onirique le rappelaient très souvent à sa responsabilité concernant le vide juridique au sujet de la propriété de ses terres. Mais de toute évidence, le jardinier souhaitait que ce règlement de papiers soit délégué à toute autre personne que lui. Peut-être, un jour, Elly voudra-t-il s'en occuper ?

Il mourrait la conscience en paix. Mais il préférait ne pas aborder ce sujet avec son filleul, pas maintenant.

***

Mis en route avant le lever du jour afin d'éviter les bouchons à la frontière, le groupe s'accorde sur l'idée qu'une première escale est incontournable aux abords de la Grosse Pomme. Quoique d'immenses autoroutes contournent la ville de New York, une halte dans cette cité gigantesque constituerait un arrêt salutaire propice à un bilan sur les premières heures de proximité : oui, ils peuvent voyager ensemble, et c'est même très agréable. Chacun y met le degré d'humour nécessaire pour vivre du bon temps, tout en préservant la sensibilité des autres afin de ne pas créer de conflits.

Au cours du trajet, Maude raconte quelques anecdotes choisies dans des bouquins parlant d'exploration de vies antérieures. Par exemple, dans son livre *Paradis sur mesure*, Bernard Werber écrit une nouvelle où il revit le sentiment d'avoir vécu un très grand amour en Atlantide. Il narre les derniers jours de cette relation idyllique s'étant terminée dramatiquement dans le tragique naufrage de cette civilisation. Maude indique à ses amis combien les sensations vécues lors d'une imagerie sont si vivides que leurs impressions marquent le cours de la vie actuelle du voyageur de l'imaginaire.

Nathalie n'a pas besoin d'être convaincue à ce sujet, elle en a fait l'expérience. Mais il importe aux femmes que leur compagnon comprenne la portée de ces impressions profondes. Ceux-ci écoutent distraitement, doutant de l'importance de ces forces immatérielles. Des histoires, on s'en raconte quotidiennement. À travers le monde, des gens mettent des vies en danger pour des croyances religieuses ou sociales. Les gars s'accordent tacitement pour laisser ces expériences romantiques aux femmes. Car ces images-ci diffèrent-elles vraiment de celles de romans d'amour à l'eau de rose ?

Afin que Nathalie ne passe pas pour une extraterrestre hallucinée, Maude prend le temps de parler de l'empreinte psychique causée par les images que l'on porte tous en soi. Ces visions, ces sentiments irrationnels nuancent nos choix, ou nos aversions. *N'as-tu pas constaté*, demande-t-elle à l'intéressée, *des points de ressemblance entre Rose et toi ?* Ce sur quoi son amie répond qu'effectivement, lorsque son ordre du jour est trop chargé, elle exprime verbalement sa crainte de perdre la tête ! Elle se retient cependant de mentionner que la peur que les autres la traitent de folle est constamment réactivée par Carlos lorsqu'il critique ses nombreux champs d'intérêt sociaux et culturels. Celui-ci souhaite ardemment que sa conjointe lui fasse plaisir et qu'elle préfère enfin l'adoption d'une routine « normale » au sempiternel questionnement induit par son perfectionnisme.

Le jeu d'observation de leurs conflits anticipés se poursuit. Pour Samuel, l'influence d'une vie parallèle trouverait son joug dans sa crainte d'étouffer sous une avalanche de contrats ; freinant le plein succès de son entreprise, il conserve jalousement sa liberté de mettre en œuvre des loisirs à profusion. Aurait-il été abandonné sous une avalanche en montagne ou dans un tremblement de terre ? En ce cas, il note qu'une tendance à l'évasion constitue sa sauvegarde.

Carlos se tait, bien que pressé par les coups d'œil de Nathalie qui aimerait le voir jouer à ce jeu projectif. Il garde intentionnellement sa concentration sur la conduite, faisant semblant de ne pas écouter les propos excentriques de ses compagnons de route.

Prenant le bâton de parole, Maude avoue qu'elle est aux prises avec la peur d'être responsable de la mort de gens qu'elle aime du fait de son absence. Une ancienne identité où elle aurait regretté un choix, celui d'avoir voyagé comme matelot sur les mers du monde plutôt que d'avoir assuré une présence à sa famille. Aussi préfère-t-elle aujourd'hui demeurer autonome et sans attaches. Confession notée par Sam au passage.

— On peut également dépister les vies antérieures des gens par les mots qu'ils utilisent fréquemment, dit Nathalie. Comme « mettre sa tête sur le billot », ou « tomber de haut ». Quelle est ton expression favorite Maude ?

— Je crois que c'est : que la vie est bien faite ! Un peu pour contrer le sentiment qu'elle nous joue des tours. Un rappel que la Vie a ses raisons que la raison ne comprend pas !

— En réponse à ce regret, tu aurais pu fonder une famille et y demeurer fidèle au lieu de chercher l'air du large, réplique Samuel.

— Mais ce n'est pas le cas. J'ai choisi d'assumer mon célibat !

— Justement, si nous avons le choix, poursuit Sam, a-t-on besoin de ces explications pour comprendre le présent ? Comme pour les chiffres, il semble qu'on les interprète de façon bien commode ! Ils illustrent nos choix, je ne suis pas certain qu'ils les précèdent. Cela remet en question la validité des karmas, pas vrai ? Ces karmas ne prédisent pas les avènements, ils les expliquent et justifient notre mauvais sort. En fait, cette notion ne brime-t-elle pas la liberté de ceux qui veulent en sortir pour créer de nouvelles avenues personnelles ou sociales ? De plus, elle oblige de bonnes gens à ramasser des bonis pour un futur incertain, sans possiblement tenir compte des besoins présents.

Nathalie prêche en faveur de ses croyances.

— Il y a quand même des évidences difficiles à expliquer autrement, dont celles qui font souffrir. Je pense aux exclus de la grande majorité. Par exemple, le karma pourrait donner un sens aux gestes efféminés d'un homosexuel et sa facilité d'avoir comme amies des femmes par l'occurrence de plusieurs vies heureuses en tant que femme ?

On entend un pfff de la part de Carlos qui daigne enfin réagir.

— Il pourrait à l'inverse craindre de naître homme à cause d'expériences malheureuses, complète Samuel. Ou alors, un esprit romantique désirerait naître dans un corps quel que soit son sexe ou sa position dans la famille, simplement pour rejoindre l'être aimé dans une nouvelle vie !

— Je ne sais pas, répond Maude, il n'y a pas d'études scientifiques menées sur ce sujet.

Constatant le machisme de son conjoint, Nathalie avance l'impression que Carlos aime que les choses soient à leur place. Que son programme soit encadré et sous contrôle.

— Maude, n'y a-t-il pas là une piste pour une vie antérieure où Carlos serait mort avec le sentiment d'un manque de contrôle sur quelque chose ?

— Pas besoin d'une autre vie pour expliquer cela ma chère, réplique-t-il aussitôt, relançant la balle et voulant marquer un coup sûr.

Hélas, les femmes constatent que la sympathie requise envers la recherche de Nathalie vire à l'allure d'un jeu de mots caustique ! L'intention de livrer le message que ces bulles imaginaires font partie intégrante de notre psyché ne passe pas. Vaut mieux comparer ces expériences à une version touristique d'époques et de continents, bien que ceux-ci soient plus psychiques que terrestres. Car les gars sont plus calés en géolocalisation qu'en introspection !

Suivant la piste romantique à laquelle Samuel a fait allusion, elle risque une histoire cocasse pouvant éveiller leur curiosité. Tout en gardant confidentielle l'identité du client, Maude raconte le travail thérapeutique de celui-ci, pris en flagrant délit par sa femme, d'un port des vêtements de la concernée. Bien avant leur rencontre, il était attiré par ce type de déguisement sans en connaître la cause. Médusée, son épouse l'a catapulté au bureau de la psychothérapeute sine qua non. En imagerie, le monsieur avait développé une histoire où, dans cette autre vie, il s'était amouraché de sa cousine. Ayant découvert le pot aux roses, les parents avaient confiné la jeune fille à une vocation couventine. Le galant devait se déguiser en femme pour aller la retrouver incognito. À la suite de cette imagerie, il n'avait plus eu l'idée de porter à nouveau des tenues féminines.

Cramponnant les mains sur le volant, Carlos lance une blague qui a fait son temps : *les couvents, quel gaspillage de chair fraîche !* Ce qui clôt définitivement la présentation, car personne ne choisit de répliquer à sa désolation de premier niveau !

Afin de ne pas s'empêtrer davantage dans ces méandres imaginaires, les compères passent au choix d'activités. Ils s'entendent d'abord sur le choix d'un terrain de camping au New Jersey. L'installation accomplie, ils prennent un taxi jusqu'à Manhattan où ils discutent devant un café américain dont se plaint évidemment Carlos. L'emploi du temps exigera du groupe quelques compromis.

Maude propose un tour de bateau autour de la Statue de la Liberté. Mais ayant quitté Montréal de très bonne heure, les hommes réclament une fin de journée en mode relax. Très peu pour eux la perspective d'écraser sous la chaleur à des guichets bondés de touristes, ayant pour récompense l'incertitude fluviale. Vivement quelques rafraîchissements dans un bistro ! Carlos espérait que Nathalie le suive en ville ; ils prendraient le temps de débusquer quelques billets au Carnegie Hall ou au Metropolitan Opera, ce qui plaira à la mélomane. De là, suivant une nuit sulfureuse à l'hôtel, il renforcerait une proposition moins subtile, soit celle d'un retour au bercail par le premier train du matin.

— La Liberté, je suis pour ! Mais la chaloupe… seulement si nous ramons vers des cieux enchanteurs ! répond un Samuel amoureux.

— Ah ! réplique Nathalie. Tu serais surpris Sam, parce que Carlos a été champion olympique en kayak de mer ! Pas vrai Carlos ?

— Dans une autre vie, ironise-t-il. Pas en veine de pavaner, Carlos regarde la ville de New York sous un nouveau regard, car il comptait vingt ans sans y avoir mis pied. Surpris de voir la cité débarrassée de ses fantômes, il se remémore quelques anecdotes salées concernant ses dernières visites, pas très édifiantes en ce qui concerne l'intégrité d'un être humain. Abandonnant ses fantaisies intimes, il suggère de se vautrer en quelques lieux feutrés où on peut entendre du bon blues en soirée, car le tour de bateau, il l'a fait et refait. Samuel aussi. Les hommes s'entendent sur l'option centre-ville, répondant mieux à l'appel de Bacchus qu'à celui de Neptune.

Voyant le manque d'encouragement de leur compagnon au sujet de l'escapade sur la rivière Hudson, Maude suggère de scinder le groupe. Les filles choisiraient la promenade marine pour aérer leur esprit fantaisiste et de retour à la roulotte, Nathalie ferait une nouvelle imagerie afin de détailler sa quête.

— Ça va comme ça ? vérifie-t-elle auprès de cette dernière qui acquiesce d'un coup de tête en apposant une couche fraîche de rouge à lèvres. Pendant ce temps, profitez-en, on ne vous laissera pas souvent cette liberté de célibataires !

— Promettez-nous de tout raconter lors de notre retour, ajoute Carlos avec un clin d'œil narquois, ne gardez pas le trésor juste pour vous !

Nathalie aime la galanterie et le sens de l'humour de Carlos, un peu ironique, mais complaisant. Maude aime la spontanéité, la capacité de Samuel à lâcher prise. Chacune son point d'émulsion !

Elles se retrouvent seules entre amies et de fait, elles ont beaucoup de choses à se raconter. Les femmes ont besoin de ces bavardages pour se rassurer quant à l'orientation de leur relation de couple. Influencées par les contes de fées de leur enfance, elles sont à la recherche de la recette unique pour vivre honorée en tant que reine de l'élu de leur cœur. Il s'agit cependant d'ingrédients intuitifs… à valider entre amies !

Le pire cauchemar serait pour elles de perdre la confiance confiée à leur prétendant. Ces hommes qu'elles admirent ne doivent pas les décevoir, sous peine de recevoir des coups de griffes ou de froids regards qui les glaceront lors des retrouvailles horizontales. Les relations amoureuses se vivent très souvent sur les tranchants de lames affilées. Que l'un glisse dans ses démarches de séduction, il se blesse et écorche son partenaire en attente de caresses sans écharde. Délicat processus.

À la décharge des novices, les pièges amoureux ne sont pas toujours visibles dès les premières rencontres. Il faut se pardonner de n'avoir pas repéré les failles lors des premiers rendez-vous, ni même des premières années. Quelquefois, des abysses s'ouvrent à la suite d'événements précis : la naissance des enfants, une faillite financière, le soin à donner aux parents âgés, une maladie inattendue. On réveille d'obscurs fossés, balayés sous le tapis de la naïveté. Tant d'écueils pour des voyageurs mal outillés, partageant une aventure affective exigeante !

Car ces fantômes du passé assaillent sans cesse les cortèges de nos espoirs. Nous regardons l'autre à travers la brume laissée par les cendres fumantes de situations périmées, abandonnées dans l'incrédulité de notre impotence. Pire, si ces situations proviennent de tabous familiaux non élucidés, ou de vies passées vibrant dans nos relations, nous risquons fort de nous enliser dans ces mirages non cartographiés. Nous sommes des amoureux inefficaces à entretenir le feu passionnel, égarés dans les dédales de notre inconscience. Nous mourons tous de nos blessures d'incompréhension. Combien de millions de vies subséquentes faudra-t-il inventer pour que la Grande Matrice éclaire de son plein Amour la mosaïque de sa Présence ?

— Allons-y et à plus tard ! lancent-ils de concert en se faisant la bise, bien soulagés de s'être respectés, chacun dans son aire de divertissement. Dans l'impermanence des choses, la sagesse suggère que le bonheur se conjugue au présent.

***

Ray dépose son râteau et commence à enlever les gourmands de ses plants de tomates. L'odeur de la tige s'immisce dans les fissures de la corne de ses doigts et embaume sa peau. Il invite son neveu à prendre place sur le banc de parc. Il est plus facile au vieillard de déclarer l'attachement qu'il éprouve pour Elijah à travers l'affection de sa femme.

— Tu es le fils qu'elle n'a jamais eu, Elly.

— Je suis très reconnaissant de l'amour qu'Emma et toi nous avez manifesté, Ray.

— C'était notre plaisir, Elly. Nous sommes très fiers de ce que ton frère et toi avez accompli. Vous êtes de bonnes personnes.

— Merci Ray, prit le temps de répondre Elijah, ce qui lui redonna confiance.

Au fond de lui, maintenant dans la quarantaine, il sait qu'il a développé une identité distincte de celle de son oncle, car celui-ci serait toujours le jardinier de son domaine faunique, tandis que lui aspirait à être celui de son domaine spirituel. Un jour, sa tante Emma lui avait révélé un proverbe africain, resté ancré dans sa mémoire comme une permission de prendre du recul quant aux impératifs familiaux : « On est plus le fils de son époque, avait-elle dit, que le fils de son père. » Il est des moments sacrés comme ceux-là qui présagent une destinée prometteuse. On ne s'en rend compte que lorsque l'affranchissement est complété.

Elijah respira profondément pour intégrer jusqu'aux entrailles le respect de son oncle et lui donner la force de passer à ce qu'il avait à partager.

— J'ai quelque chose à te dire Ray… c'est difficile pour moi.

— Vas-y comme toujours, fiston.

— Bien… j'en suis stupéfait… j'ai perdu mon emploi. À vrai dire, Smith a mis fin à mon emploi, rectifie-t-il aussitôt, incapable de jouer le jeu de la victime devant son oncle.

Ray cesse de nettoyer les plants, se relève pour baisser le son de l'appareil et regarde son neveu dans le blanc des yeux. S'appuyant d'une main sur le dossier d'une chaise de bois, il lui répond avec une sympathie bien affligée.

— Je constate que ça te désole, Elly.

— Vois-tu, je me doute bien que j'ai perdu mon emploi parce que Smith m'a vu sortir du local démocrate ce midi. De retour à l'entrepôt, il m'a donné deux semaines de préavis et une compensation de départ. Il ne veut rien entendre de mon opposition... Ray, c'est injuste, je ne veux pas cesser de travailler à mon âge.

— Ce n'est certainement pas moi qui vais te convaincre de prendre une retraite ! Je ne suis même pas prêt à cette éventualité, malgré mon âge vénérable !

Dans un geste de rapprochement, Ray s'assoit maintenant aux côtés de son neveu sur ce banc, le long de ce jardin où Ray a travaillé la terre dès la fin de l'hiver pour qu'Emma y récolte ses haricots, poivrons, courgettes et autres légumes. Il a offert à son neveu une tomate cerise bien mûre. Rien de plus savoureux que de croquer dans la nature pour apprécier l'ouvrage, quelle que soit la contrariété à laquelle elle nous astreint.

— As-tu du travail pour moi ?

— Sûr ! Tu le sais. Tu pourras terminer la réparation de la grange plus rapidement. Ça fait mon affaire. À la grandeur du terrain, j'ai toujours besoin d'une aide aussi expérimentée que la tienne.

Ray regarde son neveu plus intensément, comme pour qu'il fasse face à sa vérité.

— Pourquoi es-tu fâché, ce n'est pas ça que tu voulais ?

Un seul coup d'œil de son oncle le ramène à une honnêteté intérieure à laquelle il ne peut se dérober. Il rejette d'un coup de main sec le pédoncule du fruit.

— Bof oui, avoue Elijah arborant un sourire mitigé, mais j'aurais voulu choisir un meilleur temps pour quitter. J'aurais préféré attendre la fin des études des garçons, j'imagine... il me semble que ça aurait mieux fait mon affaire!

Ironisant, Ray ajoute:

— Il semble bien que ce que monsieur commande à l'Univers arrive plus vite que prévu!

Ray connaît l'ambition d'Elijah en tant qu'animateur. Il sait que son neveu travaille sur la terre parce que celle-ci a nourri les générations précédentes. Mais Elly a bien d'autres talents, dont celui de prendre parole en public.

Comme le patriarche a toujours le bon mot pour détendre l'atmosphère, l'apprenti embarque dans son jeu gouailleur:

— Ouais, tu as raison, il faut faire attention aux souhaits qu'on formule... j'ai simplement oublié de spécifier à l'Univers la date de ma retraite!

— Ah! Ce monsieur contrôle le temps et l'espace maintenant?

— Ray, tu te moques de moi... tu n'es jamais venu à mes soirées de méditation. Ce n'est pas que tu sois obligé, mais je serais fier que tu voies combien ces soirées sont bénéfiques!

— Vois-tu mon gars, je suis vieux. Et je médite chaque matin au lever du soleil sur le calme de l'aurore magnifique découpée par le chant des oiseaux, chaque midi sur la force du soleil qui a ouvert le nénuphar et la joie des enfants, et en fin d'après-midi sur la beauté de la journée qui s'estompe... Si je devais aussi méditer le soir, je n'aurais plus besoin de sommeiller!

Elijah envie cette étape qu'est la vieillesse, celle où les pressions quotidiennes semblent faire place à la sérénité. Il n'a aucune idée des angoisses qui serpentent en quelques labyrinthes tortueux de la pensée de son oncle. Il ignore en effet que celui-ci n'a jamais réglé ses papiers fonciers de crainte d'être perçu comme un agresseur par ses voisins. Pourquoi ça? Ray n'a jamais été véhément avec personne. Un peu soupe au lait, mais jamais violent. Cette peur a pourtant paralysé ses actions et l'a confiné à une routine de propriétaire terrien; stable, oui, mais restreinte. Bien sûr, cela lui a permis d'accepter les choses comme elles se présentent. Ce n'était pas son genre de lever des barricades et crier à l'injustice. En faisant sa p'tite affaire, s'en est suivi le décrochage des paramètres gouvernementaux ou religieux de sa société. En fait, cette constance de l'être versus celle du paraître a favorisé la sagesse d'observations au passage des saisons. Ignorant la réalité des contentieux à régler, Elijah a vraiment le sentiment que son oncle contrôle son monde à la perfection. Quant à lui, il a le sentiment de ne maîtriser quoi que ce soit!

— Je suis tout de même embrouillé Ray. Est-ce que nous créons vraiment ce qui nous arrive? Tu as bien raison de soulever ce point, je voulais effectivement passer à autre chose. Est-ce que j'ai créé ce renvoi? Est-ce que j'aurais eu un pouvoir sur la date? Suis-je seul responsable de cet événement qui me bouleverse?

— Ce n'est pas automatique Elly. En fait, comment dire... ce n'est pas parce que nous le cherchons, ni le méritons que les événements surviennent... En ce sens, ce n'est pas magique comme dans « abracadabra » ou « sésame ouvre-toi »! « Je veux que ceci apparaisse dans ma vie ou ne soit pas comme ci ou comme ça »... Ça, c'est de la superstition, c'est de l'enfantillage égocentrique, tu le sais bien. Arrête de t'en vouloir, il n'existe pas de formule prodigieuse répondant à nos désirs d'enfants gâtés.

— Une partie de moi pense en termes de mérite quand même. J'ai travaillé très fort pour me hisser à cette place dans l'entreprise de Smith! Je n'accepte pas sa décision subite de me soustraire de son entreprise.

— D'abord, ce n'est pas parce que tu ne fais plus son affaire qu'il te met à pied, c'est parce qu'il a d'autres objectifs, m'as-tu rapporté. Accorde-lui ses droits à lui aussi.

— C'est pareil, ce n'est pas acceptable, lance furieusement Elijah qui ne contient plus sa rage.

— Reprends ton calme Elly, ta colère ne va qu'envenimer ton sang et ne t'aidera pas à trouver le sens de cette expérience.

— Je n'en voulais pas de cette expérience, pas tout de suite, je t'ai dit. Je refuse que ça m'arrive aujourd'hui. Je refuse de perdre mes privilèges.

— Tu crois ça ? Tu crois qu'il serait plus profitable pour toi d'éviter cette expérience ? Tu te fâches parce que tu n'as pas su contrôler les événements. Ça ne fonctionne pas comme ça !

— Okay, Okay… tu répètes souvent qu'il y a un côté fantastique à ce qui nous arrive ; où il est ton truc positif ? Je ne vois plus clair, aide-moi à donner du sens à cette expérience.

— Tu y tiens à cet aspect positif de l'événement ? Ah ! C'est bien ! Il est vrai que je t'ai appris à voir la magie dans ce qui nous entoure, répond Ray de façon à retarder sciemment l'éclairage à apporter à son neveu.

— Oui, tu as toujours dit qu'il y a toujours deux côtés à une médaille. Tant que nous sommes sur la Terre qui est une planète de dualité, une planète à deux pôles magnétiques, il y a des avantages et des désavantages, c'est ça ? J'ai besoin que tu m'aides à trouver ici le bon côté, ouais vraiment !... Et ne va pas me faire le coup du « C'est comme ça, parce qu'il n'y a rien à comprendre ! »

— Elly, quand on comprend comment se fait la magie, il n'y a plus de enchantement, il n'y a plus qu'une illusion élucidée !

— La Vie n'est magique que pour ceux qui veulent y croire? Bien voilà! C'est injuste!

— Oui. La Vie est injuste.

Elijah tente d'avancer la conversation, mais son esprit logique se coince dans les rouages de son amertume. Il résiste à l'argumentation de son aïeul, car il n'est pas réconcilié avec sa réalité. On a beau avoir réfléchi sur l'acceptation de ce qui est, sur la valeur de ne pas prendre les choses de façon personnelle, quand on a les deux pieds dans la m... c'est difficile de créer en soi un état harmonieux!

— Elly, il faut faire la différence entre magie et méprise. Voilà. Quand on fausse la réalité, le merveilleux s'évapore... et on s'étonne de ne plus être en contact avec le courant d'énergie vitale. Ray chasse cette idée du revers de la main. Si tu crois que tu n'étais pas prêt à passer à autre chose, tu fausses la réalité et crées un égarement. Cette illusion, elle, disparaît lorsque nous prenons conscience que nous avons interprété les choses de la manière dont on voulait les comprendre et non comme elles sont.

— Quel rapport avec ce que je vis Ray, je ne te suis plus. Je me sens trahi, j'en suis vraiment vexé. Je ne voulais pas de cette contrariété. Je ne suis pas prêt. Il n'y a rien de merveilleux dans ce déroulement!

— Elly, nous sommes seulement responsables de la façon dont nous interprétons les événements. Et nous les interprétons à la lumière tamisée ou teintée de nos croyances. Ce que nous en tirons est un récit qui fait notre affaire. Tu entretiens une transe hypnotique en répétant que tu es contre. En plus, tu l'envenimes par des sentiments négatifs. Réveille-toi! Tiens, est-ce que cela fait ton affaire de penser que Smith est un mauvais type?

— En vérité, non, je me sens mal d'entretenir des sentiments haineux. Reste que je voudrais le détester et le rendre coupable de mon malheur. Aïe ! Moi qui me targue d'être un animateur vers l'amour universel !

Ray n'insiste pas, laissant cette lueur d'intuition étinceler. Une remise en question est préalable à tout avancement. Son neveu fait preuve d'une humilité à la base de toute introspection.

— Dès notre venue au monde, on a tous été hypnotisés. On nous a demandé de nous ranger dans des ornières tracées afin de sécuriser ceux qui prennent soin de nous : « Voilà, ceci est la ligne que tu dois suivre. Mon gars, tu vas jouer ce rôle, parfois seul, parfois en groupe et tu vas y réagir de telle ou telle façon… voilà ce qui te rendra heureux, ne sort pas des sentiers battus… crois ceci ou cela… » Vois-tu Elly, Smith joue son rôle et toi le tien.

— Tu crois que ma colère actuelle a été enseignée par d'autres, comme une façon de réagir ? Pourtant cette déception m'appartient !

— Réfléchis mon gars : quand tu gis dans ta colère, est-ce que tu agis ou est-ce que tu réagis ? Si ton émotion monte en flèche, alors effectivement, la colère a été apprise comme mode de réaction, de survie. C'est une façon de faire pression sur la réalité, une façon pratique de refuser ce que tu juges incorrect pour toi.

— Je sais bien que quand j'accepterai la situation, je ne serai plus en colère, je retrouverai l'harmonie en moi, je ferai Un avec l'événement. Mais Ray, cet événement, est-ce moi qui l'ai demandé ? Si je ressentais que oui, je serais plus rapidement en harmonie ! Ce n'est pas le cas. Je me révolte à la pensée de quitter cet emploi.

— Oui, tu résistes parce que tu n'as pas décidé du moment, parce que tu as été surpris par la vitesse de réponse à ton souhait ? N'est-ce pas de l'orgueil ?

Absorbé par les questions de Ray, Elijah ne porte pas attention au groupe d'enfants venus piquer quelques biscuits dont un morceau tombe par terre, aussitôt repris par le chien fidèle de son oncle. Il sait que cet orgueil porte le nom d'ego dans son jargon à lui. L'ego, le protecteur de la personnalité, soumis aux valeurs sociétales. Profitant de l'écoute de son neveu, Ray suggère une piste.

— Cette perte d'emploi, qui sait... peut-être dans ta grande sagesse, est-ce toi qui l'as demandée? Peut-être est-ce simplement le Seigneur qui l'a imposée!

S'il y a une essence divine, songe Elijah, un dieu meneur de jeu... au début, il a dû trouver cela amusant de développer tous ses personnages, de tous les niveaux vibratoires: minéraux, végétaux, animaux, humains, angéliques... Aujourd'hui est advenue l'ère du spectacle! Grâce à la mondialisation, ses pièces interagissent, s'autodétruisent, se mangent entre elles, sans qu'il ait à déplacer un pion! Il laisse les instruments jouer leur partition. Et comme les galaxies se distancient de façon exponentielle, les transformations s'accélèrent, se radicalisent.

— Le grain se sépare de l'ivraie. Les riches engraissent les plus riches, les pauvres ne grossissent que le nombre des plus pauvres; les bonnes personnes deviennent meilleures et les méchants, plus féroces, ajoute Elijah dans son esprit dualiste rageur.

— Si c'est ainsi que tu le perçois, tu dois choisir ton camp Elly. Mais lorsque tu juges sévèrement Smith, tu t'alignes sur une pente dangereuse.

— Ray, si tu crois que nous interprétons les événements sous une suggestion hypnotique, comment pourrait-on avoir le choix de nos jugements et de nos actions?

— Eh bien! C'est précisément ça la beauté du monde. La règle du jeu indique aussi que nous pouvons nous réveiller de cette transe à volonté et décider d'agir selon notre voie d'amour. D'amour pour soi et pour les autres! Cela exige du courage cependant. Il faut se détacher du troupeau, de ceux qui agissent par habitude. Moi, je fais mon affaire, ici.

— C'est plein de bon sens Ray; même sous hypnose, un sujet n'obéira qu'à des règles qui lui conviennent. Si j'ai bien compris, je dois donc faire un acte de foi et croire que ce qui arrive fait mon affaire, d'une façon ou de l'autre. C'est quand même soulageant d'admettre cela. Je sais très bien que cela fait mon affaire. Mais j'ai peur... j'ai peur de ne pas être prêt à me consacrer à temps plein à la méditation.

— Enfin, le chat est sorti du sac, dit Ray devenant plus sérieux. Il constate qu'en admettant la vérité, son neveu passe enfin à l'expression des peurs sous-jacentes. C'est plus facile de se raconter des histoires dont nous sommes les victimes que d'admettre nos étourderies en tant que héros.

Ray joue le rôle de sage, mais il avoue intérieurement avoir entretenu lui-même une illusion quant à son état de santé. Il est plus près de la mort qu'il ne veut l'admettre, songe-t-il. Cela l'a amené à réfléchir intensément sur l'impermanence des choses et des désirs qui l'encombrent. Mais refusant l'empressement de la Grande Faucheuse, il ne confie pas son inquiétude à Elly.

— Un jour, on se détache du grand troupeau, poursuit-il, car on ne peut plus suivre le rythme. La fatigue nous presse d'agir. Alors que si on attend l'éclairage de l'autre côté de la grande rivière, il sera trop tard pour changer notre caractère.

— Ouais, mais dans l'intervalle, nous avons le temps de faire des folies dévastatrices en réagissant à l'aveuglette, comme tu dis. Ces folies ont un impact douloureux sur nous-mêmes et nos proches. Je vais prendre le temps de méditer sur cela Ray. Je ne veux pas réagir de façon émotive sous le prétexte que j'ignore la portée de mes souhaits. Je commence à voir le rapport entre l'événement et moi.

Ray ne le laissera pas détaler à mi-chemin. Il lui importe qu'Elly imagine les conséquences envers ses jeunes de refuser les événements tels qu'ils se présentent.

— Si tu n'utilises pas cet événement Elly pour faire ce que tu as toujours voulu faire dans ta vie, tu donnes un modèle de perdant à tes garçons. Peut-être s'en relèveront-ils vite, peut-être pas. Tu n'es pas responsable de leur réaction. Tu n'es responsable que de tes décisions, mais tu peux les aider à être de meilleures personnes si tu décides d'en être toi-même !

— Si j'ai bien compris, nous pouvons sortir de ce conditionnement hypnotique... en acceptant les choses telles qu'elles sont et en faisant de notre mieux selon la circonstance. C'était pourtant simple !

— Alléluia ! crie spontanément Ray, hochant sa tête avec contentement, le cœur rassuré par l'intelligence de son neveu. Les années de conversations auprès de son filleul ont porté ses fruits. Il reconnaît dans ce fiston la somme de ce qui a germé en lui pendant des décennies de réflexions. Son passage sur terre aura un sens grâce à la livraison de son message. À leur tour, les fils d'Elly se libéreront des carcans que portait leur père. Briser les chaînes des modèles répétitifs de comportements nocifs, voilà ce que doit entreprendre la génération suivante.

Il est temps pour Ray de faire le deuil de sa personnalité, de ses possessions, de ses réussites et de ses échecs. En mourant, il n'aura aucun pouvoir sur ce qui adviendra de la propriété et tout ce sur quoi il a consacré sa vie. Il n'a aucun pouvoir autre que celui concernant ses actions. Et encore... le courant de vie ne le surprend-il pas tous les jours ? On croit savoir où on va, on croit être maître de notre destin, mais la Vie s'organise pour fomenter de nouveaux passages. Question de faire la preuve que c'est Elle qui mène. Et on conclut, comme chaque fois qu'on fait face à la mort, la sienne ou celle d'un autre, qu'il faut savourer chaque seconde comme si elle était la dernière.

— Je croyais que ce travail était bon pour moi, poursuit Elijah. En fait, il l'était pendant un temps. Je ne voulais pas perdre mes avantages, c'est tout, le camion, les assurances, le salaire fixe. Mais sincèrement, ces derniers temps, j'étais malheureux. Je sais que si je persiste, je perds le climax pour créer un emploi plus important pour moi, selon mes valeurs. Ray, comment distinguer dans le feu de l'action si nous sommes endormis sur un pilote automatique ou si nous choisissons en toute lucidité ? Je crois bien que j'aurais pris beaucoup de temps à accepter cette rupture de contrat si je n'étais pas venu t'en parler…

— Nous faisons ce que nous croyons être le mieux pour nous-mêmes, Elly. Toujours. Comme nous choisissons d'acheter ou non un bien proposé, de travailler ou non pour un employeur, de voler ou non les impôts, de chanter dans la rue ou de regarder des séries télévisées. Ce que nous faisons, nous le faisons parce que nous croyons sincèrement, quelquefois aveuglément, que cela nous rapportera des bénéfices… à court terme !

— Oui, je voudrais bien voir à long terme Ray, mais l'avenir est incertain dans la présente perspective d'être privé d'emploi.

— Tu sais qu'il y a du travail ici en attendant la popularité de ton bouleau de coach.

— Et j'aurai du temps pour optimiser mon site Internet. Merci Ray. Est-ce que je peux te serrer dans mes bras ? Je t'aime Ray !

Mal à l'aise, Ray se laisse toutefois enlacer. L'expression physique de ses sentiments à d'autres que sa tendre Emma, et encore, ce n'est pas de sa génération. Il se renfrogne subitement, hausse les épaules et réprime sa satisfaction. En se retournant, il glisse :

— Ouais, tu as compris !

Quel soulagement pour Elijah d'admettre que quitter cet emploi fait bien son affaire. Il retirera l'indemnité à laquelle il a droit et aidera à la gestion du camping, car Ray se fatigue de plus en plus. Le gérant secoue la poussière virtuelle de sa tête et prend la responsabilité du désir de se libérer de tâches routinières qui correspondent de moins en moins à son ambition de vivre dans l'énergie du changement qu'il pressent.

6

LE TEMPS DES CONFRONTATIONS

Taopé a pris femme. Ce fut l'occasion d'une grande fête dans toute la communauté. Magnolia était ravissante et le jeune guerrier très heureux. Sous l'arche de leur alliance, les deux mondes se sont unifiés. L'Afrique et l'Amérique, le passé et l'avenir, à travers l'homme et la femme ne font plus qu'un vibrant appel à l'Amour.

Survint immanquablement le temps d'une force échappant à l'harmonie. Celle de leur première confrontation dont la résolution sera révélatrice de la solidité de leur union. Tant que l'entente roucoule sous le soleil, ils ont le sentiment que la chance leur sourit. Les amoureux se sentent unis dans une danse fusionnelle. Ils sont un. Ils sont uniques. Ils découvrent ce qui agrémente leur vie, ce qui fait plaisir à l'un, fait également plaisir à l'autre... parce que cela fait plaisir à son partenaire... parce que le partenaire sera heureux et dans de bonnes dispositions. Parce que le sourire du partenaire est rassurant, chaleureux, si agréable.

Lorsque Taopé lui demande soumission par honneur à son homme, elle le regarde du plus profond de sa tendresse. Magnolia est femme de sagesse. Elle lui fait comprendre que la liberté n'est pas une affaire de propriété. La liberté est une question d'action. Seule l'action juste libère l'homme de son joug, croit-elle, quelle que soit sa position de maître ou de serviteur. Dans les yeux intérieurs de la belle, défile la valorisation d'un siècle de travail sur ces nouvelles terres grâce aux valeurs ancestrales, aux côtés des premiers occupants européens. Une transformation majeure, nécessaire à la survie de tous, beaucoup plus que l'asservissement : la complémentarité.

À travers elle, il ressent la hardiesse des efforts que se sont imposées les premières générations d'Africains autrefois régis par des règles millénaires, pour aujourd'hui s'adapter au rythme du nouveau continent en effervescence. Elle lui transmet un sentiment de gratitude, attitude qui facilitera à Taopé la mutation de sa peau de grand boa pour se glisser dans les codes de la colonie. Merci à la lignée des ancêtres ayant ouvert le passage !

Le jeune impétueux saisit ses paroles, étonné et dérouté. Il prendra le temps nécessaire pour intégrer son besoin de domination à l'ouverture que Magnolia ressent pour les nouvelles accoutumances de coopération. Taopé veut donner du lest. Il croit encore ramener sa femme à son village outre-mer après la fin de la guerre, là où il connaît et maîtrise les règles de confrontation.

Dans ce pays, le jeune immigrant a une couleur de peau différente. Les dominants ont l'épiderme blanc ou basané, ils affichent de la suffisance, ils portent les armes. Le jeune guerrier subit des limites territoriales qui le font sentir petit, alors que chez lui, l'immensité du territoire se confondait à la largeur de l'horizon bleu de jour et étoilé de nuit. Il se sent serré dans ses habits de colons. Il doit humer des odeurs de peaux et de détritus qui lui lèvent régulièrement le cœur. Ici, il a vécu tant de chocs culturels, tant de frustrations. Il a senti sa vie en danger beaucoup plus souvent que dans son village natal, sis pourtant au milieu des serpents et des fauves. Il est en survie et n'aspire qu'à établir un lieu où il pourra déposer sa paillasse en paix, quelque temps. Il ne veut pas prendre part aux guerres des autres, ces rivalités n'ont aucun sens pour son honneur.

Car rixes il y a, juste sous leurs pieds. Nous sommes en 1740, en cette année où les Britanniques attaquent le fort Mose. La communauté qui la défend doit se réfugier au fort San Marcos. Lorsque tout semble perdu, les renforts espagnols arrivent de Cuba et font reculer une seconde fois en quelques décennies les navires anglais. C'est une victoire pour les milices occupantes, mais le fort Mose est détruit. La colonie noire se mêle aux agriculteurs et prennent des rôles de service auprès des propriétaires occupants. Le fort sera reconstruit en 1752 et le reste de l'histoire floridienne est une litanie d'ententes diplomatiques hors continent.

En effet, onze ans plus tard, le traité de Paris de 1763 met fin à la guerre de Sept Ans entre la France, l'Espagne et l'Angleterre. Si des empires européens ont du flair en voulant garder une mainmise sur ces grandes contrées prometteuses, d'autres sont moins clairvoyants en les échangeant par ignorance de leur potentiel économique. Les « quelques arpents de neige » du Canada sont, par un coup de plume, cédés à l'Angleterre par la France ; l'Espagne, quant à elle, livre la Floride aux Britanniques afin de regagner l'île de Cuba.

En 1763, la majorité des Noirs quittent le sol ferme vers Cuba, refusant d'être captifs des Anglais qui prennent pied au sud des États-Unis d'Amérique. D'un commun accord, Taopé et Magnolia ne suivent pas leur communauté. Cela fait vingt-trois ans qu'ils ont établi leur famille sur cette terre, ils n'ont pas envie de déménager. Mais surtout, l'amour a transformé le grand guerrier en homme de famille responsable. Maintenant, il se battra pour que les siens n'aient pas à subir le sort que lui-même a supporté par l'obligation de quitter son milieu de vie et de recommencer à neuf.

Il ne regrette rien. Ces épreuves lui ont permis de confronter ses valeurs et d'évoluer dans sa relation à l'autre. La stabilité qu'il offre à ses enfants, même s'il ne l'exprime pas avec ses mots, mais avec son intuition, leur permettra de naître à eux-mêmes. Favorisés par cet ancrage, ses descendants se rendront plus loin que cette étape de survie physique et émotive. Ils entreront en connivence avec leur milieu et agiront en fonction d'apporter à leur nation en croissance une part d'innovation. Le sentiment d'amour qu'il leur transmet est un gage vers leur réussite.

Ceux qui partent ont aussi l'impression de donner un avantage à leurs enfants en fuyant l'esclavagisme, une pratique ressuscitée par les Anglais. Malgré cela, Taopé et Magnolia ont donc trouvé leur confort et leur compétence dans ce coin de pays et ils ne veulent plus se démobiliser, heureux ensemble où qu'ils soient. Une fois de plus, grâce à ses connaissances, Taopé obtient la faveur des familles conquérantes et leur protection. Ils s'installent avec leurs cinq enfants sur les terres des colons, regardant les changements de drapeaux espagnol, puis anglais, et puis oui, encore espagnol se déployer tour à tour sous leurs yeux. Que de bouleversements !

La Guerre d'Indépendance américaine se terminera vingt ans plus tard, à Paris, grâce à des débats auxquels participera l'Américain Benjamin Franklin. Par le traité de Versailles, en 1783, la Grande-Bretagne reconnaît l'indépendance de ses treize colonies en terre d'Amérique et leur accorde un territoire qui s'étend jusqu'au Mississippi. Non, la Floride ne sera pas de ces territoires libérés et elle est redonnée à l'Espagne ! Pour peu de temps. Car en 1821, l'Espagne est envahie par les armées de Napoléon et elle doit finalement relâcher sa prise sur sa terre nord-américaine.

Taopé ne verra pas le tournant du siècle. Son corps est affaibli par les incessantes exigences de la vie. À sa mort, étendu sur son lit et entouré de sa femme, de ses enfants et petits-enfants, quelques-uns pleurent, tous se recueillent. Magnolia souffle à l'oreille de son bien-aimé qu'elle le suivra bientôt. D'ici là, elle pensera à lui dans son cœur. Elle soulève d'une main le pendentif d'otolithe qu'il lui avait offert lors de leurs premiers rapprochements. Ce talisman accroché à son cou rappellera sa présence parmi eux tant qu'elle chérira ce souvenir.

Une part de cet homme quittant le monde matériel a déjà un pied dans le monde subtil et constate l'indivision de l'amour. Il aimerait lui répondre que ce qui a été uni ne peut être séparé. Alors qu'il a la certitude de sa dévotion, il la voit libre de toute attache, et il rit intérieurement… libre comme elle l'a toujours été d'ailleurs, il le comprend maintenant. Aussi lui répond-il : « Peut-être ton âme a-t-elle d'autres desseins que tu ne perçois pas quand tu es submergée par ta peine ? Je suis heureux que tu demeures pour prendre soin de nos petits, comme tu sais si bien le faire. Pour moi, la chasse est terminée. Je l'accepte. » Par souci d'héritage, il fait cadeau de son collier à son fils aîné en lui conseillant de garder une grande admiration pour ce peuple indigène qui l'a accueilli et guidé lors de son arrivée.

Dans un dernier soupir, le bon père de famille qu'il est devenu revoit le vieil intendant qui lui a permis une échappée, il y a plusieurs décades. *Tu as dû mourir bien seul, lui dit-il, loin de ton fils, ta peine consumant ce qu'il te restait de feu intérieur. Malgré cela, tu me secours à nouveau.* Le cocher est présent dans l'au-delà, facilitant son passage dans l'autre monde. Un merveilleux sentiment de reconnaissance à l'immensité de l'amour soulève une dernière fois sa poitrine et son âme trouve facilement le chemin de l'éternité par l'ouverture de son grand cœur.

Évacué de son corps physique, l'esprit de Taopé regarde la scène avec compassion. Il comprend aussitôt que l'abondance se trouve où que l'on soit. C'est la leçon principale qu'il tire de cette vie. De plus, il lui semble que sa fidèle compagne et lui ont transmis à leur descendance le sentiment de gratitude qu'avait constitué sa dernière pensée. Il en est satisfait. Il peut suivre le chemin de cette belle lumière qui l'accueille et le transporte dans un sentiment d'accomplissement.

Taopé ne saluera pas la bannière américaine flottant enfin sur son État, ayant rejoint la confrérie des États-Unis d'Amérique en 1845. Tant d'années ont passé depuis la première arrivée des Noirs en Amérique. Tant de déplacements, tant de batailles, tant de peines et de joies. Lorsque la Floride devient le 27e État du pays, les ancêtres de George Smith sont parmi les premiers paysans à fuir la famine irlandaise pour s'y établir. Ils acquièrent la propriété actuelle. Rose naît cette année-là, de la sixième génération de Taopé et Magnolia, au service d'immigrants européens.

Les parents de Rose travaillent dorénavant pour des Floridiens, sur la plantation des frères Stephen et Terence Smith. Les arrivants européens avaient pour objectif de coloniser cet immense territoire que peuplaient à peine 144 000 personnes dont 44 % étaient des esclaves. Cependant, des lois prescrites par les républicains en place à Washington secouent l'équilibre précaire mis en place par les planteurs sudistes. Américains, oui, mais pas à tout prix.

Un revirement n'attend pas l'autre : les gouverneurs de quelques états sécessionnistes signent la séparation de l'Union en 1861. Seulement seize ans après leur adhésion aux États-Unis, la Floride gonfle maintenant les rangs des États confédérés d'Amérique. Cette fois s'amorce une bataille décisive pour ou contre la rupture de ce projet plus grand que nature d'un pays uni sous une seule bannière.

***

New York 2008

Nathalie revient silencieuse et le teint verdâtre de son périple océanique. De grands vents du nord soufflaient sur la surface de l'estuaire et le petit bateau avait rencontré plus qu'à l'habitude une eau tumultueuse. La fière aventureuse a été malade en chemin, aussitôt le contournement de la fameuse statue, cadeau de la France à leurs alliés d'outre-mer. Les femmes reviennent épuisées au terrain de camping du New Jersey, secouées, récupérant leurs forces pour la fin de la journée. Le plan d'un souper appétissant au centre-ville avait coulé en compagnie de l'estomac fragilisé de l'avocate plaidant maintenant sa cause comme victime des eaux agitées.

— Je n'ai pas le pied marin, avoue-t-elle enfin. Je n'aurais pas dû m'aventurer si loin. Je veux toujours aller plus loin que je ne le devrais pour assurer mon humble sécurité.

— Bien, voilà ! capte habilement Maude. Nous sommes relancées vers une nouvelle imagerie, tout y est : le ressenti physique, les phrases clefs et l'émotion forte !

— Quoi ! On y va avec juste ça ? Et si ce n'était pas la bonne piste ?

— Alors je vous renvoie chez vous mauvaise pilote ! répond Maude créant un effet paradoxal afin d'encourager son amie à garder confiance en ses images intérieures. L'expertise de la clinicienne sait que la conscience humaine est riche d'enseignements. Trop souvent, notre culture occidentale en fait fi. Les habitants de la terre du soleil couchant sont en général tellement loin de la vision du subtil et du souffle adoucissant de leur âme. Dans leur culture millénaire, les Orientaux utilisent-ils davantage la voix de leur inspiration ? s'interroge-t-elle.

L'idée de s'étendre plaisait bien à Nathalie. Déjà, elle furetait des yeux les coussins qui attendriraient son corps relâché sur la robustesse du meuble, fort en contraste avec l'imprégnation de la houle qui ne lui avait donné aucun répit.

— Allez ! Installe-toi confortablement, prends une profonde respiration, ferme les yeux et répète tes dernières phrases : « Je n'aurais pas dû m'aventurer si loin… »

Nathalie prend trois longues respirations, comme elle a appris à le faire dès sa première imagerie. Elle se sent plus hardie d'entreprendre celle-ci, se sentant moins en terra incognita. Se concentrant sur ses réactions corporelles, elle répète les mots qui la conduisent au cœur de son expérience.

— Je n'aurais pas dû m'aventurer si loin ! Je n'aurais pas dû m'aventurer si loin ! Je sens mon plexus enflammé. J'ai des regrets, et je sens la passion et ma chair brûlante d'amour pour un homme qui me serre et m'embrasse. Je suis loin de ma famille. Je me sens coupable… et en même temps, j'ai tant besoin de ses baisers ardents. Mon corps s'embrase. Je sens ma peau sensible et douce. Mes cuisses, mon ventre… mes seins pointent vers lui. Nous nous embrassons fougueusement. Je l'aime passionnément !

Ah ! Je vois nos corps nus sous le soleil. Je suis noire et lui est blanc ! Il me dit qu'il voudrait bien prendre ma couleur et me donner la sienne ! Il me fait rire ! Nos effluves se mêlent et forment un merveilleux parfum !

Maude est sensible aux frissons de son amie, mais elle joue bien son rôle, concentrée sur la recherche de pistes utiles à la conduite du rêve éveillé.

— Reviens quelque temps en arrière, comment s'est-elle rendue là ?

Grâce à l'imaginaire qui ne connaît pas les restrictions temporelles, Nathalie recule le film du temps. Une odeur de planches de bois vernies campe la scène d'un nouvel épisode qui se précise peu à peu. Immenses fenêtres carrelées, poutres vernies, et odeurs de cire et d'humidité, son personnage est intimidé.

— ...Je suis à l'intérieur d'une grande maison. Elle est très spacieuse. Les meubles sont en bois de teck, il me semble. Je vois de grandes armoires vitrées dans lesquelles sont disposés de la vaisselle en porcelaine aux bordures dorées et des verres en cristal. C'est très joli ! Des rideaux très épais aux motifs fleuris pendent de larges tringles. Ça sent le bois humide. Les plafonds sont très hauts, soutenus par des poutres énormes. Je n'avais jamais vu cela que dans une église ! C'est là que je me dis que je suis allée trop loin ! Je ne suis pas habituée à ces lieux. Ce n'est pas ma place. Soûlée par les odeurs d'eucalyptus et d'humus si confortables et rafraîchissants, j'étais plus à l'aise dans les champs. Ici, tout est calculé, sombre et empesé.

— Continue, es-tu seule dans cet endroit ?

— Je ne sais pas... Je regarde autour de moi... Si je me retourne, un homme est là. C'est lui. Mais nous n'avons pas encore créé d'intimité. Il m'a invitée à l'intérieur, prétextant un service à lui rendre. J'ai de la difficulté à passer par-dessus l'aspect grandiose des pièces de cette maison. Je vis dans une toute petite alcôve, dans la ferme en fait, avec mon père, ma mère... et je vois une enfant... ma fille. Je ne vois pas son père. J'ai le sentiment qu'il est parti à la guerre. Il ne veut pas se battre pour la sécession ; il a dû se rendre au fort Mose rejoindre les autres clans. Il n'est jamais revenu.

— La Guerre de Sécession. Voilà, nous avons donc une date, entre 1861 et 1864, note Maude à l'affût de précieux indices. La direction de leur recherche s'affine. En contact avec son bagage imaginaire, Nathalie est trop occupée à garder le cap sur l'émergence d'images pour sélectionner les informations utiles. L'animatrice y pourvoit. Rose a la peau noire, elle est probablement une esclave au service des propriétaires de la ferme agricole. Nathalie avance bien, constate-t-elle.

— Monsieur Stephen est très poli avec moi. Il m'offre du jus d'orange dans ces coupes si délicates. De nombreux fruits garnissent une longue table dans un plat en argent. Ceux que ma mère frotte si souvent. Je n'avais jamais eu le droit de mettre les pieds dans ce lieu que j'aperçois au bout du chemin de terre de mon enfance. Par contre, monsieur Stephen, lui, je l'ai remarqué. Nous avons grandi ensemble, mais dans des enclaves séparées. Lui, il est allé à la petite école, puis au collège, et moi je travaillais dans les champs. Une seule fois, j'avais été invitée à son anniversaire. J'avais sept ans et lui neuf. Nous avons joué ensemble. Il y avait de grandes nappes blanches dont les pans flottaient au vent !

Il me parle de cette journée et nous rions. Il me dit qu'il aurait voulu être mon ami depuis cette fête. Cette confession me gêne. Il me reconduit chez nous, vers les bâtiments dont s'occupe mon père.

— Comment tes parents réagissent-ils à cette fréquentation ?

— Ma mère s'en doute, mais mon père ne sait pas. Ma mère me parle de discussions orageuses entre monsieur Stephen et son frère au sujet de leurs allégeances politiques.

— Que ressens-tu pour cet homme blanc ? intervient Maude.

— Je suis amoureuse. Mon cœur bat pour lui, je ne pense qu'à lui. Il passe me chercher le plus souvent possible, il me fait faire des tours de buggy, il me parle de politique, de ses parents qui ont acquis la propriété au départ des Espagnols, à la suite d'un traité, en… en… je ne sais plus, ça fait près de vingt ans. Et moi, je pense au fait que mes ancêtres à moi étaient là depuis plus longtemps encore ! Mais je le regarde avec compassion. Il y a des choses qu'il ne sait pas. Cela n'importe pas. C'est là qu'il m'amène au lac et…

— Oui ?

— C'est là qu'il me serre, m'embrasse. Nos corps se confondent dans un même souffle en cette belle matinée.

En symbiose avec son personnage, Nathalie ressent chaque frôlement, chaque frisson, chaque soupir comme étant le sien. C'est le bon temps pour vérifier à nouveau des détails plus difficiles à capter en général, telle l'identité de la belle.

— S'il t'appelait par ton nom, quel serait-il ?

— J'imagine une image de fleur, une rose. C'est bien Rose mon prénom. Il le répète souvent en me soufflant amoureusement à l'oreille comme il me trouve belle. Il aime mon sourire et mon regard naïf.

— Ce serait bien la même vie, celle de la première imagerie. Continue.

— Il me ramène chez mes parents.

— Comment te sens-tu ?

Nathalie s'arrête quelques secondes pour prendre le pouls de son senti corporel et émotif. Elle doit redevenir l'observatrice d'une destinée qui n'est pas la sienne, mais qui l'habite telle une pensionnaire à qui elle aurait octroyé un gîte temporaire. Elle imagine le personnage de Rose étendue sur un petit lit, dans une très petite chambre.

L'étroitesse et la rudesse de la paillasse contrastent avec le faste précédent.

— Je la vois... recroquevillée sur elle-même et par là se rapprochant de son désir. Elle se referme pour garder bien vibrant un merveilleux conte de fées, tandis que l'excitation hérisse ses mamelons de jeune femme. Cette aventure extraordinaire est hors de tout ce qu'elle aurait pu imaginer dans ses fantaisies les plus torrides. Le manoir, les tours de calèche, le bord du lac et par-dessus tout, sa tendre tendresse lovée sur son corps.

— Quel est le lien avec l'homme aux alligators ?

— Il est manifestement le frère de mon amoureux. Après quelques années où sévit la guerre, Stephen veut combattre lui aussi. Il doit s'engager beaucoup plus au nord. En tant qu'aîné, son frère reste sur place pour s'occuper de l'entreprise familiale. Stephen m'explique que la Floride a choisi de se ranger au côté de la Virginie pour ne pas adhérer aux nouvelles législations du président Lincoln. Celui-ci veut passer des lois sur l'accès à la propriété privée qui risquent de bouleverser les règles établies autour des domaines des cultivateurs. Lui, il est d'accord avec le grand leader, affirme-t-il carrément. Il veut joindre les unionistes. Je suis ébahie par son élan passionnel, par ses mots, par le courage qu'il démontre dans ses opinions. Ah ! Tout d'un coup, je me sens triste ; comme si un gros nuage noir s'était glissé au-dessus de moi ! Je suis de retour dans notre cabane.

Maude encourage son amie à poursuivre le fil de l'histoire malgré l'horreur qui dessine cruellement sa trame maudite. Il serait si bon de demeurer dans les sillons idylliques de l'amour, mais la réalité incontournable de l'épreuve frappe à nouveau la destinée de Rose.

Par ailleurs, un parallèle se dessine dans les malaises ébranlant les promesses d'amour durable entre Stephen et Rose, comme entre Carlos et Nat, remarque-t-elle. La séparation sera-t-elle inévitable? Voilà comment ces histoires du passé s'imposent à nous, songe la chercheuse: des esprits désincarnés contraints dans leurs émotions non résolues réclament un exutoire à leurs malheurs. Ces drames périmés s'accoleraient à notre inconscience, attirés par des vibrations semblables, dans l'espoir d'une fermeture heureuse. Nos tiraillements sont des serrures ouvertes, trop accueillantes pour ces tourments émotifs passés ciselés comme les clés ferrées de geôles accablantes. Elle poursuit son animation.

— S'il s'était passé quelque chose d'important, qu'est-ce que ce serait?

— Aïïïe! Ma mère m'annonce la mort de monsieur Stephen. Je suis atterrée, dévastée. Je suis prostrée dans mon lit et je ne mange plus. Je ressens que je suis enceinte de quelques mois et je me rends compte que je ne le reverrai plus jamais! Je ne cesse de pleurer. Ma mère prend mes mains dans les siennes... les mains... je ne sais pas... je lui donne quelque chose, mais cela m'arrache le cœur. Je ressens un immense besoin de me blottir contre elle. Elle me prend dans ses bras et me console doucement.

— Quelques jours passent et j'entends aussi mon père pleurer. Monsieur Terence nous chasse de sa plantation. Mon père n'a plus de travail. Ma mère non plus, mais elle ne pleure pas, elle sourit. Elle me dit que se produit la chose la plus merveilleuse: le président Lincoln a déclaré l'émancipation des esclaves par le 13e amendement. Nous sommes libres. « Libres de quoi? » se lamente mon père. Lui, il sent qu'il n'a plus d'avenir. Je n'ose pas lui dire que moi non plus.

— Si tu passais à la scène suivante...

Les questions en « si » ou « comme si » amènent les voyageurs oniriques à avancer dans le déroulement de leur imaginaire, tout en gardant leur attention centrée sur le sujet. Maude accompagne Nathalie comme un guide aveugle, mais familier, des dédales de l'inconscience. Elle sait aussi que ce que Nathalie voit se dérouler en quelques minutes peut être le fait de quelques jours, voire des années. Ici, Rose est couchée sur un lit qui constitue son univers privé, mais le temps a avancé. L'ambiance a changé et revêt un côté plus sombre.

— Un homme requête l'abandon de notre ouvrage et nous intime de le suivre. C'est un monsieur habillé en noir, avec un chapeau haut de forme. Nous entrons dans le salon du manoir où nous attend monsieur Terence, visiblement mal à l'aise et tendu. Il explique qu'il est notaire et que monsieur Stephen nous a légué quelque chose. Écrit de sa main, il a laissé une lettre très touchante dans laquelle le soldat explique qu'il est allé se battre dans l'armée des Yankees, aux côtés de Lincoln, car il croit aux valeurs d'unification des États. Il espère que le président tiendra sa promesse au sujet de l'abolition de l'esclavage. Il ajoute qu'il a contribué à la réconciliation de nos deux peuples, car il nous lègue, à moi et à ma famille, sa part d'héritage familial.

Sur ces mots, son frère est réellement hors de lui. Il se lève brusquement et déclare que cela ne se passera pas comme ça. Il a la rage au cœur. Les dents serrées, ses yeux fulminent. Il fait vraiment peur à voir ! Depuis l'engagement de Stephen, le drapeau sudiste flotte sur le mât devant le manoir. Il croit aux principes autonomistes des partisans des états confédérés. Il est furieux et crie qu'il aurait dû aller prendre les armes pour tuer lui-même son frère qu'il traite de traître et de renégat. Il fixe le notaire, le doigt menaçant vers lui en espérant une solution qui annulerait le testament. Le notaire fait mine d'un air contrit et montre le papier en guise d'obédience. Le document avait bien et bel été enregistré avant le départ de Stephen pour Washington. Sa rage équivalait à notre effet de surprise. Nous nous taisions, faute de mots appropriés pour exprimer notre malaise, incapables de prendre en compte l'ampleur des changements que ce legs imposera dans nos vies.

— C'est là qu'il te prend et t'enchaîne ?

— Non, quelques jours plus tard, alors que ma famille s'apprête à quitter le domaine. Mes parents rassemblent leurs effets. Ma mère est maintenant au courant de mon état. Mon père me dit que monsieur Terence veut me voir pour me remettre quelques effets de son frère. Je ne les reverrai plus, non plus ma fille, Georgia. Mais je sais qu'elle sera en sécurité avec eux. La Vie le veut ainsi.

— Est-ce qu'il y a autre chose d'important qui monte à ton esprit ?

— Non, c'est tout. La fin, nous la connaissons. Je quitte à nouveau mon corps, enchaîné dans la rivière. Cette fois, c'est plus facile.

Sortant de son imagerie, Nathalie a les yeux ronds d'étonnement. Elle s'assoit et pose ses mains sur son ventre. Ainsi, le legs de monsieur Stephen à Rose et sa famille serait ce fameux trésor. Il est trop tôt pour qu'elle sache que faire de cette information. Elle se sent imprégnée de l'amour et de la confiance de son amant imaginaire. Mais surtout, elle croit n'avoir jamais vécu une complicité si exaltante avec un conjoint. La confusion demeure entre elle et son personnage, désirant retenir ces sentiments tant ils la comblent.

— Comment te sens-tu ? s'empresse de s'enquérir Maude.

— Un peu ébranlée par la peine, mais très allégée dans mon ventre et dans ma tête. Là où il y avait un trou noir, il y a maintenant un rayonnement et de la chaleur. Je ressens beaucoup d'amour en moi.

— Respire profondément dans cet amour et fais-le circuler dans ton corps à travers ta respiration, suggère Maude afin que Nathalie profite pleinement de l'expansion de son bien-être.

— Je ne sais pas ce qu'on va trouver en nous rendant là-bas, et sincèrement, je suis moins certaine de vouloir poursuivre le voyage ! Je me sens fragilisée, avoue Nathalie.

— C'est normal, rassure son amie Maude, ce sont de grandes émotions. Mais je constate que tes quêtes d'amour, ton souci de justice, de réconciliation orientent ta recherche... Aie confiance ! Tu sauras utiliser tes connaissances et ton esprit combatif à bon escient lorsque nous y serons.

— Comment retrouver cet endroit ? Ces descendants, comment les aborder ? Ce qui était imaginaire il y a seulement quelques semaines se teinte de réalisme et cela me fait peur. Carlos a raison, ils nous prendront certainement pour des hystériques ou des illuminées !

— Suivons le courant, suivons le courant, répète Maude faute de mieux, croyant que le vent souffle toujours, comme cette fois-ci, dans la bonne direction ! Mais force est d'admettre que les circonstances sont étonnantes. Malgré l'hésitation que montre Nathalie, rien n'indique qu'il faille rebrousser chemin, juge-t-elle. Il faut maintenir le cap. Grâce à cette histoire d'amour, le cœur de l'avocate est largement ouvert et d'autres secrets y sont encore à puiser. Nathalie l'a choisie en tant que coach, son travail consiste donc à encourager la poursuite de sa quête. Il ne faut pas lâcher, on y est presque, ajoute-t-elle avec conviction... autant pour donner du courage à son amie qu'à elle-même !

***

New York a donné le jus qu'on attendait de cette ville. Carlos a hâte d'arriver à ses parcours de golf et les filles poussent la machine pour filer beaucoup plus loin vers le sud.

Nouvel arrêt sur l'heure du midi. Samuel quitte le groupe pour se rendre vers le kiosque restaurateur érigé au bord de la route secondaire sur laquelle ils ont divergé, question de priser l'air de la mer plutôt que celui des autoroutes et des McDo. Il rêve d'un *lobster roll*, ces spécialités de la côte est des États-Unis où la chair succulente des homards est badigeonnée de mayonnaise dans un pain blanc de hot dog, avec du chou et des oignons s'il vous plaît ! On devient Américain quand on foule le sol de cette puissance mondiale.

Pas Carlos. Ses origines européennes le protègent de toute contamination immédiate. Il ouvre une bouteille de vin blanc bien frais. Courbaturé, il grille quelques cigarettes hors de la cabine pendant que Nathalie prépare le dîner dans la cuisinette. Deux préoccupations le tourmentent : comment s'arrêter aux terrains de golf avoisinants et comment se dépêtrer de cet aménagement collectif. Il ne cesse de ruminer la pensée que ce n'est pas de cela qu'il voulait. Qu'est-ce qu'il fait ici, à jouer à ce jeu d'enfants délirants ?

Avant de sortir les chaudrons de l'armoire, Nathalie s'assoit à la table et prend son jeu de cartes divinatoires, celui des Maîtres Ascensionnés. Comme à la maison, toujours accessibles sur sa table d'autel, elles ont été incluses dans son bagage. *Mes cartes sont réconfortantes*, ressent-elle. *Dans la déroute, elles constituent une balise sur laquelle aligner les actions, reflétant mes convictions profondes. Il m'importe de suivre la voie de mon destin*. Des 44 divinités illustrées, Nathalie tire la carte de Maitreya, le Bouddha rieur. « Vous trouverez ce que vous cherchez si vous prenez le chemin de la joie », indique cette carte. Son doute persiste toutefois. Comment retrouver l'enthousiasme initial lorsqu'on est en contact avec une situation aussi dramatique ?

Lors de la prédiction de madame Micheline, un élan vital me poussait toutes voiles dehors à voguer vers l'inconnu, se souvient-elle. *À cause de la dernière imagerie, je crains l'adversité émergeant de façon malicieuse entre ma fantaisie et son incarnation.* « De toutes les émotions, c'est la joie qui émet les vibrations les plus élevées. Elle possède le pouvoir d'abolir tous les obstacles et de combler tous vos besoins. » *La joie... J'ai besoin de Maude, de Carlos, de croire au message de ma voyante, même si cela génère la raillerie des gens autour de moi. Je me sens dépendante d'un contexte chimérique. De quelle façon la joie pourrait-elle me conduire là où je dois me rendre ?*

Sur ces réflexions, Nathalie ouvre la porte du frigo et trie les ingrédients nécessaires pour concocter une paëlla, le plat favori de son mari au sang épicé. Et cela est bon, car la vraie spiritualité ne débute-t-elle pas par le plaisir et la gratitude qui en découle ? Cette simple pensée ancrée dans le présent ramène... la joie dans le cœur de Nathalie. *Point n'est besoin d'anticiper le pire,* songe-t-elle. *Je ne dois pas penser au futur qui n'existe pas encore. Il est vrai que mon élan enflammé a quand même mis en route cette caravane de chercheurs de trésors. Et même si nous n'arrivons pas à destination, nous aurons eu beaucoup de plaisir ensemble. Je sais qu'avec ou sans eux, je n'abandonnerai jamais l'objectif fixé, celui de cueillir la manne promise... ou peut-être simplement une jarre,* se ravise-t-elle, réduisant l'ampleur de ses attentes.

De son côté, Maude reprend son souffle hors du véhicule. Dès la sortie de New York, elle a compris que son rôle est moins celui d'une animatrice de jeu et plus celui d'une thérapeute, car l'incertitude de Nat grandit et son besoin de soutien augmente. De son point de vue, il n'est pas question de jouer ce rôle auprès de son amie. Mieux vaut protéger l'amitié ! Jusqu'ici, elle a plongé dans l'aventure proposée par sa copine, par pure légèreté… pour lui rendre service. Mais jusqu'où ce périple les mènera-t-il tous ? La romancière déambule seule sur le bord de la plage pour se délier les jambes et réfléchir aux enjeux qui se manifestent.

Lors d'une de mes séances d'imagerie, se rappelle Maude, *j'ai fait l'expérience d'être une guérisseuse travaillant sur l'énergie d'une personne allongée sur une table. Je vois encore virevolter des centaines d'étincelles, comme des étoiles scintillantes de couleurs vives, animées et dansantes autour d'elle. Cette énergie de vie circulait vite, très vite, beaucoup plus vite que je pouvais en contrôler le cours. Je ne maîtrisais rien du tout ! Moi qui devais guérir quelque chose, je me sentais désemparée… comme le Mickey Mouse du film Fantasia, affolé devant les centaines de balais qui, bien malgré lui, faisaient un ravage dans ce lieu dont il avait charge, avec en trame de fond la musique de Paul Dukas, l'Apprenti sorcier.*

J'avais le sentiment que je devais apprendre quelque chose de cette séquence. Mais je ne comprenais pas le rôle qui m'était attribué. Un peu comme aujourd'hui, auprès de Nathalie. Jusqu'à quel point suis-je responsable d'un éventuel écueil du fait d'avoir accepté de devenir l'intermédiaire dans l'exploration de son bagage imaginaire ? Moi, son amie, dois-je l'en dissuader pour lui éviter une amère déception ou dois-je continuer à l'encourager dans la poursuite de ce qui appert être un caprice pour Carlos ? Nathalie est-elle seule à croire à l'atteinte de son objectif ? Dois-je laisser tomber mes craintes pour simplement suivre le courant tel que je lui ai suggéré de le faire ? Ouais, en ce qui concerne Rose, le courant n'a pas été une sinécure !

Sur ces pensées, Carlos la surprend alors qu'il se dirige vers elle.

— Le dîner est servi, madame Maude. Tu viens ?

— Hein, oui, répond-elle, tirée de ses cogitations.

— Tu es préoccupée… par la dernière imagerie de Nat ?

— Euh oui. J'ai besoin de faire le point. Ce qui se passe est de plus en plus intense pour Nathalie… et je m'en sens responsable, avoue-t-elle à Carlos.

— Responsable dis-tu ? Bien, j'ai aussi une histoire de réincarnation à raconter. Connais-tu l'histoire du gars, euh disons de la femme qui arrive au ciel. Saint Pierre lui dit : « Tu ne peux entrer comme ça, tu as fait beaucoup trop de gaffes. » Elle lui répond qu'elle aimerait bien avoir une autre chance de réparer ses torts et sollicite une réincarnation. Il accepte à la condition qu'elle mette au monde un enfant qui l'alertera : avant de faire une gaffe, l'enfant le lui signalera. Heureuse de cette possibilité, elle accepte et doit choisir entre différents personnages qui ont aussi besoin de s'incarner. Il lui présente Pinochet : « Les dictateurs ont fait beaucoup d'erreurs, il fera un bon guetteur. » « Comment me fera-t-il savoir ? » « Il pointera de son berceau un doigt sévère vers toi. » « Oh non ! Trop impitoyable ! » répond-elle. « Un grand sage fera un bon conseiller : Lao-Tseu ? » « Comment fera-t-il pour me prévenir ? », demande-t-elle. « Il t'entretiendra sur les choix les plus éclairés. » « Ah non ! Trop doctrinal ! » « John Lennon alors ? L'enfant ne se lèvera pas de son lit et chantera : Peace, peace, peace ! » « Ah non ! Trop idéaliste ! » « Dis-moi, qui veux-tu ? » La femme lui dit : « Un magicien, Houdini par exemple. » « Ah ! Comment ça ? », s'exclame saint Pierre. « Il fera disparaître mes gaffes lorsque j'aurai à me présenter à nouveau devant vous ! »

Maude rit de bon cœur.

— Chacun fait les choix qui lui conviennent! ...et je ne dois pas chercher à sauver Nat. C'est bien ça la morale de ton histoire?

— Ne t'inquiète pas pour Nat. C'est une rêveuse, tu la connais. Dans son spoutnik, elle culminera de son triple salto au sommet de sa fantaisie et elle réintégrera le cycle la planète.

— Oui, je comprends Carlos. Je comprends qu'il n'y a rien à contrôler. La Vie sait où elle va. C'est en cela que je dois garder la confiance. Pour moi, pour Nathalie. Je ne suis en effet qu'une intermédiaire qui doit garder une attitude de curiosité. J'ai ni à la sauver, ni à juger du bien-fondé de sa quête. Mon rôle est humble, celui d'accompagner Nathalie, celui de la maintenir centrée sur son objectif et non de diriger son destin.

— Tu viens dîner? insiste l'Espagnol qui ne la suit pas une miette dans ses interprétations. Trop compliquée, rumine-t-il en son for intérieur. Que de préoccupations! Vivre est beaucoup plus simple. Tu aimes, tu suis, tu n'aimes plus, tu quittes.

— J'arrive. J'ai faim. Mais Carlos...

En soulevant la question de l'inquiétude, Maude réalise que Carlos est peut-être lui-même mal à l'aise de ce départ hâtif pour le sud, bien qu'il n'en parle pas. Ni de ce départ, ni de l'impact de toutes ces émotions qui flottent dans les hormones de sa compagne. Non plus de l'espace restreint offert par le véhicule motorisé. Comment vit-il la proximité physique avec un autre couple?

— Puis-je te demander comment toi tu te sens dans cette aventure?

— Sincèrement, j'aimerais bien vous laisser votre intimité à Samuel et à toi. Je trouve malheureusement que Nat a sa façon d'imposer ses besoins, bien naïvement, mais tout de même, je suis désolé de l'envahissement de votre jeune couple.

— Et de la vôtre !

— Oh ! La nôtre !

Carlos ne veut pas s'étendre sur ce sujet délicat. Justement, pour préserver son espace d'intimité. Il rebondit en bon diplomate.

— C'est bien gentil à toi. Mais j'ai fait mon idée. L'entente entre Nat et moi est précise, je l'accompagne un bout de chemin, et j'ai du temps pour jouer au golf... enfin, on verra. En Floride, on prendra un motel pour le temps que nous y demeurerons, Maude.

— C'est un plaisir de vous accueillir Carlos, j'aimerais que tu te sentes bien à l'aise. Tu me le diras si ça ne va pas ?

Carlos ne fait que sourire du bout des lèvres en retour à l'amabilité de Maude. Il est en effet un homme de convenances. Par ailleurs, les arômes du bon repas attirent son estomac. Le riz au safran, le chorizo, les moules, le poivre de Cayenne. Quelle bonne cuisinière ! Et puis, il pourra picoler à sa guise, car ce n'est pas lui qui prendra le volant pour le reste de la journée. À chacun ses objectifs !

Maude sent que Carlos décroche, tranquillement, mais sûrement. Combien de centaines de kilomètres fera-t-il encore avec eux ? Se rendra-t-il à destination ? Elle entre à son tour, prend place sur une banquette et se répète intérieurement : « Il n'y a rien à contrôler Maude, fais confiance à ton intuition. »

***

Elijah termine sa conversation avec Ray. Un sentiment plus positif quant à la suite des choses lui insuffle un dynamisme renouvelé. Bien sûr, la Vie réserve son lot de surprises. Quel intérêt auraient les journées si ne surgissaient pas ces imprévus ? Sur ce, il laisse le jardinier à son ouvrage et retourne chez lui, à son affectation paternelle. Avec un sentiment de gratitude, il salue son ancêtre :

— Merci Ray, tu es un père pour moi !

— Reste à souper ce soir avec Emma et moi !

— Non merci Ray, tu sais que c'est ce soir que j'anime une soirée de méditation.

— Ah oui, ta soirée pour la venue d'un nouveau gourou !

— Pas d'un gourou Ray, le monde n'a pas besoin de nouvelles promesses !

— Oui, je blague mon p'tit. Emma m'en a parlé. La venue d'un Nouveau Monde… comme si celui-ci ne suffisait plus !

Elijah encaisse la dérision grâce au clin d'œil critique que Ray saupoudre sur la société de consommation. Aujourd'hui, personne ne se suffit de quoi que ce soit !

— Si tu veux !

Inlassable lorsqu'il s'agit de partager ses souvenirs, Ray, moqueur, prend plaisir à poursuivre son idée :

— Tu sais, dans les années '70, quand tu étais un gosse, les gens attendaient la société des loisirs. Bien, ils ne savaient pas qu'ils étaient en plein dedans. À cette époque, ils prenaient la fin de semaine pour s'amuser, les gens se réunissaient et jouaient aux cartes entre voisins, ils prenaient le temps de rire à leur travail et de se délasser devant la télévision tous les soirs ! Aujourd'hui, personne ne rit plus en dehors de salles de spectacles, les gens sont pressés et stressés. Ils ont plus d'argent, mais moins de temps pour avoir du plaisir !

— Ouais, on pense toujours que le meilleur est à venir !

— C'est pareil concernant l'idéal d'un monde équitable. Tu sais, je gagerais qu'il est déjà là ton… guide spirituel, mais personne ne le voit parce que personne ne l'attend dans le personnage qu'il a endossé. Les gens auront un jour la surprise de constater qu'ils le connaissaient déjà, lui et son message, mais il sera trop tard, la société sera passée à une autre étape, une autre mode !

— Ce n'est pas une mode Ray ! C'est un état d'être !

— Explique-moi, qu'est-ce que cette recherche d'un « état d'être ? » Qu'est-ce que cette quête, Elly ?

— On vit dans la noirceur, Ray. Dans le doute, dans les ténèbres. Un jour, un être nous montrera la Lumière et nous le reconnaîtrons par sa clarté, par ses paroles limpides.

— Ouais, c'est du déjà-vu mon gars. Jésus Christ le Seigneur est venu et on ne l'a pas honoré autant que ça, ce bonhomme ! Hochant la tête, il déclame : moi je dis que seuls ceux qui sont dans les ténèbres cherchent l'illumination. Alors que l'illuminé, lui, a cessé sa quête. Il peut quitter ce bas monde... comme l'a fait notre grand Martin Luther King. Tu vas dire que je radote, mais moi, mon inspiration provient de ses paroles qui me touchent au cœur, ajoute-t-il avec un regard nostalgique et quelques larmes humidifiant ses yeux bruns dont les plis de paupières soulignent le décompte des années. Ray ramasse l'humidité de ses narines avec le revers de sa manche. Retenant son neveu sur son départ, il ajoute : mon garçon, souviens-toi qu'il nous a apporté de la lumière à tous ceux qui désespèrent quand il a dit : "Sometimes, we have tears in our eyes, but we shall overcome!" Il ne parlait pas que pour notre peuple, mais pour chacun de nous : « Aujourd'hui, tu es triste, mais tu surmonteras tes difficultés », si tu le désires, bien sûr ! Tu n'as pas à remuer le ciel et la terre, Elly, ne fais que de ton mieux, c'est ton vieil oncle qui te le dit.

— Ray, crois-tu que je ne fais pas de mon mieux ? L'impétuosité d'Elijah réanime rapidement sa frustration. La machine à plaintes reprend sa litanie de doléances. Je dois en même temps travailler, monter mes soirées de méditation, élever mes gars, trouver une nouvelle compagne, réparer ma maison, payer mes factures... et peut-être avoir des loisirs ? J'en ai lourd sur les épaules et les temps où je serai libre me semblent très lointains.

— Bien, on verra ça ! Moi je m'occupe de mes alligators et de mes campeurs et je ne mélange pas les deux ! Ray part à rire de son rire gras et espiègle ! Il ne fera pas de surenchère, ni ne vexera son neveu qui revêt encore une fois le manteau rapiécé de la victime. À lui d'en jauger les conséquences. Ray a confiance en ce garçon qui a bien grandi. Bonne soirée mon gars !

— Bonne soirée Ray !

7
L'HEURE DU VERT

Endroit mythique s'il en est un pour les joueurs de golf québécois, Myrtle Beach n'offre pas moins de quarante parcours, tous plus beaux et plus réputés les uns que les autres. Jusque-là, Carlos encourageait les aventuriers à se diriger vers le sud. Jusque-là, il avait en effet joué le jeu de la quête d'un trésor. Aux deux tiers de la route, il désespérait d'être entendu puisqu'un programme serré dirigeait le trajet, en faveur des filles, pressées de se rendre à Saint Augustine. Sans plus, il devait mettre le pied par terre ici même, affirmant son besoin de suivre la trace du patriarche Jack Nicklaus, plutôt que celle d'un soldat sécessionniste ou d'un pirate des Everglades. Devant la crainte de le perdre, peut-être Nathalie le suivrait-elle ?

— Les amis, je suis désolé de vous décevoir, mais je m'arrête ici. Je vous propose de me déposer sur ces terres quelques jours, vous reprendrez mon corps endolori, mais satisfait, au retour de votre périple. Pour moi, la silhouette géographique de la Caroline correspond au profil de Tiger Woods.

— Qu... quoi ! bafouille sa conjointe en cherchant les mots pour exprimer sa contrariété. Non qu'elle soit étonnée. Dès la mise en route des quatre comparses, Carlos ne faisait que repérer les clubs de golf dans les livrets touristiques distribués par les États traversés. Ici, en Caroline du Sud, le mot sud vibrait plus fort que jamais dans ses mollets sportifs. Nathalie avait espéré jusque-là qu'il embarque totalement dans la quête, mais son fiancé se révélait imperméable à toute tentative d'enrôlement.

— Oui, vous n'avez pas besoin de moi. Mon trajet se termine ici. Les verts m'appellent irrrrrésistiblement ! Mon ami Samuel, tu restes ici ou tu suis les filles ?

— Tu me mets dans une position fâcheuse Carlos.

— On appelle ça un conflit de loyauté, intervient Maude. Quel que soit le choix que tu fasses, tu y perds !

— Je ne suis quand même pas un enfant à qui on demande de choisir entre ses deux parents divorcés, rectifie Sam. De toute façon, je n'ai même pas apporté mes bâtons. Se tournant vers Maude, et sur un ton doucereux, il ajoute : il est clair que j'ai opté pour l'aventure bohémienne, accompagné de ma gitane favorite. Mais je te comprends Carlos. Il s'agit aussi de ton temps de vacances.

— Tu vois, tu es coincé, surenchérit Maude.

— Maude, laisse Nathalie et Carlos discuter de cela entre eux, rétorque-t-il plus sèchement, ne cause pas une dissension entre nous, s'il te plaît.

Nathalie se sent interpellée.

— C'est exact Sam, merci de cette précision. Il s'agit bien de notre entente, Carlos et moi, au sujet de notre projet de vacances. Je crois que nos besoins diffèrent... Voilà, Carlos, c'est moi qui proposerai le compromis ! Si vous êtes tous d'accord, on restera deux jours ici, trois si tu veux. Cet hiver, on fera un voyage de golf et non de ski. Qu'en penses-tu ? Veux-tu ou non m'accompagner ?

— Ma chère amie, je crois que tu outrepasses mon humble impression que tu divagues complètement cette année. Et non, je te l'ai signifié précédemment, mon périple ne sera pas celui d'Ulysse, voyageant sur des mers incertaines.

Constatant l'obstination de Carlos, alors que Nathalie virait au bleu mauve, pinçant ses lèvres pour ne pas éclater sur-le-champ, Samuel profita de la complicité qu'il avait créée avec lui dans les boîtes de nuit de New York. Les hommes n'échangent pas souvent sur des sujets intimes. Mais quand vient le temps de le faire, ils savent affronter la bête.

— Carlos, que dirais-tu de venir faire un tour avec moi à la poissonnerie ? On rapportera quelques beaux homards pendant que les femmes préparent la salade.

Le signal est donné. Rien de plus à ajouter. Samuel et Carlos sortent du terrain de camping et marchent sur un large trottoir bordant la route longeant la mer, là où se succèdent de coquettes villas et des motels des années '60. Ressentant tous deux l'attirance du vaste plan océanique, ils s'assoient sur un bloc de ciment qui tient lieu de banquette improvisée. Au centre du siège cubique, une cavité terreuse fait croître une variété de fleurs tropicales de rouge et orange vifs éblouissants cernée par des feuillages décoratifs abondants. Les hommes ont tourné le dos au boulevard et retiré leurs sandales pour mettre les pieds dans le sable qui envahit d'ailleurs quelque peu la bordure du trottoir. Ils laissent leur regard scruter l'horizon visible entre deux bâtiments, silencieux. Leurs sens se laissent bercer par l'incessant va-et-vient des vagues s'échouant sur une plage large de quelque trente mètres, devant eux. En cette heure du souper pour la majorité des Américains, la circulation automobile est éparse et le soleil en déclin laisse la fraîcheur de la marée montante transporter jusqu'à leurs narines les odeurs salines de l'océan.

Carlos allume une cigarette et aspire longuement la fumée. Par ce rituel, il comble un grand vide en lui. *C'est bon de se remplir de silence !* affirme-t-il paradoxalement. Les piaillements des goélands virevoltant au-dessus de la grève le ramènent au bavardage des femmes dans la cabine.

— Trop, c'est trop, poursuit-il en pensant aux nombreux compromis qu'il doit faire pour satisfaire sa compagne.

— Il est vrai..., ajoute Samuel absorbé par le ressac de l'eau salée formant une frise de bulles lorsque se perdent les vagues sur le rivage. L'œuvre éphémère se dissout immanquablement parmi les grains de sable beige. Un ouvrage volatile de la nature. ... Il est vrai qu'on voudrait parfois arrêter le temps.

Tous deux respirent lentement, comme si plus rien n'avait d'importance. À part leurs pieds, vautrés dans ce sable réchauffé par l'intense journée ensoleillée. L'épiderme plantaire note au passage les coquillages minuscules et les brindilles d'algues brunes séchées en forme de confettis roulant sous leurs orteils.

Carlos, écrasant son mégot dans le sable, prolonge la pause en amorçant une conversation épineuse, celle au sujet des avantages du célibat.

— Diable, que fais-tu Sam, à tenter d'amadouer Maude comme si elle était la dernière de son espèce ? Tu n'étais pas bien comme célibataire, faisant les choses à ton propre rythme, libre d'aller et venir comme il te convenait ? Es-tu certain de vouloir recommencer une relation engagée avec une femme ?

L'engagement est effectivement le talon d'Achille du designer. Par contre, estimant que Carlos se trouve acculé à une limite reliée à son couple, contrainte avec laquelle il a de la difficulté à composer, Samuel préfère ne pas répondre directement à cette question. Il imagine que l'ingénieur doit apprécier, somme toute, la liaison conjugale qu'il entretient avec Nathalie. S'il voulait tant être seul, rien ne le retiendrait vraiment de mettre fin à une relation, même après plusieurs années d'habitudes. Le problème ne se situe pas sous l'angle de sa liberté. Le célibataire ose aborder ce qui lui semble être la préoccupation fondamentale de Carlos.

— Ça te dérange que Nathalie ait besoin de ton accompagnement?

— Elle n'a pas besoin de moi. Nathalie est une femme autonome… et puisque ton propos est direct, je te réponds que franchement, c'est ça qui me dérange.

— Son indépendance? Cette déclaration surprend Samuel.

— Les femmes aujourd'hui n'ont pas besoin des hommes. Elles peuvent tout réaliser seules, même avoir des mômes! Tu crois que Maude a besoin de toi? Santa Madre, pas du tout. Tu ne fais plus son affaire, elle te balance et s'en va vers un autre!

— Je ne vois pas les choses de la même façon. Les femmes ont besoin des hommes, mais d'une façon différente de celle des années '50.

Carlos détourne le regard du flou qu'il jetait sur le reflux des vagues et se tourne vers Samuel, étonné de sa dissension. De plus, il s'est fait traiter d'archaïque par un plus jeune! Son opinion ne bronche pas d'un poil pour autant. Son interlocuteur, amusé par le revirement de la situation, avance sa repartie.

— C'est quand même drôle… si une femme entendait ce que tu dis, elle dirait que c'est bien le monde à l'envers… autrefois, c'étaient les hommes qui quittaient leur femme pour une plus jeune et plus attirante. C'étaient elles qui se sentaient comme une donnée échangeable.

— Voilà, c'est la preuve que nous les hommes, nous avons perdu notre pouvoir! Nos pères n'ont jamais connu cette situation fâcheuse. Nos mères demeuraient à la maison et bénéficiaient du produit de labeur de leur mari. Aujourd'hui, regarde comme elle exige que je la suive comme un chien de poche, tiens ! Et si je ne réponds pas au quart de tour, elle se sent négligée et mal aimée.

L'esprit de Carlos s'enrage. *Voilà comment la qualité de notre vie nous échappe,* se dit-il. *On laisse notre attention être distraite par les besoins de l'autre afin de préserver une relation qui somme toute en vaut bien une autre et hop, les mille inquiétudes du quotidien obnubilent l'essence même de notre échiquier où nos pions étaient pourtant mis en place pour satisfaire nos besoins. Ensuite, madame est surprise de l'ampleur de notre frustration !*

À son écoute, Samuel suggère une solution à laquelle il espère que le couple se ralliera, fidèle à la propension de rendre tout le monde heureux.

— Il y a certainement de la place pour des négociations, il me semble.

— Ah ! Parlons-en des négociations ! Ce qu'elle exprime part de son intuition, dirait-elle, c'est son mantra, sa fixation, ou je ne sais. Comment peut-on négocier au sujet d'un élément aussi intangible que… Carlos fait le geste de balancer mollement ses doigts …le vent du for intérieur ? As-tu un argument de poids devant ce fameux sentiment Nouvel Âge d'être à la bonne place, au bon moment ?

— Quand tu l'as rencontrée, n'étais-tu pas à la bonne place, au bon moment ?

— Hein ? J'étais à mon bar habituel et elle était là avec des collègues de bureau pour souligner le départ de l'un d'eux à la retraite. Pas de magie là-dedans ! De l'organisation, c'est tout. Depuis ce temps, je te dis, c'est moi qui me fais organiser…

— Bien, moi ça fait mon affaire que Maude soit ordonnée. Elle m'apporte de nouvelles avenues, des angles que je n'avais pas encore explorés. Quand on veut avoir du plaisir ensemble, on se rejoint. Une liberté de choix quant aux activités, tout en gardant une sauvegarde personnelle de réclusion.

— Ce n'est pas un couple, ça. Tiens, dans ton agence de publicité, Sam, si un de tes clients te disait : « Là, je fais affaire avec toi et demain, je vais écouter ce que le concurrent me suggère. » Tu lui répondrais quoi ?

— Tu parles d'affaires, je ne cherche pas à me vendre !

— Tu lui dirais de se décider s'il veut suivre tes conseils ou ceux d'une autre agence, poursuit Carlos sans s'arrêter à l'objection de Sam. Et c'est pire avec une femme, parce qu'au moins, dans le milieu commercial, les rôles sont clairs.

— Toi, tu es un gars terre-à-terre Carlos. En ingénierie, tu connais la portée de tes calculs. Il n'y a pas de place pour le hasard !

— Ah ! Là, ce n'est pas moi qui l'ai énoncé ! Tu es d'accord ? Nous sommes à la merci du hasard Sam, rien de plus inconfortable ! Toute cette histoire de voyante et d'intuition imaginaire n'a aucun sens logique. Comme la panoplie d'essais qu'elle me propose d'été en été...

— Comme ?

— Je t'en ai parlé à New York, crudivorisme, moyenâgisme, tantrisme...

— Ah ! Je croyais que tu avais apprécié la pratique du tantrisme ?

Samuel a réussi à arracher un premier rictus de Carlos. Mais celui-ci martèle sa lancée.

— Tous ces essais n'ont mené à rien ! Rien de cela n'a eu de portée. On passe d'une chose à une autre au gré des saisons, et surtout au gré de madame.

— C'est un jeu mon ami ! Tu dois le voir comme un divertissement. Même si Nathalie prend ses vœux très au sérieux, tu peux la regarder à travers le prisme de sa beauté d'être humain passionné.

Carlos ne répond pas. Il est préoccupé par l'instabilité de sa femme. Avouer à Samuel qu'il craint de la perdre à chaque nouveau pas de danse qu'elle entreprend serait d'avouer qu'il tient à elle, qu'il n'a pas confiance en lui pour être capable de la retenir, qu'il conçoit les rapports conjugaux comme de soigneuses manipulations afin d'éviter la déception, une fois de plus.

Une libellule se pose sur le genou droit de Samuel. Une de ses quatre ailes dont chaque extrémité est marquée d'un grain de beauté est repliée par-dessous, ce qui ne paraît pas lui causer d'inconfort. Elle s'envole aussi légèrement qu'elle s'est déposée.

— On a avantage, Carlos, à vivre auprès d'une femme dynamique, qui a plein de choses nouvelles à nous raconter sur sa journée, qui fait briller dans ses yeux la flamme de l'enthousiasme, qui est allée au maximum de sa croissance. C'est un risque, bien sûr, mais n'est-ce pas la plus belle chose que de voir sa compagne heureuse et épanouie ?

— Tu es bien naïf, mon ami. Et cela tient au fait que ta relation avec Maude est récente. Tu constateras toi aussi, lorsque les années s'accumuleront, qu'il y a un piège dissimulé dans ce plan. Lorsqu'une femme est satisfaite par autre chose que ce que tu lui apportes, elle te laissera tomber, et non, tu n'en bénéficieras pas. Elle ne se tournera pas nécessairement vers un autre homme, mais elle s'impliquera dans une tonne de comités, de réunions, de voyages d'affaires, de formations, et j'en passe. Tu te retrouves un jour le nez collé à une cloison en te demandant ce que tu feras de tes journées. Crois-moi, j'ai déjà donné.

Samuel comprend que Carlos et lui vivent dans deux mondes diamétralement opposés, et pourtant à une même époque ! Cet aphorisme de Sacha Guitry lui revient à l'esprit pour imager ce qu'il capte des principes de son interlocuteur : « Le célibat ? On s'ennuie. Le mariage ? On a des ennuis. » Périmée cette perception du couple ! Une attitude passéiste ne pouvant que se solder en de pénibles déchirements. Lui, il préfère investir dans la rencontre d'êtres qui persistent à accroître leur indice de bonheur. Ce charmeur espagnol voudrait lui donner une leçon sur la déception des relations conjugales, car il n'y trouve pas son compte. Mais une relation à deux n'est possible que s'il y a deux gagnants, songe-t-il.

— C'est vrai que j'ai un côté créateur, autant dans mon domaine professionnel que personnel. J'aime prendre de beaux risques. Cela semble plus difficile pour toi. Tu aimes avoir des résultats concrets et assurés. Je vois que tu ne veux pas bâtir ton couple sur des essais et erreurs !

— C'est exact, réplique Carlos, qui se sent enfin compris.

— Que penses-tu de la proposition de ta femme, de passer quelques jours ici ? Maude et moi irons visiter un parc d'attractions et nous terminerons la journée dans un spa. Nathalie semble avoir besoin de repos. Elle est ébranlée par les imageries et propose un arrêt, une pause bien justifiée, non ?

Carlos soupèse ses bénéfices. L'entente initiale avec Nathalie consistait à prendre du temps pour s'adonner à son sport au passage ; et à son goût, vaut mieux à l'aller qu'au retour. Il laisse Samuel terminer son idée.

— Nous irons jusqu'au bout de leur aventure. Cela te donnera l'occasion de lui dire que tu avais raison et te fournira un argument lors de la prochaine proposition d'un bonheur en conserve.

— Tu as raison mon ami. Avoir raison lui plaisait. Et la conversation avait assez duré. Allons chercher les homards et leur faire honneur.

Samuel constate que cet échange verbal ne règle pas la vision profondément divergente entre Nathalie et Carlos au sujet de leurs loisirs. Ayant assisté à quelques conférences sur le couple, il a retenu l'énumération des trois domaines de base sur lesquels une union conjugale devait s'entendre pour durer : la sexualité (fréquence, mode, tendresse, fidélité, etc.), l'argent (revenus, dépenses et partage) et les loisirs ! Oui, ce qui peut paraître quelquefois secondaire dans les priorités est essentiel dans la cohésion d'un couple, notamment à l'approche de la retraite. Cette discussion n'est que partie remise, savent-ils tous deux, en reprenant leur marche vers la poissonnerie.

***

Le groupe s'était entendu pour rester trois jours en Caroline du Sud, mais la pluie s'est mise à tomber dès le lendemain. Comme si Dame Nature avait opté pour les plans de Madame plutôt que ceux de Monsieur ! La fourgonnette motorisée a donc repris la route vers la Géorgie, puis la Floride, avec un mécontent et trois heureux à son bord. Carlos ne se bâdrait même plus de réclamer un arrêt pour fumer. Il se contentait d'ouvrir la fenêtre latérale. Ses compagnons avaient bien compris qu'il s'agissait d'un compromis nécessaire pour assurer un accommodement raisonnable.

Tel que Nathalie l'avait pressenti lors de sa première imagerie, ils se sont dirigés vers Saint Augustine, la première ville fondée par des Européens en sol américain. Ils ne veulent pas immobiliser leur roulotte dans le stationnement d'un Walmart, bien que l'ouverture « 24 heures sur 24 » de cette entreprise multinationale soit utile pour les insomniaques et les acheteurs compulsifs. Ils choisissent un terrain de camping en amont de la rivière. La publicité du guide touristique rend attrayant ce choix à cause de l'indication précisant qu'il s'agit d'une ferme d'alligators. Question de se mettre dans l'ambiance ? raille Carlos, faisant référence au contenu de sa première imagerie. Au sommet des déroutes, Nathalie refuse d'opter pour la suggestion de son conjoint de prendre une chambre de motel, tant le soutien de Maude lui est essentiel.

Les compères planifient une visite éventuelle du Fort Mose, et d'autres forteresses de la ville, afin d'y trouver quelques indices qui susciteraient un rapprochement entre les impressions surgies lors de son imagerie et l'objectif de la rêveuse tenace. Fomentant des plans déjà refroidis sur le plat, Carlos va chercher du bois au magasin dépanneur du camping pour alimenter le foyer extérieur.

Le lendemain matin, Maude et Samuel ont besoin de solitude à deux et offrent aux amis de retourner en ville faire l'achat de denrées. Ils les laissent installer la grande tente comme abri supplémentaire couvrant la table à pique-nique et permettant d'agrandir leur espace vital. Légers, ils prennent la route vers la cité. Loin de se précipiter dans les salles réfrigérées des centres commerciaux stéréotypés, ils flânent sur une terrasse de la rue Cordova bordant l'ancien et magnifique hôtel Ponce de Léon, aujourd'hui converti en collège mixte. Le soleil matinal accentue les reflets orangés du bâtiment, contrastant avec la verdure du parc décoratif.

Assis côte à côte, à une table de resto sous un auvent extérieur, ils observent l'enfilade des voitures se hâtant de rendre leur chauffeur à son travail. La frénésie de bruits et d'odeurs d'essence accentue le contraste avec leur état vacancier ; elle crée une impression d'anomalie, exclus qu'ils sont de cette cohue. Maude s'interroge si la complicité entre elle et Sam est issue de ce sentiment d'isolement parmi un monde étranger... leur amitié persistera-t-elle à leur retour ? Pendant qu'elle parcourt le journal local pour y trouver une activité culturelle intéressante, Samuel en profite pour brancher son ordi. Il vérifie s'il n'a pas reçu quelques messages de son frère.

— Tu écris à qui ? s'enquit-elle doucement.

— À Olivier. Quand on vivait chez mon père, je m'occupais de lui souvent. Il a trois ans de moins que moi. Aujourd'hui, à son tour, il s'occupe de mon chien. Mais je vérifie toujours où il en est ! J'espère qu'il barre bien les portes en sortant. Montréal n'a rien du charme bucolique de la Gaspésie !

— Il est important pour toi ton p'tit frère ! dit-elle en l'embrassant chaleureusement pour faire disparaître le nuage noir de ses pensées pessimistes.

— Ouais, mais il en profite.

— Et toi, tu profites de sa disponibilité, non ? C'est un échange équitable !

— À condition que je n'aie pas à nettoyer l'appartement pendant une semaine à mon retour !

— Tu as d'autres frères ?

— Non, quatre sœurs aînées. Je suis oncle de treize neveux et nièces ! J'adore retourner chez ma sœur en Gaspésie, celle qui a repris la maison familiale pour prendre soin de mes parents avant leur décès. À elle seule, elle a cinq « flots », comme on dit chez nous ! Ça grouille sur les patinoires, l'hiver !

— Ça doit faire de beaux « partys » du temps des Fêtes ! J'aurais aimé avoir un grand frère comme toi. Ça aurait permis que la fille sérieuse en moi se déleste de sa charge raisonnable de temps en temps ! Étant fille unique, je me comportais en enfant prudente.

— Tu t'es quand même rattrapée depuis lors ! taquine Samuel. Tu organises ton horaire à ta guise, tu fais de beaux voyages, tu prends le temps d'écrire des histoires romantiques. Ça prend de l'inspiration pour les déroulements ! De quoi te plains-tu ?

— Mes parents se sont séparés quand j'étais jeune, persiste-t-elle. Je suis une enfant à la clé au cou ! Je revenais seule de l'école à la maison chez ma mère dès l'âge de sept ans... J'ai acquis le sens de la responsabilité, c'est une des belles leçons de mon enfance. Je fonce, je n'ai pas besoin d'attendre le secours de qui que ce soit.

Samuel note chez elle une difficulté de recevoir l'affection offerte. Il estime que ce besoin d'affirmation couronne un sentiment de solitude immense, un manque d'accompagnement dans sa jeunesse qui l'a menée à se munir d'une carapace. Comme les raisins trop verts du renard de La Fontaine, on crée des prétextes pour ne pas souffrir. Sinon, pourquoi insiste-t-elle tant sur ses déclarations d'autonomie ? Sur ce, il pense au Québec toujours en quête d'autonomie... chez ses habitants comme chez Maude, ce sentiment a-t-il été généré par le délaissement de la mère patrie, la France, dans ses jeunes années de défrichement des terres sauvages ? Sa belle province pourra-t-elle un jour affirmer son identité et refuser le statu quo imposé par un partenariat faisant fi de ses valeurs, tout en continuant de prioriser la plus-value d'une paix instaurée avec ses voisins anglophones ? Malgré les doutes de sa compagne, Samuel espère que la complicité dans le respect des besoins réciproques soit possible, dans tous les cas.

Ces pauses sont l'occasion de conversations profondes, question de se dévoiler, de laisser l'autre entrer en soi. Une intimité grandissante permet ce partage d'introspection. À quoi servent les voyages s'ils ne vous transforment pas jusqu'à la moelle des os ? Maude plonge la première, ayant l'envie de soulever le voile de son jardin secret. Comme psychothérapeute, il lui est plus facile d'encourager ses patients à s'exprimer qu'elle-même, exposer ses petits côtés sombres devant un compagnon qu'elle veut séduire.

Malgré une plus grande spontanéité, Samuel reconnaît aussi faire semblant de paraître fort et sûr de lui. Dans le fond, il s'étonne souvent de la fréquence des occasions de croissance, alors qu'il a l'impression de contrôler peu de choses. Sa logique s'insurge contre cette façon de suivre les vents favorables et a le réflexe de reprendre les guides de sa destinée. Sans succès. Samuel raconte ce que lui ont valu plusieurs efforts pour conserver ce soi-disant contrôle afin que le résultat s'approche d'un idéal dans lequel il ne se sentait pas à l'aise en fin de compte. Des culs-de-sac. Une faillite complète... plus il cherche à contraindre la venue d'événements prescrits, plus il donne de l'importance à des gens et des choses, rarement à lui-même, sacrifiant son plaisir. Il avoue s'être perdu longtemps dans la consommation de drogues et de relations sans issues. Position fâcheuse dont il n'est sorti qu'en lâchant prise pour s'aimer lui-même, du mieux qu'il pouvait. Cet affranchissement du besoin vital de plaire à l'autre et ce nouvel axe, destiné à se reconnaître comme créateur de ses actes, forment tous deux un chemin fructueux, jusqu'à maintenant. Il était autrefois jonché de regrets, de colères à propos d'attentes déçues, de désirs de hâter les choses. On s'écorche alors dans un fil d'émotions causant une dérive, loin de notre bien-être et de la foi en notre capacité de sculpter notre avenir. Tiens, encore ce matin, pense-t-il, il se demandait s'il n'aurait pas dû passer ses vacances à réparer sa galerie extérieure. Ce disant, il s'est frappé le front sur le cadre de la porte d'entrée de la roulotte, alors qu'il s'en était méfié jusque-là. C'était le prix à payer pour avoir la tête ailleurs !

Cette confession d'acte manqué fait rire Maude de bon cœur. La piste des regrets s'étalant devant eux, elle aborde de façon abrupte une question d'actualité :

— Regrettes-tu le voyage ?

— Euh ! Quelquefois, oui. Je suis comme ça, mille possibilités s'offrent à moi. J'ai de la difficulté à choisir la bonne direction, comme s'il n'y en avait qu'une qui soit la meilleure ! Mais je me sens très bien auprès de toi. J'aime te connaître. C'est certain que j'aurais des pièces à peinturer à l'appartement, des spectacles de musique à entendre, des clients à satisfaire, mais mon agenda attend mon retour sans problème ! Cette occasion de voyage est ce qui se présente à moi et ce que je ne veux pas refuser. Quelquefois, je me demande ce que je fais ici. Pas à cause de toi, mais à cause d'un sentiment de vide. Ce voyage prend tellement de sens pour Nat et toi que je me sens parfois de trop, oui. Mais à tes côtés, j'ai trouvé une place. Enfin, je l'espère, ajoute-t-il en lui prenant la main et jouant avec ses doigts. Dans ce temps-là, je me sens bien. Et je me dis : le temps des vacances, est-ce que cela doit absolument avoir un sens... autre que le plaisir, bien sûr !

— J'aime ton côté philosophique. Tu réussis à te satisfaire d'événements et tu les partages sous la loupe d'un observateur intelligent. Je te remercie... pour ce compagnonnage divertissant... ça me fait vraiment le plus grand bien.

— Ça m'a valu bien des ennuis. Tout le monde n'est pas prêt à s'abandonner au jeu des circonstances, simplement pour le plaisir de vivre. Et s'il est vrai que je suis opportuniste, je ne peux faire autrement. Comme je te dis, je serais malheureux de rater une bonne affaire, avoue-t-il, conscient de se moquer de lui-même.

— Je crois aussi que je serai plus heureuse lorsque je serai capable de dire ce que je ressens quand je le pense. Tu appelles ça: saisir l'occasion?

— Penses-tu à quelque chose de spécifique?

— Par exemple, j'aurais préféré faire le voyage prévu pour nous deux, seuls ensemble! Maude observe sa réaction, craignant qu'il la juge faible. Tu vois, j'ai aussi des tiraillements. Enfin, j'ai l'impression de t'avoir imposé mes amis. J'ai proposé à Nathalie de se joindre à nous, pensant que les frais seraient moindres, une fois divisés en quatre parts! Je ne voulais pas t'imposer mes déboursés de voyage estival.

— Es-tu certaine que ce n'est pas parce que tu croyais t'ennuyer, seule avec moi? Je te connais comme ayant tendance à remplir tes journées plus que nécessaires. Tu sembles avoir peur des silences...

— Hum... touchée. Tu m'as bien toisée. Je n'étais pas capable de refuser le canevas offert par Nathalie, mais c'est bien parce que j'ai besoin d'aider sans cesse et de me mêler parfois de ce qui ne me regarde pas. C'est vrai que j'en fais trop; après ça, je suis épuisée et déprimée parce que je n'ai pas prévu de penser à moi.

— Ne regrette rien. Ça va. Je suis content qu'on s'« escapade » quelquefois comme aujourd'hui. Si tu veux, on aura des décades à venir pour s'ennuyer ensemble!

Cette perspective de longévité cause une surprise à Maude, car les battements de son cœur lui indiquent, bien malgré elle, qu'elle commence à tenir pour précieuse sa relation avec cet homme.

— Ah! Sens-tu vraiment que nous ferons un bout de chemin ensemble?

Elle qui a l'habitude des amours éclair, aura-t-elle le goût pour une fois de suivre le courant? Quelques indices de bonne entente démontrent que leur relation pourrait s'enraciner. Cela changera possiblement la conduite des romans-fleuves dont elle abreuve ses lecteurs!

Samuel glisse avec précaution l'essentiel de sa philosophie:

— L'amour est la découverte du chemin qui suit la première rencontre... Suivons cette voie, nous constaterons pas à pas où cela nous mène! Je ne peux t'en dire plus. Mais pour te rassurer, j'ajouterai que je ne suis pas le genre de gars qui lâche une bonne prise!

Ils rient et se serrent l'un contre l'autre. Ces souvenirs sont immortalisés par l'appareil photo du prétendant qui demande à un passant de les prendre côte à côte devant la façade fleurie de la terrasse. Ils captent un instant d'éternité. Autour d'eux, les anges rient. S'ils ne sont pas sur la pellicule, ils brillent dans leurs yeux. La détente, le soleil et l'amour leur siéent bien. Ils restent sur place à siroter leur cappuccino glacé. Le sablier s'arrête pour eux, le temps d'une plénitude, pour faire circuler dans leurs cellules ce bonheur à quart de frais, multiplié à l'infini!

***

Dans la roulotte, Nathalie et Carlos affichent une nervosité palpable. L'ambition de la voyageuse tourne en rond devant les indices épars de ses imageries pendant que son conjoint, stimulé devant la perspective de grands espaces, sort ses vêtements sport avant de nettoyer son sac de golf. Il court le risque de vérifier comment elle va occuper sa journée, espérant se libérer impunément.

— Que fais-tu aujourd'hui « ma dulcinée, ma Rose au bois? »

— Je vais au Palais de Justice, répond-elle bien déterminée à s'inspirer de l'horaire d'un détective privé. L'idée de profiter d'une journée de farniente ne lui effleure même pas l'esprit.

— C'est pour une demande en mariage? lance-t-il de façon ironique.

Le charme de Carlos s'affaisse lorsque Nathalie ne daigne pas répondre et demeure fixée sur sa quête imaginaire.

— On est en vacances chérie, décroche, joue au golf avec moi!

— Tu ne sembles pas te soucier de ma démarche! Faisant fi de la suggestion de son presque fiancé, Nathalie augmente la densité de la tempête qui s'élève dans la cabine.

— Illusoire ta quête, ma chérie. Une quête illusoire et une dispute illusoire! Tu ne marqueras pas de scores avec ça! ajoute-t-il de façon ironique en regardant subrepticement sa montre, pensant à l'heure de son départ sur le vert. On ne détermine pas le cours de sa vie à partir d'une promesse sulfureuse qu'une quelqu'une gitane nous fait miroiter!

— Mais on marque peut-être sa vie à partir d'une montre? Oh! Excuse-moi! recule Nat, tenant compte de l'âpreté de sa réplique. Carlos, tu le sais, j'aimerais tellement que ma présence sur Terre soit significative. Pour une fois, j'ai la chance ici de poursuivre un objectif personnel jusqu'au bout.

— Amiga mia, tu possèdes les ingrédients essentiels pour qu'elle ne soit pas insignifiante, ta vie. Il passe derrière elle et la serre dans ses bras. Des enfants magnifiques, un bon boulot, un conjoint chéri...

Nathalie l'interrompt avant que tombe le rideau de sa litanie.

— Ah ! Mon boulot, oui ! J'ai voulu régler les injustices sur la planète et regarde où j'en suis. À la veille de mes quarante ans, je n'ai rien accompli qui soit digne d'être souligné dans l'histoire de l'humanité !

— Tu règles un paquet de contentieux pour des entreprises qui aident les gens à se nourrir ! Des tas de gens voudraient être à ta place !

Insensible aux paroles réconfortantes de Carlos, elle poursuit le fil de sa pensée :

— À mon jugement dernier, on me demandera...

Carlos, agacé, l'interrompt à son tour.

— Qui ça, on ?

— Ne m'interrompt pas s'il te plaît. On me demandera... Elle prend un ton grave : « Nathalie, qu'as-tu fait des talents dont tu es dotée ? » D'une voix fluette, je répondrai avec contrition : Oh ! J'en ai profité pour aider les multinationales à acquérir des compagnies plus faibles, à envahir les pays du tiers-monde, à polluer la planète !

— Tu as fait tout ça ? Tu es plus forte que tu ne l'avoues ! rétorque Carlos, affichant un sourire narquois.

— « Nathalie, qu'as-tu fait de ton cœur ? » Ah ! Je n'ai même pas assez de cœur pour faire de la place à mon âme, pour prendre soin des plus démunis de ce monde. Je n'ai pas même été foutue de garder mon premier bébé dans mon ventre.

— Qu'est-ce que cette histoire ancienne fait ici ? Es-tu à la recherche d'un trésor ou tentes-tu de résoudre les affres de ton passé ?

— C'est pareil. Si j'avais eu cet enfant, peut-être n'aurais-je pas senti cet appel très fort à la résolution de cette énigme ? Il y a un lien entre cette histoire de femme enceinte décédée et moi. J'ai l'impression que je ne cesserai jamais d'être tiraillée par ce manque.

— Quel lien Nathalie ? Tu as eu de beaux enfants ! Ce n'est pas comme ça que tu cultiveras ta fierté. L'autopunition est une option inutile. Tu te lapides toute seule ; tu n'as besoin d'aucune charia pour ce faire ! Au fait, je croyais que nous nous étions entendus pour ne plus revenir sur cette histoire !

— Bon, dis mieux !

— Justement, tu diras à ton juge apocalyptique que tu as fait de ton mieux ! Ce sont les regrets Nat qui te rendent malheureuse, et non pas ce qui s'est passé ; tes remords constants minent ton attitude gagnante.

— Bien voilà pourquoi je suis ici !

Nathalie a la tête dure et retombe vite sur ses pattes, pense Carlos, *quel lien fait-elle* ?

— Je ne veux pas avoir de regrets, poursuit-elle. Je me sens interpellée par cette histoire de legs ; je veux aller jusqu'au bout et réparer le tort causé à cette femme ; je ne pourrai jamais guérir le sentiment de culpabilité qui me ronge si je ne nous libère pas.

— À quel prix ? Je te vois soucieuse, nerveuse, insatisfaite…

— Carlos, je veux changer ma vie !

Il cesse de frotter ses fers et se dresse vers elle et son affirmation.

— Est-ce que cela m'inclut ?

— Je ne sais pas. Je ne sais plus. Je sens que je dois changer quelque chose; mais je ne sais pas de quoi il s'agit !

Carlos attend des explications plus… explicites. Il a horreur de cette étape de la relation où les remises en question brouillent les plans d'avenir. Ce n'est pas sa première expérience de « changements » dans une aventure conjugale. Vraiment, est-ce qu'on en arrive toujours à ce point ?

— En fait, j'aimerais que tu crées à mes côtés ce nouveau quelque chose. Nathalie remballe son amertume et adoucit le ton de sa voix ; mais elle demeure incertaine. J'aimerais qu'on change ensemble !

— Tu aimerais que je change quoi ? Sois claire.

— Ah ! Ce n'est pas toi dans le fond. Quand j'aurai trouvé ce que je veux être, tu sauras bien me dire si tu veux encore de moi.

— Hum... je serai dans une position connue, j'achète ou je pars, c'est ça ?

— Ne le prends pas comme ça ! L'adaptation est la caractéristique de tout ce qui grandit. Notre couple aussi évoluera, à plus ou moins long terme. Nous y survivrons, rassure-toi !

Carlos n'en est pas si certain. *Madre de Dios* que les femmes sont compliquées ! J'accepte un voyage dans une roulotte et je me fais servir le coup du change ou meurs ! pensa-t-il. Vive le temps où elles passaient leur journée à se faire belles pour leurs hommes, maris ou amants ! Nathalie ne sait pas ce qu'est un couple. Cela fait plus de quatre ans que nous vivons côte à côte, et cette femme ne sait pas se plier occasionnellement à mes besoins, vérifier si ses décisions nourrissent ou perturbent mes nécessités. Elle est tournée vers son passé et non vers notre avenir ! De plus, Nathalie ne comprend pas ma passion. Elle ne joue pas au golf, « du temps perdu », juge-t-elle. La première fois que je me suis trouvé sur un parcours de golf, se remémore l'intéressé, j'étais fasciné par ce temps imprenable : trois heures à ne faire qu'une seule chose, pour soi, enfin ! Quelle paix intérieure que celle de n'avoir rien d'autre à penser, rien que d'être totalement attentif à une petite balle, à sa posture, au choix de bâtons, à la distance parcourue, au nombre de coups frappés. Quel plaisir à déambuler dans un paysage taillé au centimètre près, où chaque détail est conçu en fonction du confort du joueur. Quelle stabilité ! Quelques animaux sont au rendez-vous et vous surprennent, mais c'est passager. Des fleurs colorent quelques bosquets au passage. Parfois, une fontaine d'eau jaillit entre les verts et rafraîchit un corps concentré sur une balle qui tient sur un tee. La satisfaction du succès est de celles qu'on n'oublie pas. Un golf bien entretenu est un paradis sur Terre.

Là-dessus, il se rend à la réception du camping et demande à Ray d'appeler un taxi qui le conduira au club sélectionné. Lui, il savait ce qu'il voulait.

***

Georgia, 1865

— Nous sommes tous dans le même bol de soupe, affirme la grand-mère de Georgia. Une bonne soupe contient des légumes, des nouilles, du bouillon de viande, des épices et de l'amour. Chaque ingrédient a son importance, sinon le potage ne serait pas aussi délicieux, aussi fortifiant.

La fillette admire la capacité de sa mamie à trouver une image précise qui ancre en son âme incarnée la sagesse des générations précédentes. Malgré l'âpreté de leurs conditions de vie, celle-ci trouve une parole encourageante pour chacun.

— Et c'est ainsi que nous gardons des dents si blanches, parce que nous ne craignons pas de sourire, du soleil levant à la brunante. Lorsque la journée est accomplie, nous savons au fond de notre âme qu'elle n'aurait pu être autrement belle et bien remplie ! précise-t-elle par ailleurs, avec une tendre force émanant de ses gestes affectueux.

Georgia a perdu sa mère quelques années plus tôt et son père n'est jamais revenu de la guerre. Parce que monsieur Terence leur a cédé un lot bordant la rivière en guise de bonne entente, elle demeure avec ses grands-parents près du lieu où l'âme de Rose veille sur eux. Affranchis de leur besogne servile, la petite famille s'est installée dans le hangar avoisinant un terrain à peine défriché pour une éventuelle plantation de café. D'anciens esclaves émancipés viennent en aide à la culture de la terre, reprise par les nouveaux occupants de ces lieux. Cependant, aucun papier officiel ne corrobore l'installation toujours précaire de ces gens. Aucun avocat n'a voulu prendre leur cause en litige avec l'ancien maître.

Dans l'œil des patrons, les Noirs n'ont pas changé, ils sont toujours les ressortissants de sauvages dont on a importé de force les talents de servitude. Car les Blancs ne côtoient pas les Noirs, ils les tolèrent autour d'eux, jamais à l'intérieur de leur espace vital. La loi nordiste de 1862, la *Homestead Act* régissant le partage de terres était destinée, croient ces propriétaires floridiens, aux explorateurs de l'ouest du Mississippi, à ceux qui désiraient coloniser un pays s'étendant désormais au-delà de la Louisiane, jusqu'au nord, mais certainement pas à eux! Les nouveaux colons peuvent bien prendre les terres laissées inoccupées par les Indiens entassés en Alabama. Ici, c'est différent, prétendent-ils, les lots devraient rester la propriété des descendants britanniques.

Quelle surprise de taille attendait ceux-ci lorsqu'en 1863, les nègres sont émancipés par le 13e amendement abolissant l'esclavage. Les sudistes blancs sont amers de leur défaite. Cependant, les règlements du président républicain Lincoln ne changent pas des habitudes centenaires. Les serviteurs, même s'ils avaient occupé avant eux ce territoire, ne sont pas les bienvenus dans leurs établissements ou dans les postes de gestion. S'ils désirent y mettre le pied, celui-ci reste bien souvent coincé dans une porte plus close qu'entrouverte. La fin de la Guerre de Sécession n'adoucit pas les relations entre ces deux communautés floridiennes.

À une exception près, la bourgade de Saint Augustine a toujours été une terre d'accueil et les tensions y sont moins importantes que dans d'autres régions. Chacun porte à sa façon la fierté de l'appartenance à cette ville historique. Et c'est en 1865 que Georgia, la fille unique de Rose, fête ses 4 ans alors que Saint Augustine prépare un 300e anniversaire pour souligner son fondement par l'amiral espagnol Pedro Menéndez de Avilés, le 28 août 1565. La ville est nommée en l'honneur de ce grand philosophe chrétien du 4e siècle après J.-C., Augustin d'Hippone, né sur l'actuelle terre d'Algérie, d'un père citoyen romain et d'une mère berbère ; comme si le métissage de ce grand homme allait présager l'amalgame des peaux de couleurs et de cultures complémentaires, quinze siècles plus tard, sur un très lointain continent d'outre-mer.

Trop jeune pour avoir connu l'asservissement, Georgia a le cœur léger et s'amuse à nourrir les oiseaux et cueillir les fleurs pour enjoliver leur demeure, encouragée par ses grands-parents. Elle porte autour du cou le pendentif de sa mère, en souvenir d'elle : un amalgame de mer et de terre, car un otolithe se mêle à une lanière de cuir où des pierres incrustées de barres semblent tenir lieu du passage du temps.

— Mon arrière-grand-père Taopé, rapporte son grand-père, racontait que ces pierres invitaient à la rencontre de la générosité de la nature. Comme les gazelles et les lions trouvent chacun leur espace vital, chaque famille choisit son lot en respectant les lois de la grande communauté. Honorant la variété des règnes vivants, des petits escargots comme des impressionnants oiseaux de proie, Georgia grandit dans la gratitude suscitée par ce sentiment d'abondance.

Les anciens propriétaires floridiens ne connaissent pas ce peuple nègre, ils ignorent la trame qui tisse leur destinée et nourrit leurs rêves, les ambitions qui font vibrer leur ventre et battre leur cœur. Ceci, de la même façon que les enfants ne sont pas en contact avec l'intimité de leurs parents. De tout temps, les enfants font leurs apprentissages de peines et de joies, de loisirs et de pensées animistes, souvent sans égard aux sentiments ou aux épreuves de leurs aïeux. Égocentriques, ils sont préoccupés par leur taille, leur apparence, leurs amis, leurs besoins immédiats.

Tandis que ces Nègres ont pris soin des émigrés européens, comme de bons parents. Ils les entendent penser, ils les voient agir, se blesser et blesser leurs amis, leurs époux, leurs partenaires en affaires, leur territoire. Ils les voient aussi aimer, bâtir, enfanter, planifier, négocier, regarder vers l'horizon de leurs terres en croyant que le monde se termine aux frontières tracées par ces colons. Les Blancs ne semblent chérir que le pourtour de leurs possessions. Comme si, dès leur arrivée en terre d'Amérique, le reste du monde avait été effacé de leur mémoire par une sorcellerie bien accommodante.

1881

Georgia a conquis son autonomie et est devenue une belle jeune femme vivant dans cet espace sauvage, au bord d'une rivière à apprivoiser. L'esprit de la jeune fille nommée en l'honneur de la terre d'accueil de son premier ancêtre est aujourd'hui préoccupé par l'attrait qu'exerce sur elle un beau jeune homme dont le père offre ses services comme maréchal ferrant dans leur ville côtière, une cité en croissance.

Son grand-père la donnera en mariage très tôt ; car ils sont trop courbaturés pour prendre soin d'elle comme ils l'ont fait après la mort de Rose. Ayant accompli leurs tâches au fil des ans, ils ont besoin d'une vaillante relève.

Le jeune Charles héritera d'emblée des arpents sauvages et fera fortune en vendant les peaux des alligators aux entrepreneurs manufacturiers. Il bâtira une énorme mansion qui servira à héberger leur progéniture, ainsi que les grands-parents jusqu'à leur dernier repos. La maison servira aussi d'auberge pour y accueillir les travailleurs de la ferme et les passants.

C'est dans cette maison que vivent Ray et Emma. Le frère et les deux sœurs de Ray y ont passé leur jeunesse ; et dans l'esprit de l'aîné des quatre enfants, la maison est destinée à Elijah comme seul fils de son frère encore sur place. Plus tard, il espère que les jeunes fils de ce neveu prendront à leur tour la relève du camping. C'est un vœu, non pas une directive. La jeunesse a des impératifs que la sagesse ne peut que constater, car l'avenir se conjugue dans la foulée des transformations. Peu malin celui qui oserait prédire de quoi sera composé le monde de demain !

***

L'air est immobile. Si bien qu'aucune feuille ne bruisse pour servir d'éventail à cet homme solitaire qui attend son taxi pour le terrain de golf. « Quinze minutes », avait précisé le répartiteur. Afin d'éviter l'insolation, Carlos se réfugie à l'intérieur de la boutique, soulagé par l'air conditionné qui rafraîchit sa peau moite. Il planifie un parcours en voiturette, ce qui rendra les 18 trous plus supportables en cette canicule estivale.

Son attention toute professionnelle en tant qu'ingénieur en bâtiments entraîne le balayage de ses yeux vers la finesse de la construction de cette maison centenaire. Typiquement américaine, datant de la fin du 19e siècle, il est quand même rare, se dit-il, de voir des boiseries et des poutres de chêne former la structure de base d'une épicerie, autant que l'édifice en bénéficiait. En gentleman, et dans la langue de l'hôte, il félicite le propriétaire d'avoir conservé le style original du manoir. Ray lui confirme qu'un effort collectif de ses ancêtres, aidés d'hommes de métier suivant la libération de leur statut d'esclaves, permit de bâtir cette grande maison devenue une auberge prospère. Il lui offre de visiter les lieux.

Carlos est admiratif : ce style gothique typique des maisons anglaises de l'époque élisabéthaine est simplement magnifique. Ray confie que la maison ne contient pas moins de huit pièces à l'étage, dont deux ont été converties en salles de bain pour le confort des locataires. De ces lieux d'aisance, il y en avait donc quatre en comptant celles du rez-de-chaussée où se trouve également la pièce des maîtres. Carlos fait le tour du salon double, de la bibliothèque dans laquelle Ray a établi son bureau, de l'immense cuisine, sans oublier les dépendances et les grands garde-manger qui permettent d'entreposer beaucoup de nourriture, élément qu'avaient prévu les bâtisseurs de l'époque, soucieux de conserver leur indépendance. Les fondations du bâtiment original datent de 1868, explique Ray, très heureux que le visiteur s'intéresse à l'histoire de son manoir. Celui-ci n'a-t-il pas résisté à près de cent cinquante ans d'intempéries ! Sa maison se dresse toujours aussi imposante et altière aux abords de cette rivière, prête à recevoir les membres de la famille qui doivent se déplacer de très loin pour revenir occasionnellement sur les pistes des souvenirs de leur jeunesse.

Pendant plus d'un demi-siècle, précise Ray pour répondre au ravissement de l'ingénieur, il a entretenu avec soin le demi-boisage du bâtiment servant de recouvrement extérieur afin d'en préserver la solidité. Intrigué également par l'aspect historique de l'acquisition, Carlos demande comment sa famille avait pu hériter d'un tel domaine. Ray lui raconte que cinq générations y ont vécu depuis que son arrière-grand-mère, Georgia, avait bénéficié de l'audace de ses grands-parents, celle d'entreprendre l'érection d'un gîte en ce lieu inexploité. La préservation du terrain est cependant due à la vaillance, au courage et à la clairvoyance de la lignée de ses ancêtres qui ont travaillé à la mise en valeur de ces terres hostiles et les ont rendues suffisamment prospères pour garantir la subsistance de leurs descendants.

— Vous êtes un expert dans la rénovation de bâtiments ? poursuit Carlos dans son inquisition, jetant un coup d'œil sur sa montre.

— Oh non, réplique Ray humblement, je ne reproduis que ce que mon père m'a appris à faire !

— Vous êtes privilégié de vivre dans un endroit aussi paradisiaque, ajoute Carlos.

— Oh ! Je suis né ici, et je vais mourir ici, si tel est mon sort. Je vivrai aussi longtemps qu'il le faut pour servir la création du Seigneur.

Carlos se sent mal à l'aise de cette évocation déiste. Il évite de prêter l'oreille à un sujet religieux alors qu'en réalité, son hôte avait l'intention simple d'ancrer cette bénédiction dans une prière familière. Ray n'a de religion que l'esprit de la nature. Percevant la gêne de son invité, le vieux dévie la conversation sur un thème apprécié des campeurs. Une façon de les apprivoiser.

— Moi, je suis un homme de la terre... elle circule dans mes veines si bien qu'il me semble avoir du sang indien ! dit-il en dérision ! Je crois bien en fait que j'ai hérité cette habileté de mon grand-père qui a aménagé les jardins délimitant l'espace entre la rivière et le camping. Il était précurseur dans la préservation des alligators, car il constatait avec justesse que ces bêtes couraient à leur extinction si on continuait à les tuer pour la valeur de leur peau. Il comprenait l'importance de l'équilibre des marais, bien avant que ne passe la loi sur l'interdiction de les chasser.

On ne connaît jamais intégralement l'histoire de nos ancêtres et la part d'héritage légué par leur courage. En blaguant, Ray s'étonne de son attrait pour la nature environnante et il attribue à son grand-père des connaissances horticoles qui ont été, bien avant celui-ci, transmises par son ancêtre Taopé. Ce savoir-faire s'est-il inscrit dans les gènes de ses descendants ? En tout cas, Ray en avait fait bon usage.

Devant le silence de Carlos qui s'impatientait de percevoir son taxi, Ray poursuit son idée sur la bénédiction ayant créé sa fortune : son mariage avec Emma.

— Je remercie tous les jours mes ancêtres et mon destin d'avoir rencontré l'amour sur mon passage ici-bas ! Elle se nomme Emma. Nous avons fêté notre cinquantième anniversaire de mariage l'an dernier !

— Félicitations ! Un léger pincement au cœur a dû trahir Carlos qui doute de plus en plus d'une longévité relationnelle avec Nathalie. Des indices physiques signalant la distance croissante entre les bons souvenirs et l'amertume croissante ; la dérive des sentiments, telle une brume se formant dans l'entrechoquement de courants chauds et froids au lever du jour.

— Ça vous rappelle quelque chose ?

— Oui, nos six premiers mois, je suppose.

— Ne vous en faites pas, toute relation a ses hauts et ses bas. Il faut passer à travers les temps plus durs. Prenez ces gâteaux avec vous pour manger entre deux parcours.

— Non merci, répond plus sèchement Carlos dont la patience a atteint ses limites et n'a plus que le désir de fuir ce lieu et ce questionnement.

Le taxi arrive lorsque Carlos a pourtant l'idée d'interroger le propriétaire à savoir s'il avait entendu parler d'une histoire mythique au sujet d'une femme qui aurait péri enchaînée dans les marais. Rose. Dans son souci de ne pas paraître morbide ou trop inquisiteur, il balaye cette pensée dans les dédales de l'oubli. En effet, la perspective de se divertir et de quitter cet endroit qui, bien qu'accueillant ne correspond pas à son idéal de vacances, amène son esprit ailleurs que dans un univers dramatique. Il ne tient pas compte d'une initiative qui aurait pu amorcer une trop pénible conversation qu'il n'aurait pas eu le temps de clore ; mais craignant surtout de paraître cinglé.

Quant à sa présence en Floride, son idée était déjà faite. Il n'allait pas gâcher son bien-être sportif à prévoir la réaction de Nathalie devant sa décision définitive de retourner au Québec. Soulagé par sa prise de position, Carlos entre dans le taxi. Il sent déjà sa tête dépouillée de toute préoccupation, comme on doit l'être sur un tertre de départ.

***

Carlos était silencieux à son retour du golf. En nettoyant ses bâtons, il a exprimé son désintérêt pour l'activité de méditation suggéré pour la soirée. Son estomac n'étant pas perturbé par son humeur, il avait mangé avec appétit le souper préparé cette fois par Samuel qui avait passé la dernière heure à griller d'appétissantes brochettes et des papillotes de légumes sur le feu de bois. Pendant ce temps, les femmes faisaient une sieste afin d'être totalement présentes à l'atelier du soir. Ils avaient été invités par Emma qui avait l'habitude de racler autour d'elle les gens susceptibles d'assister à l'animation de son neveu.

Quant à Elijah, il avait besoin d'une relâche à la suite d'une journée éprouvante. De la conversation avec son oncle mijotaient des conclusions avec lesquelles il devait faire la paix. Après s'être arrêté à un resto pour un souper rapide avec ses gars, il s'accorde du temps pour ranger des objets traînant dans son salon, placer les chaises, et installer en son cœur une paix intérieure afin de préparer l'allocution de la soirée. Il aime parler à son esprit guide. Aujourd'hui, en demandant une inspiration toute spéciale : « Fais un bel effort, belle conscience, pour éveiller ma lucidité », il fut surpris de l'enchaînement : « ... pour te réveiller des morts. » Ce sur quoi il pencha sa réflexion. Se réveiller des morts... C'est donc de cela que parle la Bible... à la fin des temps, tous seront éveillés. Il n'y aura plus de morts vivants comme nous sommes tous plus ou moins, inconscients de notre potentiel créatif ! Hypnotisés, comme le soulignait Ray. En attendant ce jour, chacun se réveille au rythme de son évolution personnelle. Nous sommes tous plus ou moins conscients de créer notre réalité. La résurrection des morts sera accomplie lorsque nous aurons accédé tous sans exception à notre plein potentiel. Celui de l'action motivée par la certitude que toutes les possibilités sont à la portée de notre imaginaire ! Alors le royaume des cieux exultera sur la planète Terre autant qu'il brille déjà caché dans l'écrin duveteux de notre cœur ! Le Verbe se sera fait chair... Intéressant !

La référence culturelle d'Elijah est celle de sa communauté religieuse, liée à la révélation par la Bible. Selon lui, l'homme nouveau doit interpréter le message divin à la lumière d'une compréhension moderne. Rassuré à la pensée que la fin de l'être humain sur Terre n'est pas pour demain, car cela prendra plusieurs millénaires pour que le potentiel créateur de l'humain se concrétise, il soupire de soulagement. Un nombre astronomique de générations sera requis pour qu'enfin, chaque être humain prenne sa responsabilité envers l'ensemble de la création physique ! Quelle destinée grandiose, s'enthousiasme-t-il ! Mais avec sagesse, Elijah choisit de n'exprimer aux participants de la soirée que la réflexion concernant son présent. Sachant que ses adeptes le trouvent déjà original, il craint d'en courroucer quelques-uns qui croient à des interprétations plus traditionnelles du livre saint, s'il basculait dans l'aspect métaphysique qui venait tout juste de germer en lui. Il prend comme mesure de discernement sa tante Emma qui désire encourager ses soirées d'animations, comme elle lui dit gentiment.

8

LA MAGIE

Voilà mon corps, inanimé…

Je prends soudainement conscience que je ne pourrai pas retourner vivre dans ce corps. C'est fini pour toujours ! J'ai saisi les leçons, on me fait signe que je dois entrer dans la Lumière.

Attends ! Je ne veux pas mourir. Je ne veux pas mourir ! Je veux retourner dans mes bottines ! Je veux me promener avec mon chien. Merci de votre accueil, j'ai bien aimé vous rencontrer vous tous en haut. Vous, Rose la jolie dame et tous les autres… vous avez vécu en votre temps, vous êtes morts. Vous êtes heureux ici. Je suis reconnaissant de cette venue et je vous laisse entre vous. Vous avez sûrement beaucoup de choses à vous raconter !

Moi ! Je ne suis pas prêt à quitter ma famille terrestre. Ces bottes pleines de boue, je veux les chausser, je veux tailler les fleurs et manger les petites baies sur mes arbustes. Je veux m'ébahir aux levers et aux couchers de soleil. Ce n'est pas juste ! Laissez-moi mourir doucement dans mon lit ! Plus tard, beaucoup plus tard ! Laissez-moi retourner en bas, laissez-moi dire aux gens que je les aime ! Je ne veux pas mourir comme ça ! Nooooon !

Sur ces nuages, je ne cesse de penser à ma femme. Ma douce, comme j'aimais la surnommer… quelquefois pour calmer mon caractère trop prompt, souvent pour me lover contre elle. Sa constance était mon moteur. Sans elle, ça aurait été l'immobilisme… avec elle, j'osais ! Nous aimions notre quotidien, sous toutes ses couleurs.

Je m'accroche à la trace de mes pas, à cette gadoue dans mes semelles, à cette odeur d'acacias et de foin dans les rebords de mon pantalon. Je ne veux pas que cela s'efface en poussière !

***

Une vingtaine de personnes prennent place dans la salle de réunion. Tous et toutes lèvent leur regard vers un homme et deux femmes blanches qui entrent timidement. L'animateur reconnaît les campeurs croisés chez Ray. Sa tante a dû leur donner les indications pour venir à la soirée. Et elle leur a prêté l'automobile pour se rendre en ville. Mais exceptionnellement, celle-ci s'excuse de son absence, laissant un message sur le répondeur de son neveu indiquant que son oncle, trop fatigué, a demandé à sa douce de demeurer près de lui ce soir.

Elijah accueille les trois nouveaux arrivés avec respect, comme il le fait pour tous ceux et celles qui se recueillent ici une fois par semaine. Des chandelles brûlent dans des bougeoirs entourant une statue du Bouddha rieur et invitent les gens à adopter une attitude de recueillement, de mise dans cette pièce.

L'année précédente, obligé par sa mère à assister au regroupement, un jeune garçon était accompagné d'une petite amie blanche. « Un rebelle » s'inquiétait sa mère, « mais c'est bien de son âge ! » Ils sont retournés d'eux-mêmes à plusieurs soirées avant d'aller travailler à Orlando, au complexe de Disney World. C'était leur rêve à tous deux de se fondre dans un lieu de joie où s'entremêle une multitude de gens de toutes les nations, avides de rouvrir leurs yeux et leur cœur d'enfant. Un lieu où grands et petits laissent surgir le plaisir léger de partager leur allégresse avec plusieurs autres personnes de tous âges et conditions physiques. Sur les bons mots d'Elijah, les gens reconnurent que dans leur évolution, ces jeunes adultes apportaient la foi dans la réalisation du plan divin sur la Terre. La concrétisation de leur projet les remplissait tous d'allégresse. Chacun doit prendre la responsabilité de vivre son rêve, échangeaient-ils entre eux, certains attendris, d'autres envieux. Le jeune couple quitta l'assemblée sous les encouragements du groupe.

Après avoir retiré leurs souliers, Samuel, Maude et Nathalie prennent place sur une chaise pliante. Ils sont fascinés par les teintes ivoire ou quelquefois pourpres de tissus dont on devine que la bordure dorée délimite les meubles de la maison. Le décor concède un aspect révérencieux à la salle.

Lorsque Samuel a entendu parler de cette soirée en jasant avec la sympathique madame James, il a cru bon d'en faire part aux femmes, car il les sait à la recherche d'un filon. Et jusqu'à aujourd'hui, une voie intérieure avait tracé leur chemin avec succès. C'était également donner un coup de pouce à ses souhaits d'un rapprochement avec Maude… et peut-être avec lui-même de surcroît.

Les chaises sont disposées en demi-cercle sur deux rangées et Elijah James s'assoit contre le mur, à côté d'une petite fontaine intérieure jonchée de fleurs de lotus. Des affiches de grands sages décorent les murs de même que les symboles populaires indiens ou amérindiens tels que le signe sanskrit *I Am*, des capteurs de rêves ou des toiles de mandalas. Il adresse la parole au cercle de gens lesquels, sous l'effet d'une musique planante, ont ralenti leur rythme cardiaque et ouvert leur esprit au message qu'il s'apprête à leur livrer.

— Mes amis, j'aimerais vous faire part de mes réflexions concernant une expérience vécue aujourd'hui même. En fait, il s'agit de la perte de mon emploi, de cet emploi que j'ai occupé toute ma vie adulte. Suivant mon partage, je vous proposerai de méditer sur ce sujet des expériences impromptues, de ces expériences susceptibles de représenter un tournant dans notre plan existentiel.

Elijah prend une grande respiration le liant à sa sagesse intérieure dans l'objectif de livrer un message significatif à son groupe. Il laisse son intuition favoriser les mots justes, ne critiquant aucunement le tapis de pensées qui se déroule sous l'influence de son imaginaire conceptuel. De façon pausée, il repère et suit le fil d'Ariane le conduisant à sa source divine.

— Il a d'abord été plus facile pour moi d'attribuer un blâme à la Vie pour cette situation humiliante et de m'inscrire comme victime d'une injustice. La liste mondiale des gens logeant à cette enseigne de contrariétés est très longue et finalement, je n'avais pas vraiment envie d'y être consigné.

Le groupe rit brièvement, réagissant avec retenue. Le sentiment d'injustice étant présent chez plusieurs, on se sent concerné par cette dernière affirmation.

— Honnêtement, j'avoue et je dois donc assumer le fait que mes pensées récentes voguaient du côté d'un arrêt d'emploi. Grâce à ce souhait sincère, j'ai conçu de prime abord qu'un changement était possible. J'imaginais avec bonheur que mes journées seraient remplies de félicité, désavouant l'effort déployé dans mon quotidien dont les tâches me pesaient de plus en plus.

L'aspect subit de cet événement dont je refusais la provocation enjoignait mon esprit à se plaindre. C'était plus fort que moi. J'avais le cœur serré. Mes émotions bouleversées, j'avais mal dans mon corps. Cela aurait dû être un indice que mes pensées étaient erronées. Que je nageais à contre-courant. J'ai beau travailler très fort et de façon quotidienne sur l'accès à ma lucidité, il n'empêche que je vis des doutes et des malaises, butant sur les défis que m'offre la Vie.

Après en avoir parlé avec mon oncle Ray et sondé plus profondément mes sentiments, j'ai dû reconnaître que je ressentais de l'insécurité... un manque de confiance en moi. Je sais pourtant que la plainte engendre une énergie de séparation, celle de cultiver le sentiment d'avoir raison sur l'autre, l'autre à qui on prête l'odieux d'avoir tort. Je croyais en effet que la Vie avait tort de m'imposer cet événement. Je m'illusionnais à la pensée d'avoir été vexé, frustré, privé de mérites. C'était me cantonner dans une position de supériorité qui, je le conçois maintenant, me réconfortait dans ma colère.

Je reconnais que des sentiments d'insécurité et d'attachement au connu me poussaient à retrouver cet emploi ou tout autre. J'ai vécu une désagréable panique. Je craignais le vide et le sentiment d'inutilité. Je craignais le manque. De qui, de quoi ? En fait, je tenais à cet emploi comme à une désignation m'octroyant un rôle social, lequel en surcroît me donnait le droit d'exister, en tant qu'homme, en tant que père de famille.

Ayant perdu mes parents lorsque j'étais très jeune, j'ai eu l'occasion de réfléchir longuement sur le sens du détachement. Après de nombreuses lectures, j'ai cultivé des changements profonds sur la manière d'interpréter les événements. Aujourd'hui, je constate que mon état extérieur est la manifestation de mon énergie intérieure.

En conséquence, je dois admettre que les événements actuels ont coexisté à mon désir que le cours de mon existence soit conforme à mes valeurs spirituelles. Sommes toutes, il est très allégeant de constater que les événements se profilent de façon à honorer nos vœux profonds. Elijah respire avec amplitude. Ainsi je définis la forme de ma pensée, ainsi elle s'actualise, ainsi je suis satisfait de mon identité. J'aime qui je suis, quelle que soit l'étape de ma transformation. Celle-ci n'est jamais parfaite, parce que l'équilibre est précaire, nous préparant constamment pour une nouvelle position.

J'aime et j'imagine, c'est mon droit inaliénable. Aucune altération de mes habitudes, aucune mort physique même, ne viendra déloger la divinité qui habite mon être et me bénit de son souffle, quelle que soit la forme empruntée. Celle-ci se manifeste dans les mouvements de ma pensée, dans mes émotions, dans mes gestes quotidiens qui eux, concrétisent l'être que j'incarne. Voilà le sens de ma liberté individuelle : suivre le courant ou le combattre. Mais alors, à quel prix ?

J'aime bien cette histoire qu'on raconte à propos des jeunes gens mayas aux siècles passés. Lorsque ceux-ci étaient prêts à s'engager dans un compagnonnage, ils devaient fredonner une mélodie. Du fond de leur cœur, ils reconnaissaient au chant émis le complément qu'ils cherchaient en l'autre. N'est-ce pas une histoire charmante qui parle de confiance dans le synchronisme des événements ? J'imagine que plusieurs d'entre vous se mettront à fredonner dès la sortie de notre soirée !

Cette fois, la complaisance module le senti de l'assistance. Samuel et Maude s'observent du coin de l'œil, interrogateurs quant à leur avenir mutuel. Fredonnent-ils une mélodie qui les rassemble, ou leur rencontre est-elle furtive, sans lendemains ? Sont-ils captifs du désir d'être amoureux, ou voient-ils en l'autre leur âme sœur ? Sont-ils sous l'emprise de l'attrait vers soi, ou sentent-ils l'élan de devenir le complément de l'autre ?

Nathalie, quant à elle, est non seulement envoûtée par la transparence et la fluidité des mots jaillissant de la bouche de l'animateur, mais elle est de plus ébahie à la vue de la statue de Maîtreya posée sur un socle entre deux fenêtres. N'avait-elle pas pigé cette carte de son jeu de tarot il y a quelques jours, comme octroi d'un guide transpersonnel, soutien de sa destinée ?

Elijah poursuit l'objet de sa réflexion.

— En ce début de 21e siècle, nous ne cessons d'entendre parler de l'absolue nécessité de considérer l'intégrité et le sens éthique comme base de toute action humaine. Ce qui n'est pas juste, ce qui est agi à l'avantage d'un seul, négligeant les besoins de la communauté, est repéré comme une fausse note dans l'harmonie universelle et immédiatement réajusté par une foule d'observateurs soucieux de leur bien-être et de celui de leur communauté. Les médias traditionnels ou récents sont les meilleurs chiens de garde de cet esprit universel, bien que notre discernement personnel soit toujours requis dans l'abondance des informations.

Il m'importe de reconnaître ma part de responsabilité dans le changement actuel. Cette modification de mes habitudes aurait pu être déclenchée par une maladie, par la perte d'un être cher, par une quelconque vicissitude qui aurait attiré mon attention sur un choix de réorientation personnelle en résonance avec mon être intérieur.

Est-ce que je dois craindre la route offerte par la Vie ? Non, je ne crois pas, car l'expérience est le chemin. La réussite personnelle ne consiste pas en la persistance vers un objectif tracé par soi ou un mentor, mais dans l'écoute de la voix intérieure… en harmonie avec la voie extérieure. Ces sœurs jumelles obéissent aux grandes lois universelles ; elles ne portent aucun jugement sur le bien-fondé d'une Force dont la destinée n'est élaborée que par ses seules qualités de Volonté, Intelligence et Amour.

Je suis reconnaissant d'avoir finalement accepté, non sans réticence, la perte de cet emploi comme faisant partie intégrante de ma réalité. Quelques grands hommes nous ont montré que l'intégrité est l'essence de notre nature humaine, je parle de Jésus-Christ, de Gautama Bouddha, de Gandhi, ou plus près de nous, de Nelson Mandela. Ce sont nos modèles. Humblement, ces géants ont cru en la valeur du service de leur voie intérieure, en équilibre avec l'accord divin. Faire confiance en la grandeur de notre âme est le signe de notre foi en l'humanité.

Il prend une courte pause. Une respiration plus profonde lui permet d'approfondir la transe. Elijah demeure connecté avec son âme, car il ne croit pas en l'avantage d'une possession de son corps par une entité ; il préfère exprimer la sagesse universelle à travers son entendement spirituel.

— J'ai compris aujourd'hui que cette prise de conscience est une étape à laquelle je dois accéder pour passer à un niveau supérieur de mon plein potentiel humain, soit le sentiment de Co-création. En étant responsable des événements que je vis, je suis le Co-créateur de mon monde.

Nous le sommes tous en fait, mais nous n'en sommes pas ou peu conscients étant donné le laps de temps requis pour que notre pensée se concrétise dans sa matérialisation. Mais avez-vous remarqué que le rythme du temps s'accélère ? Nous avons grand avantage à penser en paroles d'amour et de partage, ainsi qu'à laisser tomber les peurs illusoires. Le temps n'est plus à l'espoir d'un monde meilleur, mais dans la foi que ce que nous créons est la manifestation du cadeau de la Vie. Ce qu'on appelle le présent est un présent !

Il insiste sur ces dernières phrases et les répète, car elles constituent l'essentiel de son message : la foi de la manifestation divine dans nos vies.

— Une dernière histoire avant de terminer, elle est tirée de Rampa. En sortant d'une traversée aride dans le désert, un homme se repose sous un « arbre à souhaits ». Fatigué, il pense : combien ce serait voluptueux de faire un somme dans un lit moelleux. Aussitôt, il se retrouve étendu dans des draps de satin, lové dans ce lit désiré. Le comble du bonheur serait qu'une belle jeune femme masse mes jambes endolories. Aussitôt, son désir se réalise. Notant son pouvoir, il souhaite une table chargée de nourriture abondante et délicieuse. La table surgit et il se régale. Émerveillé par ces sensations extraordinaires, il se dit : « Je vais demeurer ici quelque temps, mais le pire serait qu'un tigre passe par ici pendant que je dors ! » Alors un tigre apparut et le dévora.

L'assemblée dans un état second ne répond plus par des manifestations extérieures et s'interroge sur la pertinence de leurs peurs et de leurs souhaits actuels. Une conclusion est livrée par Elijah qui s'apprête à laisser ses adeptes voguer sur la vague de leur dévotion méditative.

— Bien sûr, nous avons aussi les devoirs inhérents à cet immense privilège. Lorsque nous aurons maîtrisé notre pensée et sa matérialisation physique, lorsque nous aurons uni les parts de groupe et d'individualité, endossé la moralité, les lois et l'intégrité, nous serons prêts à passer à l'étape de la création d'une plénitude. Celle-ci se réalisera non sur la base de mérites personnels, mais sur notre conception de ce que nous désirons de l'avenir, par amour pour soi. C'est le bénéfice que je nous souhaite tous, unis dans un même Esprit universel.

L'animateur termine sur ces mots, témoins d'une promesse personnelle :

— Considérant l'importance que j'accorde à la sincérité, moi, Elijah James, je renouvelle ma foi dans le courant énergétique grâce auquel je Co-crée ma réalité. Je sais que « ce qui est », existe pour le meilleur de l'évolution planétaire et je remercie la Vie d'actualiser les événements nécessaires à la réalisation de mon potentiel intégral.

— Méditons.

La musique douce reprend sa cadence dans la salle, absorbée par les silences intérieurs. Les paupières scellées, Samuel, Maude et Nathalie laissent les images et les pensées émerger de leur belle âme avec laquelle ils sont entrés en contact intime. Celle-ci leur parle par les sensations d'un amour dans lequel ils se sentent lovés. Ils sont reconnaissants de contribuer à l'évolution universelle par le simple fait d'être là où ils sont.

Lorsque cesse la mélodie, Samuel et Maude se lèvent et quittent la salle. Le jeune couple, uni par le silence du cœur, fait signe à Nathalie qu'il désire mousser cette proximité par une manifestation physique à court terme. Nathalie acquiesce brièvement en demeurant centrée dans un calme profond. Grâce à ce recueillement, elle prolonge un rare sentiment de quiétude.

Les invités ayant remercié l'animateur et quitté la place, il ne reste dans cette enclave de sérénité qu'une femme avocate apaisée et un homme satisfait d'avoir ressenti en lui sa voix sacrée. La pièce est maintenant livrée à ces jeunes idéalistes qui se toisent comme s'ils s'étaient déjà connus dans un autre temps, une autre époque.

Elijah entame la conversation en constatant la profonde détente sur son visage. Il est attiré vers elle et elle vers lui comme des aimants qui ne peuvent s'opposer à la force qui les assemble. Ensemble, ils conversent jusqu'à très tard dans la nuit. Parlant du sens de l'évolution humaine, de la recherche d'un travail significatif, de la place de la spiritualité au quotidien, des transformations nécessaires, des déceptions et des joies, du synchronisme. Ah ! Le synchronisme, cet arrimage de rencontres atomiques qui crée une distinction révélatrice d'une vie pleine, à contrario d'une existence mécanique. Ils se regardent comme des êtres ébahis par le sentiment que leur rencontre revêt une importance cruciale.

***

Amère de sa récente brouille avec Carlos, Nathalie ressent le besoin d'en parler à Elijah. Son amie et confidente habituelle n'est pas disponible, car elle flotte dans un autre monde, celui de l'amour exalté, celui exprimant le plaisir de deux êtres enlacés.

La jeune avocate avoue qu'elle est déroutée dans plus d'un secteur. Outre le vacillement de son couple, elle ne croit pas que ses choix professionnels l'ont conduite à révéler le meilleur d'elle-même. Enfin personnellement, elle se sent quelque peu folle d'avoir suivi son intuition, sans que sa raison explique le sens de cette aventure. Cette pause méditative a tenu lieu de centrifugeuse des événements de ces dernières semaines.

Au petit matin, elle avait énuméré à cet homme qui animait son âme, les péripéties qui les avaient amenés dans le sud, tous les quatre, quittant le Québec pour aboutir au camping de Ray en ne comptant que sur la seule force du hasard, hormis quelques indices géographiques imaginés. La rencontre avec Samuel, le départ hâtif, la pluie en Virginie, le choix du camping, tout semblait destiné à la mener ici ce soir. Est-ce si fou ? C'est certainement irrationnel, à tout le moins insolite, ajoute-t-elle, devançant le verdict d'Elijah.

— Non, c'est OK, rassure Elly. Je crois qu'une grande logique cosmique nous dépasse dans l'étroitesse de notre inconscience individuelle.

— J'y crois aussi, ajoute Nat. Je suis médusée devant le déploiement du grand engrenage de l'aventure humaine.

Cela me donne le vertige et me fait l'effet d'une rétroaction, une répercussion qui force le réflexe de m'accrocher à du connu pour tenter d'en comprendre la portée. Je suis touchée par ton partage de la soirée. Comme toi, j'ai peur de perdre pied, souvent. Mais j'ai tout de même le sentiment que je suis ici pour quelque chose. Il faut croire en nos objectifs, ai-je appris. Sinon, le temps passe sans qu'on ait réalisé quoi que ce soit à laisser en partage ! Vrai ?

Elijah écoute défiler ces valeurs et ces craintes qu'il reconnaît aussi siennes. La Vie est parfois si cruelle et on a besoin d'un sentiment de réconciliation avec l'impétuosité de cette Grande Virtuose des compositions relationnelles. La connivence qui se dessine entre cette belle femme et lui stimule d'intenses émotions. Et percevant la quête de réassurance de Nathalie, il ressent le besoin de lui dire son admiration.

— Tous, nous avons un rôle à jouer sur la Terre. Des jours, j'y pense, d'autres jours, j'oublie l'essentiel dans le quotidien des tâches. Aujourd'hui, nous parlions justement mon oncle Ray et moi, de l'importance de sortir du cadre hypnotique des habitudes. Je trouve franchement que vous avez eu beaucoup de culot de partir sans destination précise ! Je suis heureux de te connaître Nathalie. Il ramasse ses mains fébriles, les hausse contre son cœur, puis regarde la campeuse dans ses magnifiques yeux bleus. Des femmes comme toi, déterminées au point de se rendre au bout de ses rêves, c'est rare comme une mine de diamants !

Nathalie sent ses viscères fondre dans son ventre. Son cœur fait mille tours à la seconde. L'attitude admirative de cet homme amène la rêveuse à lui parler plus précisément du contenu des deux imageries vécues ces derniers jours. Malgré le cumul de fatigue, elle se sent forte tout à coup. Elle défile les indices : la mort de cette jeune femme noire sous les crocs d'un alligator, sacrifiée par le frère de son amant contrarié par la générosité de ce dernier. L'époque de la Guerre de Sécession où s'est déroulé ce drame. La prise en charge de la fille aînée de Rose par les grands-parents exilés sur un morceau du lot dont la petite avait hérité grâce au testament de ce mécène pour qui l'amour avait outrepassé toute considération de rang social et d'attitude raciste.

En entendant le nom de Rose, Elijah eut un sursaut bien compréhensible. Rose était effectivement le nom de la mère de son aïeule. Il demanda à Nat si elle se souvenait du nom de son amant. *Stephen*, confie-t-elle. *Terence était son frère.*

Il l'entend ajouter des détails avec un sourire amusé. Il sait très bien qu'elle est au bon endroit. L'histoire de cette femme décédée d'un amour interdit, de cette terre dont ont été déshérités ses ancêtres, est un secret familial. Il attend la pause du discours de Nathalie qui a repris l'emballement qui la caractérise pour lui annoncer qu'il s'agit en fait de l'histoire de sa propre famille. Rose est l'arrière-grand-mère de son père et de Ray. Il lui montre le pendentif qu'il porte à son cou, un collier que lui a remis son père Willy, à lui, l'aîné des garçons. Elle est l'héritage du père de Rose qui l'a donné à sa petite fille Georgia, comme talisman de protection. Il y avait autrefois des pierres autour du lacet de cuir lui avait mentionné son père, mais lorsque petit, Elijah a joué avec ces cailloux, et les a perdus. Comme si cela indiquait qu'un chemin de peines prenait fin à sa génération. Comme si de nouveaux horizons allaient modifier la perception des événements.

— Ta quête peut s'arrêter ici, la rassure-t-il. L'esprit de Rose t'aura mené au bon endroit!

— Vraiment? C'est incroyable! Nathalie sent son cœur bondir de joie. Vraiment? Elle serre en retour ses mains dans les siennes et pense à ses compagnons de route. J'ai hâte d'en parler aux autres ! Dans son cœur en liesse, elle éprouve la force du sentiment de reconnaissance dont parlait Elijah durant son partage. Elle avait presque abandonné sa quête, mais la synchronie veillait à la maintenance de son rêve. Après avoir savouré la joie du succès, l'avocate professionnelle reprend la maîtrise de ses émotions. Elle se souvient de la prédiction de la voyante au sujet du vague notarial. Les papiers de la propriété sont-ils en règle ?

— Je n'en sais rien, répond-il en lui promettant de vérifier avec son oncle dès son retour à la ferme. C'est-à-dire dans quelques minutes.

Car les premiers reflets prometteurs d'une aurore resplendissante pointent à l'horizon, donnant aux maisons du quartier revêtues de stuc blanc de jolies teintes ocre et rosées. La fatigue envahit les nouveaux amis qui ne combattent plus la lourdeur de leur corps sans sommeil. Elijah a une autre chose importante à lui dire… mais assez d'émotions. Chemin faisant vers le camping, son cerveau fomente la façon de parler des intuitions de Nat à son oncle sceptique, lequel fait certainement sa marche à cette heure matinale le long des berges.

Nathalie savoure l'accompagnement d'Elly vers le terrain, toutefois sonnée par la somme des coïncidences ayant permis la validation de ses imageries. Sa tête vidée de tout neurone fonctionnel ne rêve plus que de s'étendre sur un oreiller douillet. Pourtant plus d'une surprise attend les deux nouveaux amis à leur arrivée au camping.

***

Au retour de la soirée de méditation, au lever du soleil, Nathalie trouve une note manuscrite sur son lit. Elle a d'abord peine à lire tant ses yeux plissent de lourdeur.

Mais le contenu du billet lui donne une douche froide. Elle reconnaît l'écriture saccadée de Carlos.

« Nathalie, mes vacances se terminent ici. Je rentre à la maison. Prends de bonnes décisions en ce qui nous concerne. Je te souhaite de trouver ce dont tu es à la recherche. Tu sais où m'appeler si tu le désires ! »

Samuel lui fait remarquer d'autres papiers épars sur la table.

— Carlos était absent de la roulotte lors de notre retour hier soir. Tiens, regarde, voilà aussi une note au sujet de l'heure de son vol ce matin. Il a dû dormir à un hôtel près de l'aéroport. Que décides-tu ? Que vas-tu faire ? s'informent en cœur Samuel et Maude entre deux draps.

Dans son sang-froid, Nathalie ressent un soulagement à l'annonce de la démission de son conjoint. Une longue inspiration profonde confirme le dégagement de sa poitrine. Elle réalise qu'elle ne veut plus de ces tiraillements liés à la désapprobation de l'autre. Il est évident qu'elle avait souvent peur de lui déplaire lorsqu'avec regret, elle devait tracer son chemin à l'encontre de ses attentes ; cette situation stressante ne lui convient plus.

— Je sens qu'il a bien fait, reconnaît-elle. Il me laisse mon espace de rêve et il part retrouver son confort quotidien. C'est OK. On ne peut pas toujours marcher main dans la main.

Maude ne veut pas croire en la résignation de son amie. Cela renforcerait sa désillusion sur la vie conjugale. La stabilité ? Oui, mais à quel prix ! Une frustration qui sera cause de disputes infernales pour un centimètre de pouvoir, sur un territoire restreint où chacun définit le couple à sa façon et impose à l'autre son mode d'emploi. Maude sait très bien, parce qu'elles vont occasionnellement jaser autour d'un café, combien il est difficile pour Nathalie de maintenir sa relation vivante, entre les vœux de Carlos et tous les autres rôles qu'elle joue, celui de mère de famille, de professionnelle... et aujourd'hui, celui de chercheuse de trésors. Son amie apprécie pourtant la présence de cet homme à ses côtés. Elle l'aime pour ses grandes qualités responsables et romantiques, mais il lui en coûte un espace de liberté que Maude, elle, ne voudrait nullement sacrifier.

— C'est vrai qu'il n'embarquait pas du tout dans ta folie à toi ! commente Maude. Tu ne lui en veux pas d'être retourné au Québec ?

— Non, pas du tout. Je le voyais tourner en rond et ça me fatiguait. Il voulait assister au 400e de la ville de Québec. C'est là qu'il ira sûrement, aux spectacles de Céline Dion et de Paul McCartney sur les Plaines d'Abraham ! Quant à moi, j'aurai davantage de temps pour m'occuper de mon projet. Sur ce, la frénésie monte dans ses veines et elle peine à retenir sa joie à l'idée de partager avec eux le succès de leur démarche. Mais la distinction est obscure entre la part de félicité reliée à la rencontre avec Elly et celle de la résolution du mystère Rose.

Samuel, grimaçant, la ramène à ses regrets :

— Aïe, ne me rappelle pas que ces concerts ont lieu à Québec ou je cours le retrouver !

Une seule mention d'une occasion ratée vire son capot à cent quatre-vingts degrés. Son bateau vogue toujours aux vents du hasard et il lui en faut peu pour se remettre en question. Cherchant un modèle réconciliateur, il se dit que beaucoup de Québécois se rendent en Floride pour calmer un rythme trépidant, pourquoi pas lui ? Y trouvera-t-il un gain personnel ? Il n'en sait rien. Confortablement moulé dans ses draps, Morphée le rappelle auprès de lui. Samuel met un casque d'écoute sur sa tête pour détourner de son attention ce brouhaha matinal et replonger dans l'espace paisible dont il a été privé par l'arrivée de Nat. Le sommeil est une cache, une fuite pratique, ressent-il, et il s'enfouit à nouveau dans le tourbillon de ses ondes alpha en relaxant sur les merveilleuses mélodies de l'album *L'aube des jours*, du compositeur Pierre Lescaut. Il croit perdre le fil de la réalité, mais il ne sait pas que le demi-sommeil est en fait un terreau privilégié pour que sa conscience souffle à ses sens de divins secrets.

Samuel somnole entre deux mondes, surfant sur les vagues du rêve éveillé. Un jeune enfant lui prend la main et l'amène sur une route de terre cahoteuse. *Tiens, il a les cheveux châtains et frisottés, tombant sur ses épaules, comme je les avais dans mon enfance !*, songe-t-il. Une vache broute l'herbe sur le bord du chemin et détourne le regard du rêveur. *Quelqu'un devrait la traire, ses pis sont gonflés au maximum*. Un sentiment d'abondance court en un faisceau d'énergie bienfaisante emplissant sa poitrine jusque vers son cœur. Le soleil, ce bienfaiteur constant, perce l'atmosphère au-dessus de leur tête et les enveloppe chaleureusement. L'allée est bordée d'arbres centenaires. Leurs feuilles verdoyantes bruissent au vent. Samuel lève les yeux au ciel pour percevoir l'astre bénéfique. Le bambin lui dit gentiment : « Il est midi, l'heure de l'envol. »

Un long bâton de bois jonche le sol. Pensant l'utiliser comme appui pour sa marche, Samuel le ramasse d'une main nonchalante et emboîte le pas. Son guide le retient et indique que cet objet noueux servira ici à tracer son cercle de vie. Il l'enjoint à marquer la terre d'une très large circonférence, tout autour d'eux. Dans son songe, Samuel s'exécute dubitatif, constatant que la route est longue, l'horizon lointain, et qu'il reste un long chemin à parcourir. Il n'a pas le temps pour des jeux d'enfants, juge-t-il, comparant cette condamnation à celle proclamée par Carlos au sujet de la quête des filles.

Soudain, du haut du ciel fonce vers eux un dragon argenté, battant des ailes dans un floc robuste. Le ventre trituré par la peur, Samuel se recroqueville et s'étonne de voir le géant animal se poser délicatement à leurs pieds dans les limites de ce tarmac improvisé. L'enfant amusé de sa couardise lui suggère de monter sur son dos. A-t-il le choix ? s'interroge le promeneur craintif, mimant amicalement une salutation de la main en signe d'adieu au petit. Samuel ressent dans son plexus autant de crainte que d'exaltation lorsque l'animal mythique s'élance pour quitter de son poids la plateforme terreuse. L'homme et sa monture montent tous deux vers les amas de nuages floconneux.

Bien campé en son flanc, s'accrochant aux écailles du mastodonte, Samuel trouve son aise pour admirer le paysage tout en bas. Ils croisent une magnifique chute d'eau se terminant en cascades scintillantes. La fraîcheur de l'air vivifie ses poumons d'ions négatifs ; il inspire à grandes bouffées l'air pur. L'animal mythique et son hôte dépassent les faîtes des plus hautes montagnes enneigées. Celles-ci sculptent le ciel comme les silences accordent un sens aux paroles de sagesse. Samuel admire, interloqué, les vallées, les crevasses, les pics abrupts des paysages surplombés.

La montée suit son cours, toujours plus haut ; toujours plus éclatante est la lumière du jour. Au loin, Samuel distingue maintenant un château aux tours majestueuses. Tandis que le dragon s'oriente vers son portail, la bâtisse étale son immensité aux yeux de l'apprenti. La bête dépose Samuel sur l'entrée pavée de pierres des champs. De gigantesques portes de bronze incrustées de personnages illustrant divers métiers s'ouvrent majestueusement.

Contrastant l'aspect imposant cette architecture médiévale, de joyeux petits lutins patinent de façon ludique sur le plancher marbré et invitent notre voyageur de l'univers onirique à arpenter quelques corridors longeant des cours intérieures aux parfums d'orange et de jasmin. Il lui semble mettre pied dans un monde de déjà-vu. *Ah oui ! C'est le château imaginé lors de ma méditation hier soir,* reconnaît-il maintenant.

Un brouhaha attire son attention quand dans une salle adjacente, des enfants jouent bruyamment. Celle-ci est vaste et remplie d'objets où ballons et trapèzes croisent bilboquets, diabolos et autres jeux d'adresse éparpillés sur un plancher de bois franc. Les gamins grimpent partout et paraissent très dissipés, sans limites parentales. Devant un foyer dont les flammes dansantes se reflètent sur le vernis des planches et siégeant sur un trône imposant, un personnage à longue barbe blanche, vêtu d'une robe aussi blanche à bordures dorées applaudit à l'arrivée de Samuel. Levant la tête haute pour mieux s'incliner, il lui dit avec déférence en désignant le siège vide : « Qu'attends-tu pour prendre ta place Samuel ? Tu es le maître de ton royaume, mais tu laisses des bambins régner et faire la loi. » Il hoche la tête de façon à marquer sa désapprobation.

Samuel se sent saisi par ce message. Il hésite à réagir. Il croit que ce sage homme serait mieux placé que lui pour rétablir les règles vertueuses du royaume. « J'habite déjà mon royaume », lui répond le mage, comme s'il lisait dans ses pensées.

— J'ai le sentiment d'avoir laissé tant de gens usurper ma place, répond Samuel en se dirigeant vers le trône. C'est bien MA place ?

— Ton nom est écrit en lettres incrustées au dossier. Est-ce bien toi, Samuel Roy ?

Le dénommé s'assoit enfin et trouve le coussin de velours très confortable. Dès qu'il pose ses bras sur les accoudoirs, la charge sur ses épaules se dissipe. Il respire amplement, bombant le torse.

— Bien, en tant que souverain, énonce-t-il, mon premier désir sera que mes vassaux soient heureux !

— Hum… Ainsi tu laisseras continuellement la place à ceux qui la voudront puisque cela contentera certaines personnes ! commente le sage.

— Euh non… Comment vais-je arrimer l'exaucement à mon expérience si tous ne sont pas heureux ?

— Que vas-tu retirer du bonheur des autres ?

— Je serai tranquille, personne ne requerra de services, personne ne subtilisera mon rôle pour accaparer mon domaine. Tous jouiront d'un état de béatitude. Cela me fera plaisir de les savoir enchantés. Personne ne me blâmera d'être égoïste. Et principalement, je ne me sentirai plus coupable de quoi que ce soit. C'est ça la félicité, vrai ?

Le sage couvre l'homme de bonne volonté d'une tendresse paternelle.

— C'est très louable Samuel, mais si les leçons de certaines gens mûrissaient grâce à l'expérience d'un malheur, qui es-tu pour les en priver ? Quelquefois, on apprécie la santé après avoir connu la maladie, la richesse après avoir connu la pauvreté, l'habileté physique après avoir connu l'immobilité.

— Comment saurais-je ce qui est bon pour les autres, car c'est moi le roi, j'ordonne !

— Tu es le roi de TON royaume, laisse les autres gérer le leur Samuel. Permets aux autres d'être les créateurs de leurs propres lois. Ce sera le plus beau cadeau que tu puisses leur offrir !

— Le cadeau de la liberté d'être ! réalise Samuel.

Dardant ses yeux des siens, le savant conclut : Alors, quel est ton vœu ? Si tu étais bon pour toi maintenant, que ferais-tu ?

Samuel fait le lien avec la question posée par Nathalie avant le départ ; celle-là rebondissait ici d'une consonance percutante. Faire des choix signifie qu'il ne doit pas compter sur des occasions hasardeuses. Sans la connotation émotive de la crainte d'un rejet d'autrui, tout est tellement plus clair.

Le routier se réveille sur ces paroles du sage. Le silence règne dans la cabine, car les filles ont quitté la roulotte. *Est-ce possible que le bonheur soit aussi simple que de répondre à cette unique question : que puis-je faire pour mon plaisir aujourd'hui ? Pour moi. Pour mon aisance. Si je vivais seul dans un château, je n'aurais que moi à plaire. Mais en compagnie d'autres personnes, comment vais-je concilier mes préférences et celles des autres ?* Tout en préparant son déjeuner, il songe à ce dilemme. *Ouais, pas si évident le contentement !*

9

UN ULTIME LEVER DE SOLEIL

À son arrivée au camping, Elijah s'est précipité à la maison de Ray, car devant la porte principale une voiture de police est stationnée de biais, comme si elle était arrivée en appel d'urgence. Il entre et aperçoit sa tante dans la cuisine. Elle est assise à sa grande table rectangulaire, vêtue d'une simple robe de chambre violette, épongeant ses yeux en larmes.

Elle trouve la force de se lever et se jette dans ses bras. Il lui caresse le dos, attendant un répit parmi ses sanglots. Avec courage, elle raconte les faits, comme elle les a déjà décrits aux policiers, et avant eux aux ambulanciers. Le chien de la famille l'a réveillée en aboyant sans cesse. Elle se doutait que quelque chose de grave était arrivé à Ray, lui qui était toujours accompagné de son fidèle ami lors de sa marche matinale. Encore ensommeillée, elle a crié à plusieurs reprises le nom de son mari, sans réponse. Emma a aussitôt composé le 911. *Les hommes ont trouvé Ray inanimé au bord du sentier*, ajoute-t-elle péniblement. *Il semble qu'il soit monté dans un arbre pour cueillir quelques fleurs et il serait tombé tête première sur une grosse racine. Il a dû subir une embolie pulmonaire ont présumé les ambulanciers.*

Aussi ému qu'elle, Elijah la serre chaleureusement. Il lui rappelle combien elle a été bonne pour son mari chéri. Et que Ray l'aimait beaucoup. Ces fleurs, il les avait certainement cueillies pour elle dans ses pensées. *Il nous manquera beaucoup*, l'assure-t-il en pleurant abondamment avec sa tendre tante.

***

La foule, la jeune femme et moi sommes dans la Lumière. Tous ont le regard dirigé vers moi, souriants. Ils semblent attendre que se dégage un sentiment que je suis vivant. Bien sûr que je suis vivant! Il n'y a aucun doute là-dessus. Je le ressens. Je ne suis plus dans ce corps matériel, mais j'existe bel et bien. Je perçois également cette réponse: « Nous le sommes tous autant que toi! » Tiens, la voix de l'« Amen! » a soufflé maintenant cette phrase « … tous autant que toi! »

Mais oui! C'était bien moi ce corps inanimé, étendu au pied de cet acacia, aux abords de ma rivière adorée. Emma, ma femme me disait: « Sois prudent! » Ah oui! J'étais un homme bien soutenu par une compagne aimante. Je pense à elle, et tiens, je la vois pleurer; je lis dans ses pensées. Elle souhaite que je l'amène avec moi; elle se sent déjà seule sans moi; elle pense que ce nous avons bâti ensemble n'aura plus de sens pour elle seule, suivant mon départ. Un ange lui souffle délicatement: « Emma, ce n'est pas ton temps. » Elle s'apprête à préparer de la nourriture pour la visite venue offrir de la sympathie et la réconforter.

Ah! J'ai gardé mon empathie en quittant ce corps! La douceur de sa voix ne s'est pas évanouie non plus! Je sens que nous sommes attachés par un sentiment qui s'est cultivé au fil des ans… le sentiment que nous ne pouvions vivre l'un sans l'autre! Voilà le sens de ces bottes dans lesquelles j'étais empêtré! Tant qu'elle pensera à moi… je serai lié à elle dans cet au-delà. Ces lacets symboliseront notre grande aventure.

Tiens, un personnage s'ajoute au lot d'ectoplasmes autour de moi. Celui-ci est différent, non pas que les autres soient identiques… mais il se dégage d'eux une affinité qui les rend familiers. Pas lui. Celui-ci est pla-

cide et une longue cape aux reflets bleutés recouvre sa tête de façon à projeter de l'ombre sur son visage.

Je me souviens de ce lieu envoûtant visité, ma douce et moi, lors d'un de nos deux voyages hors de notre ville natale. Un monastère, en Espagne, non loin de Madrid. Une église bâtie sous une colline, creusée dans le roc ! Quel lieu énigmatique ! Deux rangées latérales d'impressionnantes sculptures monastiques aux visages ombragés par leur cape, des êtres sans identité, qui enjoignaient les visiteurs au plus profond recueil. Je comprends mieux où cet artiste a puisé son inspiration. L'ambiance qu'insuffle ce spectre commande l'introspection. « Point n'est besoin de visage, reflet de l'ego », me dit-il, car il ne s'agit pas de lui, mais de moi, ici, maintenant.

Cet être de la pénombre incite à la vérité indéfectible du regard porté sur soi. Tout se passe en moins de temps qu'il en faut pour accueillir sa distinction, j'expérimente une revue des événements importants de ma vie passée. Fabuleux… Curieuse sensation de potentiel illimité, non encadré par un temps, mais comprenant le temps !

Accompagné de cet être sans traits distinctifs et pourtant si intensément compatissant, je revois cette enfance, souvent laissé à moi-même. Élevé par des parents très près de la nature, besognant très fort pour faire vivre leurs enfants. Une adolescence chargée de la survie familiale. Un mariage et… non, pas d'enfants… non merci. Pas d'arrêt au bar non plus, je ne serai pas comme mon père. Une entreprise, des clients, mes alligators, mes fleurs. Mais qui étais-je en fin de compte ? Un homme, ayant vécu à cette époque où l'éventail des possibilités était vaste, mais où peu de choses ont perturbé sa routine. Était-ce cela ma destinée ?

Aussitôt cette question posée, d'autres images s'imposent à moi. Je revois ma conception. Père et mère faisant l'amour dans un lit étroit, orné d'une tête en fer forgé, mon père par-dessus ma mère laquelle tient ses doigts agrippés aux minces barreaux torsadés, priant Dieu que la prise ne passe pas trop vite ! Pas trop vite… maman, si tu savais comme cela a eu un impact sur moi ! J'ai passé ma vie à ralentir le temps parce que j'avais l'impression que tout se passait trop vite. Je m'organisais pour que rien ne change, pour que le temps n'efface pas sur son passage les traces de ce qui a été. Je n'aimais pas les changements.

Il est beau finalement, ce couple de gens naïfs, comme s'il n'existait rien d'autre que leur présence mutuelle. Ensemble, ils ont constitué une marque originale laissant un sillon d'amour dans la lignée de leur clan. Je ne les avais jamais regardés sous cet angle. Normal ! Les enfants n'ont pas à espionner la chambre de leurs parents ! L'essentiel est présent sous la loupe de la compréhension. Tiens ! Cet être ombrageux était présent à ma conception. Nous étions nombreux lors de ce moment sacré !

Grâce au cordon éthérique qui me relie déjà à eux, je prend note que ce père voudra me transmettre ses vœux. Je fixe cet homme d'un regard attendri. Il pense, je le ressens, qu'il veut avoir plusieurs enfants pour prendre la relève de l'entreprise familiale. Il pourra se reposer sur eux, car il est déjà fatigué, usé par le labeur… et l'alcool. Je sais que je ne me sentirai jamais proche de lui. « C'est bien », souffle mon accompagnateur. Je dois « connaître ce qu'est l'absence de père », moi qui ai fait vivre tant de fois, à tant de familles, la privation d'un père par les nombreuses guerres que je croyais avoir gagnées à travers de multiples incarnations. En fait, je ne gagnais pas ces guerres, je ne gagnais que la sensation d'avoir pris du pouvoir aux dépens d'autres libertés conquises. Mon karma aura été celui de vivre ce qu'est un père, bon et aimant, en n'ayant pas d'enfants moi-même, mais en prenant soin de ceux que d'autres auront dû abandonner en cours de route.

Ouais, je comprends. Je comprends et je me pardonne. La compassion de mon compagnon pénètre mon cœur. Je remercie cette existence pour les leçons qu'elle a incrustées dans mon bagage expérientiel. En levant les yeux vers la foule diaphane, je le vois. Le voilà, ce fier guerrier romain. Il me regarde. Il a compris lui aussi. Ses yeux implorent un pardon… aussitôt accordé, car il est clair qu'il ne savait pas mieux, que nous ne savions pas mieux. Il a bien joué son rôle. Il m'a permis de ressentir la force du don de moi. J'ai eu le sentiment de dépasser les limites de mon statut social. Je n'ai pas réussi à clarifier les papiers légaux du domaine, mais ce n'était pas à moi de le faire. Je me pardonne enfin.

Je demande également pardon à ce guerrier, pour l'avoir attiré à moi afin de mieux saisir que la Source divine coule dans la création. La destruction haineuse étant une erreur parfaite. Il arbore un sourire illuminé par des yeux de profonde reconnaissance. Ma prise de conscience a autant de valeur pour lui que pour moi. D'autres personnages de notre jeu d'âmes avaient besoin de vivre les expériences d'abandon, de lâcher-prise, de sauveurs, ou de victimes. Je les remercie tous. Mon cœur déborde d'amour !

Voilà ! Ces gens autour de moi sont le souffle d'un grand esprit ; une myriade d'êtres reflétant la matérialisation de cet être, une multitude de facettes aussi brillantes les unes que les autres, si diverses et colorées. En fait, j'existe dans différentes ères, dans différentes âmes.

Mon accompagnateur me fait signe de terminer ma révision.

Ah oui, j'en étais à ma mère, elle sera mon modèle de patience, d'abnégation. Je choisirai une femme, une compagne qui lui ressemblera, afin de rappeler à moi le destin qui m'est dévolu, celui d'accueillir des cœurs en détresse, de partager avec eux le sens du respect. Ce n'est que ma conception, je ne sais pas si j'honorerai mon entente en étant cultivateur, missionnaire ou inventeur. Je suis un bébé qui naîtra dans neuf mois, j'aurai neuf mois pour commencer à apprendre les premiers rudiments du mode communicatif de ce monde. Je perçois déjà cela comme menaçant, car je sais que je vivrai des manques.

À ce dernier mot, je devine le message de mon accompagnateur. Je comprends que c'est bien parce que je perçois ce monde comme étant hostile, que je vais mettre pied dans cet endroit et cette époque-ci. Il ne manquait tout de même pas de lieux et d'âges sur Terre pour vivre une expérience de ce type ! Mais cette vie-ci était la plus fertile puisque vécue dans l'amour.

Le bilan de l'après-vie indique par ailleurs, j'en ai maintenant la certitude, que cette incarnation a injecté dans mon ADN le sentiment que les choses peuvent changer lorsqu'on y met de la volonté. Ouais, je constate que j'ai eu mauvais caractère et impatience plus que de raison, mais la douceur de ma femme m'a ramené avec constance à mon devoir de prendre soin de mes protégés. Je suis reconnaissant à la Vie d'avoir ressenti la valeur de mes gestes, à travers les soins que je prodiguais à mes semblables, mais aussi aux animaux et à la nature. Je constate que l'Amour divin m'habitait. Je n'ai eu aucun besoin de recourir à une violence pour faire pousser les plantes ou faire venir à moi la clientèle nécessaire au maintien de mon entreprise.

J'envoie un rayon d'amour à ma femme. Je lui dis que je l'aime. Elle ne m'entend plus avec les oreilles de son incarnation, mais je sais qu'elle me sent présent auprès d'elle. Elle rêvera à moi cette nuit et je lui parlerai dans le creux de son cœur. Nous serons proches, nos énergies se mêleront subtilement, pour revivre la félicité qui nous est si chère. Elle désire me garder auprès d'elle. J'ai du temps, en abondance. Je comprends que c'est elle et moi qui créons ce temps, dans cet espace imaginaire.

***

Les occupants du camping sont en émoi à l'annonce du décès du propriétaire. Plusieurs villégiateurs ont choisi de quitter le terrain sur-le-champ, ayant le souci d'accorder un temps de repos à la famille. De plus, accident et deuil ne riment pas avec vacances et plaisirs. Et, au fait, on s'inquiète : qui sera le gardien des alligators après le décès du maître de ces lieux ?

Ceux qui y demeurent sont des sympathisants qui ont eu l'occasion de jaser avec Ray, un peu à leur sujet et beaucoup sur les connaissances de l'ancêtre. L'âme de cette entreprise survivra à celui qui a mis en chaque buisson, en chaque planche de clôture ou de bâtiment, sa touche personnelle. Ces gens désirent être présents aux obsèques. Une façon d'honorer et d'accompagner ses proches dans leurs adieux.

Samuel a besoin de marcher et il emprunte le chemin qui mène le long de la rivière. C'est sa façon de se connecter avec l'inspiration de cet homme, disparu trop tôt. Car il aurait aimé le connaître et lui poser quelques questions en ce qui concerne ce lieu historique, point d'arrivée de leur quête. Tant de quiétude et de joie émanaient de ses yeux, si pétillants malgré les rides, malgré les courbatures de son corps. La qualité d'accueil de ce couple était chose rarement trouvée en voyage. *Pauvre madame James!* pense Sam en lui envoyant par l'entremise de ses pensées des vœux de courage.

Le pèlerin ramasse un bâton de marche, comme dans son rêve éveillé, ressuscitant dans sa mémoire les images fortes de sa fantaisie matinale. Il descend la petite côte vers le rivage et suit le chemin qu'empruntait Ray lors de ses promenades matinales. Dès l'épicerie dépassée, il est aperçu par Nathalie qui n'avait pas ouvert son portefeuille encore en main pour payer les denrées. Elle l'entrevoit à travers les haies d'hibiscus et court le joindre.

Interrompant sans permission le flot de ses pensées, elle envahit son silence. Nat ressentait le besoin de s'excuser pour les paroles sarcastiques lancées au début de leur rencontre. *Paradoxal!* remarque Samuel. Mais, bon, puisqu'il est dans un état de réceptivité, il acquiesce simplement et la remercie de sa considération.

Nathalie entreprend le sentier à ses côtés. Essoufflée par le cours des événements, elle lui parle des révélations d'Elijah au sujet de Rose. Sans lui permettre d'exprimer son étonnement, Nathalie accapare le bras gauche du promeneur et se penche vers lui, inquisitrice. Elle est préoccupée par le départ soudain de Carlos et veut comprendre ce qui a poussé celui-ci à décamper, alors qu'elle croyait sincèrement qu'après l'épisode de remise en question à Myrtle Beach, et une fois remis en route tous les quatre, son conjoint l'accompagnerait jusqu'au bout dans son périple. Elle est fâchée qu'il ne soit pas là pour se réjouir avec elle du terme de leur mission. Ou plus sincèrement, elle aurait senti une satisfaction à justifier ce branle-bas exigé à ses compagnons de route.

Projetant des idées préconçues, elle espère que la partie masculine de Samuel saura lui révéler des choses que son intuition féminine ne peut entrevoir ! Carlos et lui n'ont-ils pas amorcé une amitié pendant ce voyage ? N'auraient-ils pas partagé certaines confidences dont elle aimerait bien hériter afin d'expliquer sa démission. La femme autonome comprend la dissension actuelle de leur couple : des besoins divergents, un mauvais synchronisme, la recherche d'espaces personnels. Mais son appétit utopiste aurait voulu cumuler en Carlos tant un père qu'un prince charmant. Que s'est-il donc passé dans la tête de son conjoint pour que celui-ci retire ce soutien ? Elle le mitraille de ses interrogations.

— Sam, selon toi, pourquoi Carlos a-t-il déguerpi si soudainement ? A-t-il été frustré par quelque sentiment avant la soirée de méditation ? Et songeant à l'étrange affection pour Elly, elle ajoute sans autres détails : a-t-il ressenti que je me détachais de lui ?

— Nathalie, je ne me perdrai pas dans de savantes explications, surtout pas dans cette dernière à propos du détachement ! Vois-tu, selon moi, il n'y a rien d'autre que ce que Carlos t'a présenté. Ses intérêts ne concordaient pas avec les tiens cet été. Rien de plus.

— C'est tout ? Vous n'êtes pas compliqué, vous les hommes ! Vous ne sentez pas le besoin de vous justifier. Ça ne vous convient pas, alors « ciao bella ! », on laisse tomber la belle !

— « Ciao bella » comme tu dis, oui, ajoute Samuel en repensant aux mots semblables qu'utilisait Carlos, lorsqu'il se sentait contre la porte de sortie. Ils ont quand même un imaginaire commun ces deux-là ! constate-t-il. Tu es une grande fille, Nathalie. Poursuis tes activités, laisse-lui les siennes. Est-ce que ce n'est pas vers Maude que tu t'es tournée pour qu'elle t'appuie dans cette histoire ?

Nathalie est confondue ; en tant que femme professionnelle, elle paraît très assurée... et elle l'est... autant qu'on paraisse l'être, car on a tous en nous de terrifiantes images qui ébranlent notre sentiment de sécurité. Et elle avait contacté plus d'une part de terreur ces derniers jours ! Peut-être n'a-t-elle pas exprimé à Carlos l'importance qu'il représentait à ses yeux ? Sincèrement non, se convainct-elle. Carlos et elle vivent une complicité, oui, mais plus organisationnelle qu'émotive. Il est normal que la sachant en sécurité, il se préoccupe de ses propres besoins, la laissant à ce qu'il perçoit comme une fantaisie. Elle avoue enfin que c'était peut-être un caprice fort égoïste de désirer le retenir près d'elle. Repensant à l'intensité de sa rencontre avec Elly, elle se félicite de ce vide, permettant à son cœur de s'ébattre.

— Carlos ne comprend pas la portée de ma recherche intérieure. C'est le talon d'Achille de notre couple, analyse-t-elle sèchement.

— Nat, tu peux envoyer un message texte, ou vous aurez une discussion à ton retour. Je ne crois pas qu'il t'entretiendra longtemps sur ce sujet.

— Comme s'il n'avait pas à s'excuser... poursuit-elle en mordant ses mots et recherchant l'assentiment de Sam.

Cette dose d'agressivité revendicatrice donne du jus à Samuel qui opte pour un brin de vérité. Depuis la première rencontre chez Maude, il s'est passé tant de situations où il n'a pas rétorqué à ses affirmations. Mais il a retenu la leçon du sage, celle d'oser davantage. Car les mots n'auraient pas besoin d'être ressassés sans cesse dans sa caboche déjà débordante de « j'aurais dû » s'il exprimait clairement sa pensée.

— Tu veux que je te dise franchement, Nathalie ? Étant donné que tu prends la peine de me poser la question...

— Oui, bien sûr, Sam, donne-moi ton avis, on verra bien.

L'homme est d'autant plus décidé à donner son avis qu'elle lui répond de façon condescendante. Il révèle sèchement ce qu'il pense de son manque de complicité vis-à-vis de son conjoint. Et notant au passage que cela n'est pas aussi difficile qu'il le croyait, il s'en félicite. Est-ce qu'enfin il prendrait sa place? Qu'importe ce qu'il en résultera?

— C'est simple, Nathalie, en résumé : as-tu seulement pensé à consulter Carlos en ce qui concerne le voyage? À ce rythme où tu inities mille projets, dans une dispersion totale d'année en année, je ne crois pas que vous fêterez vos cinq ans d'union conjugale.

Nathalie ne s'attendait pas à un jugement qui la condamnerait aussi sévèrement.

— Que veux-tu dire par là? répond-elle, prenant une distance physique avec lui.

Par son recul, Samuel se sent soulagé d'un poids. Était-ce causé par son affirmation ou par la liberté que lui rend Nathalie? De fait, le premier a causé le second, remarque-t-il, de quoi consolider sa nouvelle attitude assertive.

— Il me semble que tu négliges les attentes de Carlos. Est-ce qu'il ne t'a pas dit que cette promenade n'est pas son genre de vacances?

— Comment peux-tu me juger, toi qui ne me vois pas besogner dans la maison pour lui, pour les enfants, pour mon travail... je passe l'année à assurer son confort, voir à ses besoins... je n'ai pas à les nommer... je suis à son service à longueur de jour ; il me semble normal que ce soit lui qui m'appuie pendant deux petites semaines?

Percevant le froissement d'une accusée sur la défensive, Samuel adoucit ses propos.

— Ne te fâche pas Nat, tu voulais avoir mon opinion, c'est tout ! Carlos avait peut-être envie de penser à lui. Il n'était pas sur la même longueur d'onde que toi cette fois.

Non, en effet, pense l'exploratrice, alors qu'elle se sent vexée, tant l'affirmation de Sam potentialise le sentiment de rejet creusé par la décision de son conjoint.

— J'estime, regrette-t-elle, que Carlos ne prend pas du tout au sérieux mes préoccupations existentielles. La complicité ne constitue-t-elle pas une valeur de base dans un couple ?

— Tu pourrais aussi cautionner ses choix à lui ? relance Sam.

Nathalie ressent un fort sentiment de solitude et son cœur vacille. *Du déjà-vu*, vit-elle. *Je suis délaissée. Mon conjoint entache de son absence le partage de ma joie.* Elle allait céder à une mélancolie dépressive lorsque ses réflexions sont soudainement interrompues par une odeur étrange. Un frisson glacial la fait frémir.

***

Enceinte dans sa tunique romaine, je la reconnais maintenant, douce et légère sur son nuage évanescent. Ces yeux rieurs, je les ai vus dans mon miroir, chaque fois que je disais bonjour au soleil levant. Comme un air de famille ! Bien sûr.

Rose. Mon aïeule. La femme que Georgia, mon arrière-grand-mère n'a connue que quelques années avant de perdre sa pauvre mère. Rose me dit que sa fille aînée a été prise en élève par ses parents. Ceux-ci se sont installés là où ils pouvaient se réfugier : sur les terres marécageuses dont le frère de Stephen ne voulait pas. Par accoutumance, cet espacement est devenu leur lot. Personne n'a voulu remuer cette cause en Cour de droit ne sachant pas ce qui allait en advenir. Elle se sent triste de m'avoir coincé dans cette situation confuse au sujet du lien de propriété.

Rose attend de moi un signe compatissant. Je suis si usé et pourtant, je me sens comme un jeune enfant auprès d'elle. Mon cœur s'ouvre et brûle d'amour. Il déborde et explose de joie chaleureuse. Vers elle, et par extension, vers les âmes ici présentes.

Sur Terre, quand j'aimais, je ressentais ce rayon d'amour, mon cœur s'ouvrait pour rayonner son énergie vers celui de ma femme. Mon visage resplendissait du contentement de l'homme fortuné. Qu'il m'était exquis que son sourire réponde à ma reconnaissance ! Ici, je ressens les couleurs vives qui émanent des êtres. C'est le mode de communication entre nous, la nourriture spirituelle qui nous anime. Ça, et le chant des sphères célestes qui vibre sur des étincelles d'ondes créatrices.

Ne crains rien Rose. J'ai été très heureux sur ces terres ; car avec ma femme, j'ai fait fructifier ce legs au meilleur de mes capacités. J'ai beaucoup appris à côtoyer la nature, dans sa richesse et ses dangers. J'ai appris qu'il était possible de donner autant que de recevoir, que l'équilibre est parfait. J'ai même aimé ces bêtes qui t'ont un jour ravi ! Ne leur en veut pas. Pardonnons à ceux qui agissent sans souci de l'autre. Un grand sage a un jour énoncé : « Ils ne savent pas ce qu'ils font. » C'est malheureusement notre sort commun. Je comprends que mon prochain défi sera d'augmenter mon niveau de conscience. Je vais reconnecter à travers une famille qui va me combler d'amour, car j'ai connu le bienfait de cet état. Je vais dorénavant grandir à travers le bien que je ferai. Je n'aurai plus besoin de vivre ou de faire vivre le manque. Je réalise que la Vie est abondance dans chaque étincelle de mes molécules divines.

Le bonheur est léger.

À la mort de mon frère, je me suis consacré au défi qui m'était imparti. Prendre soin de mes neveux m'a amené à cultiver le sens des responsabilités. Merci, mon frère. Je suis désolé que tu sois décédé si tôt. Pardonne-moi. Comme nous, tu as suivi la voie inscrite dans la grande mécanique du sens caché. Je t'aime.

***

— Attends ! Attends ! dit soudain Nathalie, le souffle retenu et le regard fixe. Ne sens-tu pas ce que je ressens ? Regarde, elle lui montre ses bras dénudés, j'ai la chair de poule.

Effectivement, Samuel regarde les bras de Nat et malgré la chaleur de l'après-midi, ses poils sont hérissés et son ventre sursaute de spasmes irréguliers. Elle a même blêmi, suffisamment pour qu'il prenne peur lui-même.

— Que se passe-t-il ?

Nathalie ne sait que répondre. Elle ne peut que décrire les réactions de son corps. Comme si elle revivait un événement d'une intensité semblable à celles vécues lors des imageries.

— Aïe, mes jambes sont molles, j'ai de la difficulté à respirer. Je crois que je vais m'évanouir… est-ce moi, ou bien… est-ce que je capte en ces lieux ce que Ray ressentait ce matin ? Je ne sais plus distinguer.

— Nathalie, arrête ça. Ne joue pas avec ces émotions. La situation au camping est assez pénible comme ça !

— Je suis étourdie, Sam, aide-moi ! dit-elle en mettant la main sur son cœur affolé.

— Nathalie ! Tu veux regagner la roulotte ? Vas-y. Moi je planifiais une longue marche.

— Non Sam. Ne me laisse pas. Je ne me sens pas bien. C'est comme si un étau me serrait. Je n'arrive plus à bouger.

— Vraiment?

Samuel fixe la plaignante avec beaucoup de scepticisme. À quel jeu joue-t-elle maintenant? Fait-elle une crise d'hystérie pour que ses bras à lui remplacent ceux de Carlos? Il ignorait qu'elle possédait cette habileté de comédienne. Il l'observe comme on fixe une fine manipulatrice, ne sachant pas si on doit s'en approcher ou s'en dissocier.

***

Il n'entend plus la musique séraphique. Il ne ressent plus le velours de l'éther. Il n'est plus séduit par le sourire de son hôtesse. Il est sourd aux propositions de son accompagnateur. Il laisse ses bottes retomber au sol. Elles s'enfoncent dans les volutes de nuages comme dans un sable mouvant. Bientôt, il n'y a plus aucune trace du désir de revenir sur ses pas.

Ray sait que le changement de vibrations signifie qu'il ne vivra plus à travers ce corps dont il s'est départi. Il ne dormira plus auprès de sa douce Emma qu'il aimait tant. Il ne lui apportera plus de fleurs pour orner la table d'entrée, la cuisine ou leur chambre à coucher. Il n'a plus qu'un flash de ce qu'est la caresse tendre du bonjour matinal.

Emma, pardonne-moi. J'ai été bien souvent un homme égoïste qui ne pensait qu'à sa terre, ses animaux, sa clientèle à servir. J'ai été bien peu présent à ton désir de voyager et de voir d'autres continents. Oui, une fois, nous avons traversé l'Atlantique sur ton insistance. Si tu me voyais aujourd'hui me déplaçant plus vite que l'éclair! Moi qui n'osais pas quitter le précieux bien, hé-

rité de mes ancêtres ; j'étais si préoccupé à l'entretenir de crainte d'en être dépossédé. Merci pour ton soutien, pour ta bienveillance. Merci d'avoir accepté mes choix.

Je reconnais ne pas avoir eu le courage de faire face à George Smith pour régler les papiers que mon père m'avait demandé d'authentifier. Je le lui avais pourtant promis avant son dernier souffle. Il ne faut jamais prendre le relais de pareils contrats. Cela a empoisonné ma vitalité ; j'y pensais souvent au début de notre mariage. Prématurément, j'ai enterré la promesse avec mon frère. J'y ai aussi enfoui mon courage de changer des choses. Je savais dans le fond que je ne serais jamais capable de faire valoir nos droits. Prendre soin des bêtes était plus facile pour moi que de m'occuper des paperasses administratives, tu en sais quelque chose !

Bah ! Ne t'en fais pas ! Les prochaines générations sont là pour terminer ce qu'ont amorcé les précédentes ; ce n'est qu'une question de rythme. Mon père n'avait pas réussi non plus à faire valoir les droits de la famille. Les limites sont là et définissent le sort de nos défis. Cela est. Je ne suis pas amer. Je suis même soulagé. J'ai confiance qu'une chose existe pour une raison parfaite avec laquelle nous ne sommes pas toujours en contact. Du haut de mon amour, je le vois bien. Je peux te répéter que tout est parfait dans le grand plan divin.

Je vais veiller sur toi, Emma. Tu voyageras, avec tes sœurs. Je sais que tu te diras combien j'aurais aimé voir avec toi les cieux bleus de la Grèce, ou les plages ensoleillées des Caraïbes. Mais tu sauras dans ton cœur que rien ne me faisait plus plaisir que de te revoir à la cuisine lorsque je revenais de mes promenades matinales, ou lorsque nous admirions ensemble les couchers de soleil à la fin d'une journée bien remplie.

Profite de ces années qu'il te reste ma douce compagne terrestre ! Rose me dit que tu n'auras pas de soucis financiers. Cela ira bien pour toi, nous y veillons avec amour.

Lorsque tu me joindras, nous pourrons enfin résilier ce contrat qui nous unissait. Et tu seras d'une éternité avec moi, avec nous, dans un même esprit d'amour universel.

Nous t'aimons.

***

Nathalie se cramponne à nouveau, et de plus en plus fort, au bras de Samuel interloqué. Elle l'empêche d'avancer et il ne sait que faire de sa stupeur.

— Je... je sens une présence... il y a cette brise qui fait écarter les roseaux, il n'y en avait pas il y a quelques secondes à peine. Regarde, elle prend de l'ampleur autour de nous.

Effectivement, remarque-t-il, le bruissement de feuilles s'intensifie. Ça peut arriver. Par contre, de grosses larmes coulent sur les joues de l'esprit paniqué de Nat. Elle est loin de son image de femme forte, pense Samuel. Est-ce cela une imagerie ? Comme elle en a vécu avec Maude ? En ce sens, quel cinéma !

— Aide-moi Samuel, ça ne va pas. Je ne veux pas rester ici. J'ai l'impression de connaître ces lieux. J'ai un mauvais pressentiment. Tu ne ressens rien ?

— Qu'est-ce que je devrais ressentir ?

— Sam... là-bas !... Juste avant le coude du sentier ! Elle lève le bras et indique quelque chose devant eux : une ombre blanche agite une oriflamme de façon à tracer un X sur la voie.

— Vois-tu ce que je vois ? L'ombre blanche indique de rebrousser chemin.

— Une ombre blanche? Il n'apercevait rien. Mais il était tout ouïe. Ce scénario d'épouvante dépassait les pouvoirs de son imagination!

— Oui, Sam, c'est le proprio du camping, celui qui nous a accueillis il y a quelques jours, celui, elle avale sa salive... qui est mort ce matin.

À ces mots, Samuel tourne les yeux dans toutes les directions, des fois que... Eh oui, tout d'un coup, à quelque trente mètres d'eux, un énorme alligator est tapi entre les joncs. Il ouvre la gueule et ses courtes pattes le propulsent soudainement vers eux. Nathalie fige, la bouche ouverte, les yeux écarquillés. Elle n'arrive même pas à crier. Pas un seul de ses muscles ne répond à la secousse que lui inflige Samuel qui se libère de son bras désirant augmenter l'ampleur de ses gestes afin de les tirer de ce mauvais pas. Un nœud se resserre dans leur poitrine, mais la peur injecte de l'adrénaline dans les réflexes de Samuel qui utilise son bâton de marche comme javelot en le lançant au fond de la gorge du reptile alors qu'il est à bout portant. Pendant que la bête se débat avec ce dard inopiné, secouant violemment la tête d'un côté et de l'autre, les deux comparses fuient la scène promptement.

Se donnant un élan l'un et l'autre, Samuel et Nathalie partent à la course vers le terrain de camping. Leur cœur battant très fort, les mâchoires se crispent comme si cette contraction leur permettait de franchir les limites physiques de leur capacité musculaire. Les légères dénivellations du terrain leur paraissent être des montagnes. Dans leurs dos et sur leurs tempes, ils sentent perler une sueur froide. Plus rapide, Samuel pousse d'une main les omoplates de Nathalie et la traîne de l'autre bras. Sept cents mètres à la course, espérant remonter sur le plateau avant que ne les rattrape la bête en furie. Ils dévalent le chemin de terre entre les immenses cyprières odoriférantes pour parvenir enfin au kiosque d'accueil délimitant le terrain de camping. Ils courent jusqu'à leur quadrilatère où les rares campeurs préparent paisiblement leur feu de camp pour la soirée.

10

L'APRÈS-VIE

« En chacun de nous, est coffré dans notre champ de mémoire un nombre restreint d'événements antérieurs qui attendent de sortir des classeurs de l'oubli. Des souvenirs d'enfance, de naissance, ou de vie fœtale. Des événements qui nous ont marqués, à notre insu, et dès lors, notre identité en a été altérée. De façon profonde et inattendue. Est-ce pour le meilleur ou pour le pire ? Cela dépend de notre compréhension oui, mais aussi de la résolution des émotions qui nourrissent ces images envahissantes. Celles-ci frappent à notre fenêtre pour être entendues et désensibilisées.

L'intrusion d'une aventure imaginaire est de cette nature : stupéfiante, percutante, provocante. D'ailleurs, toute rencontre avec l'autre n'est-elle pas une rencontre avec soi ? Au-delà de l'expérience spectaculaire de vies intérieures, les leçons que nous en tirons se transposent dans le quotidien, saisies par la conscience. Sans cette attention spécifique aux messages que nous portons, nous perdons notre route, notre santé et notre sérénité. Parce que ces images hurlent dans notre corps et qu'elles martèlent leur message, nous n'avons pas le choix d'écouter. Reste à comprendre ! »

Maude est songeuse en écrivant ces mots et se remémorant les expériences de ses patients en imagerie. Après les deux dernières séances de Nathalie en état d'hypnose, la psychothérapeute s'étonne encore des prodiges de cette technique d'introspection. L'acuité des sensations corporelles ressenties lors de ces voyages imaginaires semble pointer vers de plausibles vies passées. Cependant, son esprit scientifique récalcitrant exige des preuves solides quant à ces états « antérieurs » avant d'apposer le sceau de la certitude au processus individualisé d'une réincarnation. Tantôt, ses observations la font vaciller dans une opinion positive, tantôt elles maintiennent le doute quant à la possibilité de cette lignée causative. *Ce n'est pas parce que les choses semblent réelles qu'elles sont vraies*, rappelle-t-elle souvent à ses patients.

La clinicienne déplore que peu d'études valident la justesse de cette hypothèse, laissant le champ libre à une interprétation ésotérique. De fait, les justifications spirituelles de ces apparitions sont formulées par des religions, des écoles spirituelles, ou des gourous manipulateurs. On peut comprendre toute science sérieuse de prendre ses distances. Et pourtant, ces images sont issues de notre psyché, ce qui devrait intéresser une branche du savoir telle que la psychologie. D'autant plus le cas si ces scénarios de vies sont des métaphores de nos problématiques actuelles. À quand la recherche fondamentale sur ce phénomène reflétant nos préoccupations ? L'utilisation de ces images est aussi apte que le rêve, sinon plus, car ne nécessitant pas d'interprétation, à proposer une panoplie de solutions répondant à une recherche de mieux-être. Les images perçues ne sont pas d'ordre symbolique, mais sont directement décodées par le cerveau comme une prescription dirigeant le comportement vers l'objectif désiré.

Par contre, ces canevas d'existences passées, on s'y attache comme on a peine à délaisser une pièce de vêtement colorée par des aspects sentimentaux. Ces histoires de « vies antérieures », songe Maude, racontent en fait, et de façon très explicite, notre histoire, nos relations, nos ambitions et les défis que rencontre notre parcours sur Terre. Il est vrai que de laisser s'envoler ces personnages dans l'oubli, ou même « dans la divine lumière », est comme sacrifier une partie intime de soi. Faire le deuil des épopées dans lesquelles on vit des événements peu ordinaires est très difficile, un défi en soi. Notre ego s'y associe-t-il donc de façon perverse ? Comme il est réconfortant de s'identifier à un autre personnage et de croire que c'est à cause de lui que nous sommes limités ou géniaux, fautifs ou admirables !

N'est-ce pas représentatif de la grande majorité d'entre nous qui collectionnons des souvenirs, des objets narcissiques qui nous accrochent au passé comme un esclave à son bourreau ? Oui, ces réminiscences sculptent notre identité, mais nous privent de notre liberté de voler, en gracieuse légèreté, vers une nouvelle destination que nous appointerait une abondante énergie vitale ! Tant que bat notre cœur et afflue notre sang dans nos veines, tout est possible. Mais combien fréquemment ce passé évanescent détermine-t-il notre futur en nous rivant à des événements périmés, « tels des clous dans les pieds de crucifiés », écrit Maude dans son ouvrage qu'elle intitulera « Le chemin qui suit », inspirée par les propos de Samuel. Par ailleurs, ces images s'imposent à nos pensées. D'où surgissent-elles si ce n'est du bagage imaginaire d'une âme virtuelle ? Voilà qu'elle valse entre ses croyances.

Romancière, elle a puisé dans les imageries de ses patients une source intarissable d'archétypes relevés que seule, une imagination même prolifique n'aurait pu l'y projeter : une vie de bûcheron sous les aurores boréales du Grand Nord québécois, une autre au Maroc où un musicien faisait glisser l'archet sur son kamanja, ou de danseuse en Inde racontant les histoires des divinités, de sorcières en Europe jouant avec les auras colorés lorsqu'en transe, d'indigènes dans une quelconque forêt équatoriale guérissant les gens de son clan grâce aux propriétés dégagées par les plantes tropicales, plus d'innombrables paysans médiévaux et combien d'autres existences perdues dans de féroces batailles au service de souverains ambitieux. La précision de détails aussi bien factuels qu'émotifs y était campée. Une mine d'or pour sa plume.

Chaque vécu était riche d'enseignements sur la façon de cultiver le pouvoir, l'amour, la volonté, l'estime de soi, la confiance, et ce, bien souvent par des prototypes à ne pas suivre que par des modèles exemplaires ! Elle comptait faire en sorte que cette vie-ci, la seule qu'elle puisse authentifier, lui donne le sentiment d'avoir vécu son plein épanouissement lors de son dernier souffle. D'ailleurs, il est préférable, croit-elle, de ne pas s'engager trop rapidement dans une relation sentimentale qui risque la sclérose des partenaires ; car à long terme, ces relations offrent en fin de compte des chances limitées. C'est exactement ce qu'elle voulait exprimer à Samuel, pas plus tard qu'aujourd'hui, n'eut été des événements tragiques au camping.

Profitant de sa réclusion solitaire, Maude décide de s'induire dans un état altéré de conscience par l'écoute d'une relaxation dirigée enregistrée. Son intention est de jouer le jeu de l'imagination afin de sonder l'au-delà, grâce à un possible contact avec Ray. Que pourra-t-elle tirer d'une conversation avec celui qui a quitté ce monde il y a quelques heures ?

Par la détente dirigée, elle aide des personnes désirant diminuer leur niveau d'anxiété ou augmenter leur estime de soi. Elle espère aujourd'hui élargir ses connaissances de l'après-vie par une visite guidée privilégiée. Que se passe-t-il après la séparation de l'entité spirituelle de son enveloppe corporelle ? Réussira-t-elle à étendre sa voix jusqu'à Ray ?

La topologie du monde invisible en lien avec l'incarnation l'intrigue. Beaucoup de livres ont été écrits concernant l'autre côté du voile. Beaucoup de choses intéressantes, d'autres, plus farfelues. Curieuse et à l'affût de contenus romanciers, elle tente ici une fouille sans intermédiaire, une relation d'âme à âme, se laissant guider par sa voie imaginaire, ancrée dans son senti et le moins possible dans son mental. Faux ami que ce mental qui déroule un scénario trop commode. Non, ici on est en exploration. Sans idées préconçues. En direct avec le cœur, comme si cet homme était présent, ni près, ni loin, juste là.

L'hypothèse de la projection est éliminée dans l'esprit de la thérapeute. Dans le langage de la psychanalyse, ce mécanisme de défense désigne l'opération mentale par laquelle une personne projette ou place ses propres sentiments sur quelqu'un d'autre, ceci dans le but de se sortir d'une impasse émotionnelle vécue comme intolérable. Au début de sa carrière, lors d'une imagerie de résolution de deuil, Maude avait dirigé une relaxation chez une patiente chagrinée par la mort de son père, de façon à faciliter l'expression de ses émotions. Si le concept de projection se vérifiait, la patiente aurait attribué à son père la difficulté de séparation qui était sienne, par des paroles de tristesse mises dans la bouche de celui-ci. Or, tout en pleurant à chaudes larmes, la jeune femme disait : « *Je ne comprends pas, je le vois souriant. Mais papa, tu ne vas pas te réveiller de la table d'opération. Tu es mort ! Il sourit de plus belle, il est heureux, il me dit que tout est bien ainsi* », poursuivait-elle dans sa désolation émotive. La thérapeute saisit que l'intuition et le mental pouvaient ne pas être sur la même longueur d'onde. Ici, le mental de la patiente avait été surpris par la scène. Clairement, l'imagerie est issue du senti tandis que le phénomène de projection est un jeu mental. Cette particularité peut également être observée dans une imagerie de vie intérieure où une personne imagine par exemple qu'elle a fait naufrage et est perdue en mer, seule et sans recours. Commodément, celle-ci voit arriver vers elle un paquebot pour la sauver de la noyade. Lorsque la voyageuse du temps se repositionne dans la peau du personnage, dans ses sensations physiques et ses peurs, il devient évident que la vision du bateau n'est qu'un vœu et ne traduit pas la fin réelle du naufragé qui devra lâcher prise à cause de ses limites. La patiente doit alors faire face à la mort du personnage et tirer les précieuses leçons de cette existence. Nathalie avait fomenté le même genre d'images salvatrices lors du premier exercice à son bureau, Rose espérant de façon illusoire être sauvée des crocs de l'alligator. Quand on accompagne des patients dans ces zones d'inconfort, vaut mieux être bien préparé à toute avenue. Pour ce faire, Maude dépose son ancre professionnelle sur le dénouement final probable : la libération des tensions et l'apprentissage d'un nouveau mode d'être ; ainsi, elle ne s'enlise pas dans le tourbillon dramatique du scénario et la détresse temporaire de ses patients. N'est-ce pas d'ailleurs ce que toute personne doit réussir lors d'une épreuve : tirer les leçons utiles au cours de sa vie et se sentir mieux armée pour éviter les pièges du manque d'amour ?

En état de relaxation, étendue confortablement dans un lieu rêve imaginaire, elle imagine Ray présent, car elle ne le voit pas. Elle amorce la conversation sachant que le senti de la scène importe davantage que sa visualisation.

— Bonjour Ray, puis-je vous poser des questions ? lance-t-elle tout de go. Ayant le sentiment que la réponse est positive, elle l'interroge au sujet du fameux chemin de lumière : se présente-t-il tel qu'évoqué par ces gens ayant vécu une expérience de mort imminente ? La route funèbre ressemble-t-elle à celle décrite par le Bardo Thodol tibétain ? Accepte-t-il la séparation avec son corps physique ? Qu'y a-t-il au-delà du visible ?

Mais ses pensées se confondent avec ce qu'elle croit savoir de la situation. Seule, il lui est difficile de distinguer ce qu'elle aimerait entendre des impressions qu'elle reçoit.

Sans personne à ses côtés pour la maintenir en transe, sa tête prend le relais de son senti. La « folle du logis » comme on nomme parfois le mental jacassant, lui fait douter de la qualité de son écoute et ne cesse de perturber un échange virtuel déjà ténu.

Cependant, Maude a le sentiment qu'il ne s'est rendu compte de son décès que peu à peu, qu'il est serein. Elle aurait voulu recevoir un message de sa part, sinon l'accompagner, comme elle le fait pour ses patients en psychothérapie. Mais elle a perdu le contact. Il n'est plus là. Plus disponible ? Plus conforme à ses attentes ? Plus là. Elle doit lâcher prise. Elle avait tant de questions à lui poser. A-t-il rencontré ses ancêtres ? Va-t-il se réincorporer ? Ce concept fait-il du sens selon une perspective spirituelle ?

Si Samuel la voyait, elle qui affirmait ne pas parler aux morts ! Est-ce le fruit de son imagination ? Peut-être qu'en proposant aux autres ce soir de les guider dans leur monde imaginaire, elle poursuivrait son objectif d'approfondir le mystère au-delà des frontières de la mort physique ? Que devenons-nous lorsque notre âme quitte son véhicule matériel ? Que se passe-t-il ? Sommes-nous en contrôle de nos allées et venues ?

Voyons ce que les autres percevront… S'ils ressentent les mêmes impressions que moi, pourrait-on conclure sans aucun doute que la mort n'est pas la fin de la vie ?

***

En quittant l'auberge, une pensée tenaille Elijah. Un ancien souvenir avait ressurgi lorsque Nathalie lui avait raconté le contenu des imageries vécues en compagnie de son amie. Il avait voulu partager cette impression avec elle lors de leur discussion passionnée de la nuit. Mais l'épuisement avait suscité la prudence dans sa confession.

Somme toute, il préférait sonder l'opinion de Maude quant à ces pensées qui le tracassent depuis son jeune âge.

Éventuellement, il serait important, même essentiel qu'il partage la teneur de ce souvenir avec Nathalie qui venait de lui confier ses plus intimes secrets concernant sa sympathie envers le personnage de la pauvre Rose. Mais lui, pouvait-il surgir d'un bond et lui dire en retour qu'il croit être la réincarnation de Stephen, venu reprendre sa place dans ce lieu quitté involontairement à cause d'une guerre qui avait mis fin trop rapidement à sa fougueuse jeunesse ? Maintenant que Nathalie avait dévoilé son identité, elle aurait certainement cru qu'il se moquait d'elle en lui confiant cette impression de familiarité quant au manoir voisin, celui des Smith, résidence qu'il se contentait d'observer de loin, semaine après semaine.

Il n'en avait jamais parlé à Ray. D'abord parce qu'enfant, ce sentiment lui faisait peur. La crainte de mourir jeune le hantait quotidiennement. Un peu moins après qu'il eut dépassé l'âge du décès de Stephen. Lorsque ses parents, puis sa femme sont décédés, il en avait été très surpris, ayant toujours cru que c'est lui qui aurait dû mourir avant eux, que Dieu se moquait de lui, que son heure allait bientôt se pointer. Il n'avait jamais osé s'investir dans des études avancées, jamais entrepris des projets à long terme, jamais foncé pour faire valoir ses compétences personnelles. Il lui paraissait qu'être au service des Smith était un privilège qui lui était accordé afin de mériter un allongement de son temps, tout en ne dérangeant personne surtout pour ne pas se retrouver en tête du peloton. En cela, il ressemblait à son oncle.

Un jour, fatigué de ses craintes sempiternelles, il avait imploré l'Univers de guider sa destinée de façon plus lucide. Ça ne prend que la volonté de sortir de son cocon et de réclamer de l'aide, se convainquait-il. Le soir même, un film était présenté à la télévision : *Adaptation*, un scénario de Charlie Kaufman, également l'auteur de ce film mieux connu *Dans la tête de John Malkovitch*. Cette phrase centrale l'avait foudroyé : « Je suis qui j'aime. Qu'elle ne m'aime pas en retour ne veut rien dire. Je ne suis pas qui m'aime. Je suis ce que j'aime. » Ces trois dernières années, ces phrases avaient été le moteur de son avancement en tant qu'animateur des soirées de méditation. « Je suis ce que j'aime. » Qu'importe ce qu'en disent les autres, j'aime méditer, penser et partager mes réflexions. C'est ma passion, ma raison de vivre. C'est le « Je suis » sous ses deux formes signifiant : suivre et être. Je n'ai plus rien à craindre si je suis ce que j'aime.

Il lui manquait cependant la démystification lui permettant de comprendre pourquoi tout jeune, il s'était toujours senti différent de ses camarades. Pourquoi était-il si sensible aux choses invisibles ? Pourquoi se posait-il constamment des questions sur l'objectif du parcours de l'homme sur la Terre ? Pourquoi son chemin était-il parsemé d'embûches à la réalisation de son idéal ? Était-ce l'empreinte de son karma ? Ray lui disait pourtant qu'il pouvait en tout temps se réveiller de ce karma, comme d'une transe.

Dans la mouvance d'un vent de changement, il ressent un attrait certain pour cette femme, Nathalie, avec qui le contact est si facile. Il admire sa ténacité et sa capacité de faire confiance à son intuition. Il aime la force qu'elle dégage, comme si la terre était issue de ses entrailles. Et surtout, il se sent plus humain, plus déterminé maintenant qu'une nouvelle étoile enflamme ses centres d'énergie. Il a envie de se lancer plus profondément dans une aventure d'animation, quel que soit l'aboutissement d'une éventuelle relation avec cette femme. Cette nuit avait consolidé l'éclosion de sa passion.

Comment comprendre, par ailleurs, que celui qui symbolisait son enracinement ait quitté la Terre ce même matin ? La mort de Ray place Elijah plus que jamais devant de nouvelles questions existentielles. Son oncle était responsable de la plaque tournante de son éveil spirituel. À son tour, il devient patriarche de famille, celui qui doit encourager les siens à suivre le sens du courant. Curieusement, se sentant investi de cette responsabilité, la mort ne l'obsède plus.

Elijah veut donc avoir le cœur net quant aux présomptions concernant son passé. Maude pourrait-elle confirmer son sentiment de vie passée, comme elle l'a fait avec Nathalie ? *Un pas indispensable*, se dit-il pour assurer ses conjectures ; *un pas complémentaire à mes lectures, mes réflexions, mon expérience des synchronismes*. Son esprit souhaite connaître le sens de son évolution humaine. *Dois-je poursuivre le chemin interrompu de Stephen Smith ?*

Se rendant au terrain des Québécois, il constate que Nathalie est absente. « Partie au dépanneur », lui dit Maude qui remarque chez lui une certaine nervosité ; une fébrilité contrastant avec l'attitude sereine qu'il affichait hier soir en tant qu'animateur. Assise sous l'auvent, à la table de pique-nique, elle poursuit la prise de notes de sa courte visualisation.

Dans sa félicité, son amie lui avait révélé quelques fragments de sa nuit auprès d'Elly, principalement au sujet de Rose, ancêtre des James. Le poids de sa fonction de coach s'étant libéré de ses épaules, une nouvelle interrogation avait surgi quant à la teneur de la relation spirituelle avec cet homme. Tenant à éviter le coincement de Nat dans une nouvelle aventure invraisemblable, elle lui glisse un mot au sujet de la présence d'un autre homme dans la pensée de son amie.

— Nat est assez désarçonnée par le départ de son fiancé, prend soin de préciser une Maude protectrice, dans la langue de l'interlocuteur cherchant son amie.

Ah! Elle est fiancée avec ce Carlos, songe Elijah sans avouer sa contrariété. Il reprend alors intérieurement sa phrase fétiche quand le clin d'œil de Dieu lui joue un tour: *Je suis ce que j'aime, chacun possède la liberté de ses choix.* Il écourte sa réflexion en changeant le sujet.

— De toute façon Maude, je veux vous remercier d'être venue hier soir à ma soirée de méditation.

— Quant à moi, Elijah, je suis désolée du décès de votre oncle. La nouvelle s'est vite répandue sur le camping. Mes sincères condoléances.

— Merci. C'est très pénible en effet. Toutes ces émotions me secouent énormément. Ce n'est pas très raisonnable de venir ici, j'ai fort à faire pour préparer les obsèques. Mais je prends le temps nécessaire de venir vous rencontrer, car j'ai besoin de vérifier quelque chose.

— À propos de Nathalie?

Maude ramenait le sujet sur sa copine, tentant de deviner l'objet de son questionnement. Mais lorsqu'elle utilise sa tête pour devancer les événements, elle fait fausse route. Bien que son intuition…

Elijah remarque la perspicacité de Maude. Ou encore, Nathalie a-t-elle partagé la teneur de leur conversation? Il ne veut résolument pas s'étendre sur les balbutiements de son cœur, élan trop intime, surtout après ce qu'il vient d'apprendre sur le statut conjugal de cette dernière. Désirant confirmer auprès de l'experte s'il doit partager auprès de Nathalie son sentiment d'être l'incarnation de Stephen, il coupe court aux suppositions, d'autant plus qu'il craint le départ hâtif des Québécois.

— Non Maude. J'aimerais maintenant vous parler d'impressions de vies antérieures, est-ce trop solliciter de vous ce matin ? Prenant la liberté de s'asseoir à la table de pique-nique sur le coin du banc opposé à l'auteure, il lui fait part de son questionnement. Voilà le cœur de ma préoccupation Maude : est-il possible que je porte en moi aussi, la mémoire d'un autre ? Et que j'aurais pu identifier ce personnage dans mon enfance ?

— Pour répondre franchement, il est rare qu'un adulte ait spontanément un rappel d'autres vies. Quelquefois vivaces dans l'enfance, les bribes de souvenirs s'estompent à l'âge de raison, sauf lors de chocs émotionnels. Habituellement, ces impressions font surface par des tournures verbales du type : « c'est comme si... ». Elles apparaissent sous forme d'allégories, de vagues références expressives, des attirances imprécises, des fragments succincts voilés par l'inconscience. Mais qu'est-ce qui vous fait croire cela ?

— Je vous dirais que depuis ma jeunesse, j'ai l'impression que je connais les pièces du manoir voisin, comme si j'y avais vécu. J'ai toujours cru que s'était perpétuée l'âme de Stephen Smith en moi.

Maude le regarde dans les yeux comme pour détecter son degré de franchise. La coïncidence est trop forte pour qu'elle y croie sur-le-champ.

— Quelqu'un de votre famille, votre mère par exemple, ou votre grand-mère aurait pu vous raconter l'histoire de cette famille... C'est si près de vous !

Elijah avait anticipé cette réponse.

— J'y ai pensé. Possiblement oui. Mais j'ai entendu plusieurs autres histoires racontées dans mon enfance : celle de l'installation de mes ancêtres ici, celle de Tom Sawyer, ou de Harry Tyson Moore, pourquoi est-ce que je m'identifie singulièrement à celle-ci en particulier, et non pas aux autres ?

— « Pourquoi » n'est jamais la bonne question à poser, Elly. Est-ce que je peux vous appeler Elly? Ce matin, Nathalie m'a fait part de votre conversation concernant Rose. D'ailleurs, je suis vraiment heureuse qu'elle ait trouvé le lien manquant en la personne de votre ancêtre ! C'est déjà très fort comme coïncidence !

Ressentant la méfiance de son interlocutrice Elijah répond : « Oui, bien sûr. » Il regrette déjà l'affiche de sa naïveté. Désirant tout de même montrer de l'ouverture, il poursuit : « Quelle est la bonne question selon vous? »

— C'est le « comment ». Comment l'histoire de monsieur Stephen vous rejoint-elle? Qu'est-ce qu'elle vous apprend sur votre identité? Quelles leçons tirez-vous de son expérience? Des leçons qui peuvent mieux guider vos choix actuels. Vous n'obtiendrez jamais de réponse sur un « pourquoi ». Car cette question sollicite votre mental observateur et non votre imaginaire créateur. C'est l'imaginaire qui crée; le mental observe, exécute et réfléchit. Enfin, c'est ce que j'ai constaté dans ma pratique. Si une part de vous souhaitait avoir vécu en la personne de Stephen? Que gagnerait-elle?

— Vous ne croyez pas aux vies antérieures?

— Aurons-nous les réponses un jour quant à l'authenticité de ces vies multiples? Je ne sais pas. Soyez prudent dans vos affirmations. Laissez diverses possibilités vous enseigner ce qui est vrai pour vous. C'est ce qui importe !

— Je suis un peu déçu, avoue-t-il enfin. Mais il est certain que je ne vais pas prendre cette opinion pour un fait, aussi professionnelle soit-elle. Je préfère garder mon libre arbitre, surtout en ce qui concerne le type de relation que j'aimerais entretenir avec... euh... celle qui porte en elle la voix de Rose. Disons-le comme ça.

Maude ne veut pas cautionner cette relation telle que la soumet Elijah. Elle évite de donner crédit à ses présomptions. Vaut mieux le garantir contre toute illusion. Les hasards de rencontres, songe-t-elle, ne sont pas un déterminisme ; notre discernement est tout indiqué, autant en ce qui concerne l'imagination que lors de grandes émotions.

— Gardez les pieds sur terre tout en respirant le parfum de l'univers, c'est plus sûr. Et revenons sur la leçon tirée de votre expérience, n'est-ce pas l'essentiel de ce dont vous nous parliez hier soir avec beaucoup de sagesse ? De conserver les leçons et balancer l'événement après usage ? ajoute-t-elle avec un brin de malice.

— Oh ! Il est parfois difficile d'appliquer toute sagesse pour soi ! Nous avons une poutre dans l'œil, ajoute Elijah citant une autre référence biblique.

— Si vous croyez à l'authenticité de ces images, Elly, je vais vous décevoir, car j'ai l'impression que les sentis que nous portons en nous ne sont qu'un signe pour nous aider à bien vivre notre présent ! Qu'elles se présentent sous des sentiments de vies antérieures, ou des souvenirs du passé, on ne doit pas s'accrocher ou s'identifier à ces images.

— Pourquoi ? Euh ! Comment ça ? rectifie-t-il sur le champ. Elles sont si impressionnantes ! insiste Elijah pour qui la véracité de la réincarnation est une croyance tenace.

— Parce qu'elles peuvent nous détourner de notre destin. Autant elles nous renseignent sur les pièges qui nous guettent, autant elles exercent une fascination déroutante ! De plus, les croyants peuvent se sentir en danger, trahis ou abandonnés par leurs pairs actuels sans qu'il y ait une once de réalisme dans ces perceptions erronées. Et on traîne ces images comme un livre de recettes. Mêmes ingrédients dans notre psyché, même gâteau : trahisons, abandons, injustices, humiliations. Aux poubelles ! lance-t-elle avec insistance. Plus nous nettoyons notre grenier imaginaire, plus l'espace est grand pour créer des choses extraordinaires, et non perpétuer du remâché attristant.

Faisant le parallèle avec une alimentation non saine, Maude voulait insister sur l'aspect goinfre de la recherche d'« identités » antérieures. Combien de fois n'a-t-elle pas entendu parler de groupes de personnes s'identifiant aux disciples de Jésus, par exemple. Ou de médiums personnifiant la voix de gens célèbres dont on refuse de faire le deuil sur Terre. Facile, payant, mais potentiellement dangereux, livrant parfois de fausses pistes.

Réalisant qu'il est venu demander l'opinion de Maude, il se sent tout de même enclin à plaider en faveur de ses croyances.

— Maude, ces images peuvent être un pilier de notre personnalité, dans le courage que nous devons rassembler pour faire valoir nos droits. En fait, j'ai toujours admiré ce personnage, Stephen Smith pour sa capacité à affirmer des valeurs différentes de celles de la majorité des gens de son époque.

— Voilà qu'un début de sens se dessine ! Stephen Smith était un humaniste comme il y en avait peu à son époque, en tout cas dans le sud du pays. Et vous Elly, vous ouvrez les portes de la connaissance à votre entourage, malgré les oppositions de personnes plus traditionalistes. Vous avez en commun votre intégrité, mais également les conditions difficiles de défricheurs de contrées nouvelles.

— Ah ! Là, vous me réconciliez avec des valeurs essentielles. On peut donc choisir les modèles qui nous inspirent ? Je rechercherais, selon vous, l'appui de cet homme et son empreinte serait gardée vivante en moi ? Oui, c'est possible. Connaissez-vous ces paroles de Martin Luther King ? « Croyez en vos rêves et ils se réaliseront peut-être. Croyez en vous et ils se réaliseront sûrement. » Je reconnais l'importance de croire en moi.

D'un hochement de tête, Maude approuve cette sage philosophie et lui fait signe d'entrer dans la roulotte pour lui servir un verre de jus d'orange. Elijah se sent de plus en plus à l'aise. Il referme la porte vitrée de façon à maintenir l'efficacité de la climatisation.

— Ces oranges fraîches de la Floride ont un goût peu commun avec celles qui nous sont livrées en pays nordique, avoue-t-elle avec gratitude en dégustant ce nectar si près de son lieu de cueillette. Se tournant vers l'objectif de la visite d'Elly, elle vérifie s'il désire vivre une imagerie à la suite de Nathalie.

— Elly, croyez-vous qu'un entretien en imagerie vous aiderait à distinguer entre ces souvenirs, comme vous les appelez, et le réalisme d'une vie antérieure ?

— Sincèrement non Maude, dit-il prestement. Je préfère suivre mon instinct. Vous dites que ces images sont présentes pour me rassurer, c'est possible. Je désirais simplement avoir votre opinion sur la possibilité d'une coïncidence.

— Bien voilà ! Je répète que la prudence est de mise. Puisque vous avez vécu si près des lieux, il serait bien difficile de ne pas y trouver une concordance. Mais en fait, Elijah, si je peux me permettre, je crois que vous avez probablement vécu suffisamment d'émotions pour vingt-quatre heures ! Un repos serait approprié, n'est-ce pas ? suggère Maude, en bonne conseillère.

— C'est en effet un grand vide pour moi que la disparition de mon oncle. Je vais aller me rafraîchir et préparer l'annonce à mes gars qui sont à la veille de se réveiller. La mort de Ray sera un choc pour eux aussi. Je dois aussi téléphoner à mon frère David. À l'autre bout du pays, quatre fuseaux horaires nous séparent.

Sensible à la fatigue qui marquait la lourdeur du maintien d'Elijah, Maude insiste : « Trouvez un peu de temps pour vous ! »

— Merci Maude, lance-t-il, le corps reculant d'un pas pour retrouver sa prestance.

Elijah apprécie le souci de Maude à son égard, mais il a besoin de toutes ses forces et résiste à recevoir ce maternage improvisé. Déjà, il avait outrepassé l'aspect conventionnel en entrant dans le motorisé. L'homme soucieux d'intégrité ressent tout de même qu'il quitte cette conversation avec un éclairage nouveau concernant sa foi dans le potentiel incommensurable de l'être humain, celui de générer les éléments dont il a besoin, même imaginaires, pour mener son destin à terme.

Au moment précis où la visite prend fin, Maude et lui entendent une bousculade devant la porte. À travers la vitre teintée, ils aperçoivent des ombres effarées éprouvant de la difficulté à saisir la poignée, pressés de pénétrer dans la pièce pour trouver un refuge. N'ayant pas eu le temps de les identifier, tous deux sursautent, craignant le pire.

***

— Ouvre ! Vite ! lance Nathalie d'une voix étranglée par la panique.

— Maude ! ajoute Samuel, c'est nous !

Lorsqu'ils arrivent enfin à ouvrir la porte du camper, encore sous l'empreinte du choc, ils se précipitent sur un siège pour reprendre leur souffle, ce qui permet aux deux occupants de revenir de leur émoi. Comme quoi la peur est contagieuse. *Peut-être est-elle utile lors de périls, mais combien est-elle souvent superflue*, pense Maude en réaction rageuse.

Restant d'abord appuyée sur l'épaule de Samuel, Nat perçoit une émotion forte sur le visage de son amie et la croit reliée à sa proximité physique avec son copain. En tant que jolie blonde, elle est consciente de l'impact dérangeant qu'elle crée, non seulement chez les hommes, mais aussi chez les conjointes de ces hommes. Elle se relève pour mieux reprendre son souffle et grimace, un taux d'adrénaline très élevé fixant une crampe à ses mollets. Lorsqu'elle lève la tête et aperçoit Elijah, ses joues s'empourprent et reprennent de la vitalité. L'Américain devra attendre pour lui parler seul à seul, car elle raconte maintenant comment l'apparition de Ray les a tous deux tirés d'un danger de mort, en les alertant, lance-t-elle, doublement émue.

Plus réaliste, Samuel ne peut pas authentifier sa vision du fantôme de Ray, mais il est certain que l'interruption de sa marche lui a évité de se retrouver à quelques centimètres de l'alligator et plus tard à la merci de ses puissantes mâchoires. En y repensant bien, avec toutes ces histoires concernant la fin de Rose et la mort de Ray, explorer les abords de la rivière lui parut très imprudent, avance-t-il maintenant en homme contrit.

L'impression physique ressentie par Nathalie était de s'être à nouveau retrouvée ligotée sur le bord du cours d'eau. Son corps s'était immobilisé, car les méandres avaient suscité la mémoire corporelle de la mort de Rose sous les crocs impitoyables du reptile. Les fortes odeurs marécageuses, le bruissement des joncs bordant la rivière, le calme de l'eau avant que n'apparaissent les naseaux de la bête, l'histoire se superposait au réalisme du décor. Avait-elle recréé involontairement cette scène de la première imagerie ? Avait-elle inventé la présence de Ray ? Elle ne le croyait pas. Petite, elle avait pressenti la mort de sa grand-mère quelques jours avant l'événement qui l'emporterait. Après, elle lui était apparue dans sa chambre d'enfant, toute diaphane. Personne ne l'avait crue, bien sûr. Et elle n'en avait jamais reparlé. Elle s'était même sentie très coupable de sa prémonition, croyant dans son petit cœur d'enfant qu'elle avait peut-être fait mourir sa grand-mère. Que d'incompréhensions font naître l'ignorance et les tabous des adultes concernant la capacité médiumnique des enfants les plus sensibles !

Depuis cette rencontre hors corps, c'était la première fois qu'elle revivait une pareille expérience de contact visuel avec un défunt. Elle s'empresse de préciser à Samuel que c'est très différent de ce qu'elle avait vécu en imagerie avec Maude. Les images perçues aujourd'hui au bord de la rivière, de même que celles lorsqu'elle était enfant, n'émergeaient pas du bagage imaginaire, mais avaient été perçues comme étant indépendantes d'elle, à l'extérieur de sa personne. Tandis que les images ou les impressions ressenties lors des imageries s'intègrent au vécu, au senti corporel.

— C'est peut-être pour cela qu'on les qualifie de « vies antérieures », ajoute Maude à l'intention d'Elijah, parce que ces images visuelles, auditives ou kinesthésiques se confondent à nos souvenirs et non à des perceptions extérieures. Des sensations très nettes, aussi claires que si nous les avions vécues dans le présent !

— Y a-t-il d'autres interprétations ? insiste Samuel en se calmant, de plus en plus interpellé par ces phénomènes sensoriels.

— Oui, bien sûr, car ces impressions surgissent même chez des gens qui ne croient pas aux vies antérieures. Ceux-là pensent que le cerveau produit ces images, comme dans les rêves nocturnes. Les psychanalystes proches de Carl Jung croient que ces images sont issues d'un bagage inconscient et collectif. Enfin, on pourrait également imaginer que nous sommes tous réunis dans un même Esprit qui nous englobe et tout simplement déduire que par synchronie, il est possible de contacter d'autres consciences, incarnées ou décédées. Ou encore, ces images font-elles partie de notre bagage génétique? Y a-t-il, comme le suggère Rupert Sheldrake, un champ biomorphique énergétique qui permet la télépathie d'un individu de sa race à un autre? Et tant qu'à y être, les gens adhérant à la croyance de maîtres extra-terrestres pourraient affirmer que ceux-ci ont inséré dans l'ADN un programme leur permettant de repérer l'ensemble des modèles humains!

— Sérieusement, toi, Maude qu'en penses-tu? Crois-tu aux vies antérieures? insiste Elijah se mêlant à la discussion du groupe et désirant toujours authentifier son impression de réincarnation.

Le niveau de discussion exige que Maude quitte son cerveau gauche, logique et rationnel, et regagne sa sensibilité pour mieux cerner l'objet sous-jacent à ces interrogations.

— Toute jeune, j'accompagnais ma mère lors d'une visite à ma grand-mère malade. Fiévreuse, celle-ci répondit à sa fille lui annonçant qu'elle devait demeurer dans sa chambre, étant trop faible pour manger à la cafétéria de sa résidence: « Un souper avait été préparé en mon honneur. Le peuple sera déçu de ne pas me voir apparaître. » Une stupeur dut envahir mon visage, leur confie-t-elle, car ma mère me rassura comme quoi mamie s'était toujours plus ou moins prise pour une reine. Cette déclaration solennelle demeura toutefois comme une énigme à résoudre dans mon esprit. Peut-être était-elle à la source de mon choix de carrière? Non seulement j'ai ressenti à un jeune âge l'urgence de comprendre le comportement des adultes m'entourant, mais aussi celui de démystifier les phénomènes pour lesquels on ne trouvait pas d'explications. Après plusieurs années de pratique psychothérapeutique, il m'apparaît que nous portons en notre psyché une myriade de choix.

Selon mon expérience, que ces vies multiples soient les nôtres ou pas, il semble que s'imposent dans nos pensées des perceptions. Ce sont des impressions d'autres vécus dont la résolution de conflits ne s'est pas faite du vivant de la personne. Étant donné que les blessures émotives de ces vies-là correspondent à celles que nous vivons, elles parlent de nos points sensibles. En résumé, nos détresses, colères, sentiments de culpabilité, entrent en contact avec des conflits non résolus de résonances passées, permettant de comprendre ce qui doit être modifié dans notre comportement pour faire face aux défis présents. Vaut mieux prêter attention à ces précieux messages, car on ne veut surtout pas se retrouver dans les mêmes impasses qu'ont vécues ces personnes inspirant ces épopées désolantes !

Nathalie reste sur sa faim et exige un éclairage plus précis.

— Non, non, non, Maude, tu ne vas pas t'en tirer comme cela… toi, comme psychothérapeute, crois-tu aux vies antérieures ? Ces péripéties, ce sont les nôtres ou pas ?

— Maude, ajoute Samuel, tu es comme une pieuvre qui expulse son encre pour brouiller sa piste : difficile à suivre.

Ayant aidé plusieurs personnes à se défaire de plis tenaces grâce à la reconnaissance de scénarios intérieurs, Maude ne peut que souligner l'apport symbolique de l'utilisation de ces images en psychothérapie. Elle ne sait plus si la prééminence de son rationnel sur sa capacité fantaisiste joue un rôle dans sa difficulté à se prononcer à ce sujet, ou si elle doute réellement de la réalité de ce phénomène, malgré les preuves prépondérantes de ces incidents persistant dans l'imaginaire individuel et collectif. Le manque d'assises scientifiques concernant l'origine de ces trames psychiques est certainement lié au tabou culturel, explique-t-elle. Si le concept de vies antérieures n'était pas récupéré par les sociétés orientales ou occidentales dans ses aspects religieux, sectaires ou ésotériques, la recherche fondamentale en psychologie se serait déjà penchée sur cette curiosité de l'esprit humain.

Quel gâchis que cette censure, car quelle excellente façon de réunir diverses sciences dont la cosmologie, la théologie, la sociologie et la psychologie qui seraient alors en mesure de répondre à des questions millénaires telles que le suggère le physicien Trinh Xuan Thuan dans un de ses livres, *Le Cosmos et le Lotus* : « Notre existence a-t-elle un sens dans ce vaste Univers ? L'émergence de l'intelligence et de la conscience n'est-elle qu'un simple fait du hasard… ou était-elle inscrite dans les propriétés de chaque atome ? » L'auteur répond lui-même à l'énigme en affirmant : « Je ne peux m'empêcher de rapprocher l'organisation que je perçois dans ma vie du concept bouddhiste du karma. » Pourquoi la psychologie laisse-t-elle toute la place à des astrophysiciens, des mathématiciens ou des philosophes, pour répondre à ce qui pourrait constituer l'essence même du comportement humain ?

— Vous allez être déçus, car si je penche d'un côté, c'est bien celui d'opter pour le concept de vies antérieures en tant que mythe. Pour se rassurer, l'être humain construit des explications consensuelles à ce qui l'intrigue. Je peux vous donner en preuve mon expérience clinique, car selon moi, lorsqu'un patient entre dans mon bureau et me parle de trois sujets différents, par exemple que son père est malade, qu'il a des conflits au travail et qu'il a déménagé, je note dans son imagerie dite de « vie antérieure » la présence de ces trois sujets ; cela m'incite à croire que les scénarios se brodent au fur et à mesure de nos besoins d'identifier des problèmes et de les résoudre. Suis-je assez claire ?

— Brillante conception théorique Maude, lui répond Nathalie, mais croyez-moi, quand on fait l'expérience d'une autre vie, belle et bien empreinte dans son corps, on ne doute pas de la véracité de ces images et du lien avec ce personnage. Ta grand-mère, dans sa transe fiévreuse, incarnait sa vie passée sans jugement ou filtre aucuns.

— Voilà une belle preuve que le thérapeute ne peut influencer les convictions d'une autre personne ! Une croyance, c'est tenace et nous édifions les nôtres à partir de notre vécu. L'inverse est aussi vrai. Des patients pour qui les « vies antérieures » n'entrent pas dans leur système de croyances n'y voient qu'une étincelle neuronale, une histoire fantaisiste. Intéressante, révélatrice, mais non personnalisée. Je peux cependant nommer quelques observateurs scientifiques, psychiatres et universitaires, qui ont posé l'hypothèse de la préséance de vies antérieures.

— Des hypothèses, signale Samuel. J'aimerais soumettre ici ma façon de percevoir ce phénomène. Lorsque je joue aux jeux vidéo, je suis celui qui fait avancer mes avatars. Je contrôle autant de personnages que mes compétences me le permettent. N'est-ce pas que le perso ne sait pas que je décide de ses choix, de ses combats ou de ses retraits. Je crois que notre âme est cet entonnoir dont nous sommes le goulot par lequel passent, à débit réduit, les souhaits d'un grand Sage en soi. Nous sommes l'expérience incarnée, tant habile que maladroite, d'une voix impatiente d'exister, possiblement à travers plusieurs avatars.

Tous abondent à l'idée de vies simultanées. Comme si toutes les possibilités, dans des formes humaine, animale ou autre, pouvaient être rejouées de façon parallèle et correspondaient par leurs fréquences émotives les unes avec les autres dans un grand jeu. Mais s'agit-il de vies diversifiées d'une seule Matrice, comme un prisme projetant des couleurs variées sur un écran terrestre ? Ou s'agit-il de l'existence de plusieurs âmes en tant qu'entités séparées de leurs consœurs ? Ce dernier point expliquerait l'évolution asymétrique des créatures. Car les âmes ainsi divisées et ayant leur rythme propre justifient les inégalités et l'apparente injustice dans la répartition des caractéristiques telles la santé, la richesse, la beauté, la longévité. La variété des expériences ne serait possible que dans la division, de laquelle est issue la mitose des cellules, le bourgeonnement, et toute forme de reproduction. Comment en serait-il autrement dans l'univers invisible ? Invisible, mais primordial.

— Mes amis, déclare Maude de façon solennelle, vous savez tous qu'on n'a qu'une vie à vivre, en tant que Maude, Nathalie, Samuel ou Elijah. Il n'y aura jamais d'autres échantillons de nous-mêmes. Nous sommes uniques.

— Me semblait bien ! s'exclame un Samuel satisfait. D'où l'idée de profiter du moment présent ! ajoute-t-il en levant la pointe du menton.

— Maude, je reviens sur mon expérience en tant que Rose : n'est-ce pas parce qu'elle est moi que j'ai retrouvé le fil de son histoire ?

— Sincèrement Nathalie ? J'aime l'image de l'hologramme. Chaque morceau d'un hologramme affiche l'image complète de la représentation originale. Il est bien possible que chaque homme ou femme porte en eux la totalité de ce qui a été. Nous sommes Un, disent les grands maîtres. Deux flammes provenant d'un même feu ne sont pas de nature différente de celle de leur origine ; est-ce que tout n'existe pas en tant qu'Un dans une même grande Matrice ? Selon l'astrophysicien Nassim Haramein, il est possible que toutes les informations de l'Univers soient présentes dans la configuration de chaque trou noir de chaque atome. C'est fabuleux ! À quoi bon penser en matière de division où chacun posséderait ses propres vies antérieures ? N'est-ce pas un modèle capitaliste, d'un « je-me-moi » égocentrique ? « J'ai été tels et tels personnages », « Pauvre moi, j'ai vécu tels et tels sévices », etc. D'autant plus que le concept de linéarité n'a probablement aucun sens dans l'au-delà.

— Linéarité ? réplique Sam, fâché. Que veux-tu dire ? Je parlais tantôt de correspondances. Et tu donnais toi-même l'exemple en début de voyage de ces patients qui voient leurs symptômes disparaître après avoir revécu les émotions prisonnières de leur vie antérieure.

— Tout cela est très complexe en effet, et assez mystérieux. Je n'ai pas les réponses à vos objections lesquelles sont très valables. De nombreux livres racontent des histoires de vies dont l'une suit l'autre qui précède la suivante. Pourtant, j'ai dirigé des imageries où des séquences ont été contemporaines de celles du voyageur de l'imaginaire, bien que je doive préciser que l'alter ego est habituellement trépassé lors de la séance. Je crois que ton impression Samuel que nous sommes des avatars dirigés par une seule main explique cela. Cependant, je m'inquiète que n'ayons-nous pas plus de contrôle. En quoi consiste alors la notion de libre arbitre ? Est-ce illusoire ça aussi ? Vous voyez, j'ai aussi des questions à poser !

— Mes amis ! complète Elijah qui veut défendre la perspective de vies successives autant que multidimensionnelles. Comme le dit Samuel, nous ne sommes pas que notre corps. La perspective capitaliste dont tu parles concerne la matérialité. Notre conscience, elle, et c'est prouvé de façon scientifique, existe en dehors de notre corps. Ne pouvons-nous pas supposer qu'elle est la voix de l'âme, et que c'est du point de vue de l'âme que les vies multiples existent ? Il semble même que cette âme se délecte de toute expérience, quelle que soit sa forme, comme l'écrit Donald Neal Walsh dans ses « Conversations avec Dieu ». Les souffrances, tout comme les joies, constituent une expérience digne d'être honorée. Une âme, et plusieurs parcours, même possiblement contemporains.

— Oh ! C'est rassembleur, lance Nathalie de tout son cœur. Lorsque nous regardons notre voisin, il pourrait tout aussi bien être notre descendant. Considéré ainsi, les Juifs et les Palestiniens cesseraient de se disputer un territoire et le partageraient entre frères, les tribus africaines considéreraient leur ressemblance au lieu de leur différence et il ne resterait personne pour revendiquer le bien de l'autre !

— Wow ! Ce que tu es idéaliste Nathalie ! réplique Samuel. Selon ce que suggère Maude, vois-tu, il resterait des âmes qui se réincarneraient pour terminer des conflits non résolus et qui voudraient se venger de ce qui leur a été dérobé dans une autre vie. C'est comme ça que les guerres n'en finissent jamais ! Il se tourne vers sa compagne. Et le fantôme de Ray, Maude, comment l'expliques-tu ?

Fragilisée par d'amples bousculades émotives successives, Nathalie s'offusque de l'interprétation de Samuel.

— Un instant ! Tu crois que j'invente tout cela, Samuel ? Si je te comprends bien, tu crois que nous sommes ici parce que j'ai besoin de me venger ?

— Inventer ? Ce n'est pas le mot que j'ai utilisé. Ne prends pas ça personnellement !

Lorsqu'elle ne se sent pas comprise, Nathalie ne lâche pas le morceau.

— Tu sembles insinuer que j'invente le personnage de Rose pour entrer en conflit, pour avoir raison, pour revendiquer des biens qui alimentent des conflits...

Samuel et Maude sont pris de court par cette compréhension de Nathalie au sujet de la teneur de sa quête. Il est vrai qu'elle a l'aptitude de se livrer sans grande restriction au jeu de l'imagination et du coup, cela peut la rendre vulnérable à toute critique.

— Ne m'as-tu pas parlé d'imagination Nathalie ? intervient Elijah s'introduisant dans l'altercation. Plus objectif, il ne perçoit pas de reproches de la part de ses amis. Comme il s'agit de son aïeul après tout, il envie Nathalie de cette rencontre avec Ray, rencontre qu'il aurait bien aimé faire lui-même. Il se demandait même ce qu'il en retournerait s'il se rendait sur le sentier ce soir : pourrait-il l'apercevoir une dernière fois ? Il n'est pas question d'invention, ni de vengeance, reprend-il toutefois. Tout cela n'est effectivement qu'imagination, bien au-delà de notre volonté égocentrique.

— Invention, imagination, je ne vois pas quel avantage j'aurais eu à vivre une telle panique ! Nathalie ne perçoit pas le soutien moral qu'Elly lui prête. Elle insiste pour affirmer qu'elle n'aurait pas imaginé tout cela rien que pour se faire plaisir ou attirer l'attention sur elle. C'était même très dérangeant de contacter des émotions aussi fortes ! Je ne savais pas non plus où cela me mènerait !

Ce sur quoi sa voix tremble et le groupe comprend qu'il serait de bon aloi d'utiliser plus de tact afin d'épargner la sensibilité de celle qui est au centre de cette aventure hors de l'ordinaire.

— Nathalie, nous comprenons ton courage d'affronter avec lucidité des images qui s'imposent à toi, souligne Elijah, touchant ses épaules afin de soutenir sa nouvelle amie de cœur. Plus confortablement, il choisit de rationaliser le débat en se tournant vers Samuel afin de les extirper tous de l'aspect affectif dans lequel ils s'enlisent.

— Je crois pour ma part que ces deux mots, invention et imagination, expriment une réalité bien distincte. Elijah ramène ses mains vers la gauche comme pour trancher une question. Ce que tu imagines, tu risques fort de le créer, car ton corps réagit comme si cela existait vraiment. Pour ton bénéfice intellectuel Samuel, je te souligne que l'ADN de notre corps, selon le biologiste Bruce Lipton, peut configurer les molécules nécessaires à la réalisation de nos souhaits profonds. Nous créons littéralement l'univers dans lequel nous évoluons. Changeant l'inclinaison des mains vers sa droite, il poursuit : tandis que ce que tu inventes, tu sais que c'est une construction de ton esprit, cela n'a pas existé. C'est très différent. Ce que tu as vécu Nathalie, me paraît être de l'ordre du perceptif. Si tu l'avais inventé, cela aurait été de l'ordre du mental, on aurait déjà perçu que c'était une histoire sans fondements. Et il n'y aurait pas eu autant de concordances pour corroborer le flux de l'histoire.

— J'aime cette idée Elly, lance Maude… nous ne faisons pas l'expérience du monde comme s'il était créé en dehors de nous, mais nous créons ce monde au fur et à mesure que nous sommes en contact avec notre imaginaire. Merci d'avoir apporté cette distinction !

— C'est très fort mes amis ! réplique Samuel confondu. C'est vrai que je joue à mes jeux comme si j'étais le maître… mais je n'ai pas créé le logiciel ! Alors, qui invente le jeu Elly ? Qui tire son avantage à la création continue de notre univers ?

— Je crois que l'avantage serait partagé par nous tous. Je tiens cette information du physicien et auteur Gregg Braden, est-ce que vous le connaissez ? Je passe plusieurs soirées sur Internet, quand je le peux. Elijah rassemble ses idées pour partager ce qu'il a entendu de cette vidéo. Braden parle de la théorie de Wladimir Popenon, un savant russe immigré aux États-Unis à la fin du 20e siècle. Cette compréhension est illustrée par la théorie du champ énergétique de l'intelligence universelle. L'univers connu serait le résultat de nos actions communes.

— Les actions de qui ? De nous comme avatars, ou comme joueurs... ou comme créateurs ? insiste Sam. Je ne vous suis pas.

— Cela m'intrigue également, avoue Maude. N'est-il pas vrai que le moi incarné ne contrôle que la réaction aux événements et jamais le courant de vie ? Sommes-nous les marionnettes d'une Force céleste ? Lorsque nous nous sentons confus, est-ce parce que nous ignorons le sens de l'Intention primordiale ? En consolation de notre égarement, Seth dit que nous ne devons pas nous sentir isolés, se rappelle-t-elle soudainement ayant lu quelques livres de l'entité canalisée par le médium Jane Roberts. La personnalité est multidimensionnelle, insiste Seth pour évoquer notre immense potentialité. Nous ne sommes pas seuls, cantonnés dans notre petite vie limitée. Peut-être sommes-nous à la fois l'avatar, le joueur et le créateur !

— Oui, l'observateur et l'observé. Agrémentons ton questionnement avec le constat que les scientifiques rejoignent les messages des grands sages, lorsque béatement, ils approchent l'infinité par l'observation de phénomènes micro ou macroscopiques, ajoute Elijah, dans l'engouement de cette conversation. Il appert que l'étendue de notre magnifique conscience est beaucoup plus grande que le rôle de spectatrice auquel on l'a autrefois confinée.

Nathalie n'est pas dans une atmosphère où elle apprécie l'intervention théorique d'Elijah. Son désarroi requiert plus de tendresse qu'une lecture scientifique. Elle baisse les yeux et se cantonne dans son monde intérieur, macérant sa réclusion. L'univers comme résultat de nos actions communes ! Non, mais ! Maintenant, on lui dit qu'elle a créé l'alligator qui a failli la bouffer ! Quel sarcasme de la part de ces gens qu'elle croyait ses amis et alliés ! Elle qui a littéralement livré ses entrailles, à l'avancement de l'histoire de Rose, en toute confiance, en toute intégrité. Se sentant jugée, elle s'enferme dans un silence obstiné.

Grands sages ? Samuel est interpellé par les images de sa rêverie où il a, quant à lui, rencontré son éclair de sagesse. Il se rappelle les cascades scintillantes, les énormes portes sculptées, les lutins, les enfants… et son trône. Audacieusement, il décide de parler aux autres de sa fantaisie.

— Oui, ici je vous suis… voilà. L'autre soir, j'ai fait un rêve éveillé qui me semblait très réel, mais je sais que c'est impossible de chevaucher un dragon et de rencontrer un magicien ! Ne riez pas ! se pare-t-il, car sa perplexité demeure quant à la provenance de ses impressions. Je ne peux décrire cela comme une invention. Imagination ? Fantaisie ? Élucubration ? J'exclus une vie antérieure. Des images pourtant si fortes que je ressens un changement d'attitude chez moi.

Maude happe au passage l'allusion à la transformation du comportement qu'invoque Sam, pour confirmer les bienfaits de l'imagerie.

— Ou peut-être est-ce que tu te préoccupes davantage à des événements qui confirment cette nouvelle image de toi. Ce qui t'engage vers le succès, interprète-t-elle. Il s'agit d'une perspective que tu ignorais auparavant, jonchée parmi tes possibilités.

— Dis Samuel, tu crois impossible de chevaucher un dragon dans cette dimension-ci, mais qu'en est-il des mondes subtils ? apporte Elijah, désirant garder le sujet hors dimensionnel. Cette conversation lui plaît, car la discussion autour de notions spirituelles et de découvertes scientifiques modifie son habitude de navigation solitaire. Il est fortement convaincu que d'autres dimensions existent en réalité. L'imagination n'est-elle pas la source de toute création s'incarnant dans nos dimensions physiques ? Et se tournant une autre fois vers la thérapeute : Qu'en dis-tu Maude ?

— Tout le monde se tourne vers moi à chaque interrogation, comme si je possédais la vérité, constate-t-elle. Mais je nage autant que vous dans de l'incertitude !

Maude sait bien qu'elle n'est qu'une auditrice attentive, notant la teneur de la fouille exploratoire de ses patients et tentant d'en saisir la consistance. Loin d'elle est l'idée d'une censure, car il lui importe de scruter la réalité sous tous ses aspects, surtout ceux qui paraissent invisibles à nos yeux. Aussi préfère-t-elle ne pas se prononcer afin de libérer le chemin à une variété d'explications. Elle propose au groupe une façon optimale de poursuivre la prospection des dimensions spirituelles... grâce à la facilité qu'a Nathalie d'explorer les mondes intérieurs.

— J'ai l'intuition que nous pourrions faire un jeu intéressant, suggère-t-elle au groupe. Nathalie, qu'en dis-tu, est-ce que tu accepterais de retourner en imagerie, et nous pourrions invoquer l'âme de Ray à venir nous parler ?

Samuel ne s'étonne plus de rien. Voilà ! Il s'en doutait bien que son amie côtoyait le domaine des Enfers, malgré les protestations de celle-ci affirmant toujours qu'il s'agit d'une hypothèse. Elle propose ce divertissement comme si elle ouvrait une planche de Ouija, grâce à laquelle des réponses surgiront mystérieusement du néant. Vraiment ! Quoi encore ?

— Comment allons-nous savoir si c'est une invention mentale de Nathalie ou si c'est une perception authentique, comme nous le précise Elly ? réplique-t-il. C'est sur ça que je m'interroge. Moi, je crois en fait que mon rêve éveillé était une jolie construction. Intéressante, mais une pure fantaisie ! Et voulant élucider la nature de son expérience, il ajoute : la fantaisie, c'est une invention ou une perception imaginaire ?

Maude lui répond, évitant de poser un jugement sur son vécu.

— Tu es bien libre de nommer ton expérience comme tu veux, Sam, personne ne peut te contredire. À toi de définir ta vérité ! C'est même difficile de distinguer la vérité entre les versions de témoins qui ont vu un même incident, mais le racontent chacun de leur point de vue ! Alors, comment distinguer ce qui est réel de ce qui ne l'est pas dans des dimensions éthérées ?

Nathalie réfléchit à la proposition. Tout d'abord réticente, elle veut toutefois prouver combien les imageries dépassent sa capacité de fabuler ces impressions à froid. Personnellement, elle aime bien cet état de relaxation profonde favorisant l'expression libre et limpide de son senti. Il y a une vérité qui s'en dégage, comme s'il n'y avait pas d'opposition à ce qui est. La sensation émerge des profondeurs de son être et s'impose à elle. C'est apaisant, car cela contraste avec l'abondance des pensées foisonnant dans son mental critique. Alors qu'en imagerie, il n'y a aucune zone culpabilisante, que de l'amour.

— D'accord Maude, je me prête au jeu. Et se tournant vers Elijah, elle prend le temps de vérifier son degré d'aisance. Elly, tu es d'accord ? C'est quand même ton oncle et tu es imprégné de l'émotion fraîche de son décès !

— Pas de problème Nat, répond Elijah dont la curiosité est moussée. Ne vous en faites pas si je verse quelques larmes ! Au fait, je crois que je serai en bonne position pour vous dire s'il s'agit ou non des mots que Ray aurait prononcés.

— OK, dit Maude, je propose qu'on aille se reposer et qu'on se retrouve ici demain soir. Est-ce que ça te convient Nat ?

Nathalie fait un signe positif de la tête, pendant qu'Elijah regarde vers l'auberge, songeant aux tâches qui l'attendent dans les jours qui viennent.

— Merci. Cela me donnera le temps de préparer la cérémonie.

— À ce propos, lui dit Samuel, j'ai conservé dans mon ordi un très beau texte qui a été lu au décès de ma tante Irène. Est-ce que tu le voudrais ? Je pourrais le traduire.

— C'est gentil, mais non, Sam, j'aime bien me laisser porter par l'inspiration de mon âme ! Ça va aller.

C'est Maude qui offre à Samuel une oreille attentive ; déformation professionnelle oui, mais curiosité oblige ! Être bercée par des propos inspirants est une sensation qu'elle adore. Autant les discussions ou les activités la branchent sur l'action, autant la méditation nourrit son expansion intérieure. Sam, tu me liras ton texte devant un bon feu de camp !

***

À travers la fenêtre du vol direct qui le ramène à Montréal, Carlos admire la beauté du soleil levant répandant ses rayons à travers le filtre des nuages, flamboyant dans de douces teintes colorées. Rougeâtres, orangées et jaunes avant de se fondre toutes dorées dans le firmament bleu infini. Quelle merveille que cette boule de feu qui apparaît précisément chaque jour sans commander son apparition. Tant de sacrifices cruels ont été effectués par les Aztèques dans leurs rituels superstitieux, et certainement par d'autres peuples ignorants craignant de ne pas revoir le soleil levant ! Si les planètes peuvent tracer leur ellipse cyclique autour des fulgurantes éruptions de notre astre solaire sans le moindre ajout de notre volonté, qui est-on pour se croire indispensable à quelque situation que ce soit dans le jeu du cosmos ? Carlos met en perspective l'infime partition qu'il joue actuellement, dans un couple parmi des milliards, pendant quatre ans comptant parmi les 137 millions de siècles qui ont sculpté le déroulement de la vie jusqu'à aujourd'hui.

Tout soupesé, il est soulagé des conséquences de la décision prise. Car cette séparation du couple ne correspond pas à sa conception d'une relation. Elle n'est que le reflet d'une réalité signifiant, selon lui, que la flamme n'unit plus une destinée commune. Dans l'allégement que lui procure cette pensée, il organise déjà le partage des biens ou sincèrement, il en remet sur les nombreux exercices précédents.

À Montréal, il reprendra possession temporairement de son territoire en déposant son sac de golf dans le cagibi prévu pour les articles de sport de la famille. Il savourera le sentiment bienfaisant de retrouver ses affaires, son rythme, ses activités. Puis, un verre de vin rouge à la main, il concevra l'endroit où il aimerait à nouveau se sentir en accord avec lui-même. Sans compromis, ce paysage aura enfin la configuration de ses propres rêves.

Sait-il que les craintes successives du démantèlement de son couple, tous ces indices scrutés et pressentis quant aux manques de complicité, sont coupables d'avoir contribué à la chute de leur sérénade ? Méfiance rime, mais ne s'accorde pas avec confiance. Après tout, si chaque instrument d'un orchestre jouait des notes identiques, il ne s'en dégagerait aucune harmonie ! Mais l'ingénieur ne l'entend pas ainsi ! Trop longtemps ignoré, Carlos espère retrouver sa liberté célibataire. Coincé entre l'image du « bon gars responsable » (qui plaît aux femmes et les séduit) et celui de l'homme dominant (qui fait fuir le type de femmes autonomes convoitées), son épopée est douloureuse. Même s'il s'était bien promis qu'il s'agissait de sa dernière conquête, il fera l'effort d'endosser à nouveau son armure de chevalier et reprendra son rôle de séducteur à la recherche d'une nouvelle dulcinée.

En attendant le retour de Nathalie, il réparera la porte du cabanon qu'un jeune a brisée pendant leur absence. Il vociférera une ultime fois contre ces adolescents irresponsables et paresseux. Sur ces pensées qui réconfortent ses valeurs, il donnera du crédit à sa capacité de mener son destin dans la bonne direction.

***

Le groupe se réunit de nouveau à la roulotte pour réaliser le projet proposé la veille par Maude. Elijah met de côté les préparatifs des funérailles, tandis que Samuel profite d'une virée cycliste. Nathalie a fait un somme pour garantir une présence optimale à l'exercice. La soirée s'annonce torride, l'humidité rend l'atmosphère lourde. Le ciel se couvre peu à peu de nuages présageant une ondée.

— Nathalie, tu sais comment entrer dans un état de transe légère. Tu peux débuter en te transportant dans un endroit de rêve, quelque part dans la nature. Imagine chaque détail, les couleurs, les odeurs de fleurs, la hauteur du soleil. Permets à une douce brise de dissiper l'excédent de chaleur. Peux-tu visualiser des arbres, de l'eau qui coule non loin. C'est ton endroit de rêve, tu le composes pour toi, pour ressentir du bien-être, de la détente. Tu sais que tu es tout à fait en sécurité dans ce lieu de repos.

Maude prend une pause afin que Nathalie se concentre pleinement sur sa relaxation. Un long soupir de détente signale l'étape d'approfondissement de la transe, étape nécessaire au détachement des bruits extérieurs à ce corps en repos. La psychothérapeute poursuit la visualisation créatrice à laquelle se prête son amie.

— Maintenant, imagine qu'il y a un sentier sortant d'un boisé non loin et qui mène jusque vers toi. À partir de ton cœur, invite Ray à bien vouloir sortir du bois et venir s'asseoir à tes côtés. Quand Ray sera là, tu nous le diras.

— Oui, c'est bon, il est là.

— Peux-tu nous le décrire ?

— Il est détendu. Il a une chemise blanche à manches longues, blousante, en lin. Un pantalon brun, des sandales.

— Prends ton temps pour le saluer et le remercier d'être venu nous rencontrer.

— Ça va.

— Peux-tu lui demander comment il se sent ?

Nathalie le contacte dans le silence, par le truchement de paroles intérieures. Quelques secondes plus tard, elle traduit ce qu'elle a perçu de sa réponse. Elle joue bien le jeu, car il n'y a ni de bonnes, ni mauvaises réponses ; il n'y a que ce qui monte à sa parole.

— ... Il dit qu'il se sent bien maintenant. Il dit qu'au début, il a eu de la difficulté à accepter son départ. C'était si rapide, il n'y était pas préparé. Mais maintenant, il se sent en pleine quiétude. Je perçois dans son attitude décontractée une belle sérénité. C'est curieux, je n'aurais pas pensé le distinguer si aisément.

Lors de sa relaxation solitaire, Maude se rappelle avoir eu l'impression d'une difficulté de Ray à accepter sa désincarnation. Peut-être avait-elle réussi son exercice après tout ! Par ailleurs, elle se souvient de sa conversation avec Carlos qui allait dans les sens de ne rien forcer. Une énergie intelligente se charge de nous livrer les messages et les dons qui nous sont utiles. Est-ce à partir de cette non-attente qu'on développe sa médiumnité ? En faisant confiance aux impressions de notre senti corporel ?

— Peux-tu lui demander s'il sait pourquoi nous lui avons demandé de venir ?

— ... Il fait signe qu'il est disponible à toute question que nous aimerions lui poser.

— J'embarque, dit aussitôt Elijah. Ray, est-ce que tu es d'accord avec mon projet, avec le cadeau que je veux offrir à Nathalie pour l'aide qu'elle apportera à notre famille ?

Dans sa transe légère, Nathalie imagine le vieillard souriant. Elle prend le temps de laisser surgir la scène dans son imagination avant de la décrire.

— ... Il sourit. Il prend la main gauche d'une dame à la peau noire. Il la tend vers nous en signe d'alliance. Il dit que c'est Rose ! Ah ! Mais oui, je la reconnais, c'est Rose ! Elle est radieuse. Elle tient de son autre main une jeune enfant, cette seconde fille qu'elle n'a jamais mise au monde. Elles sont ensemble et heureuses.

— Ça va Elijah ? Veux-tu en savoir davantage ? As-tu reçu ta réponse ? vérifie Maude.

— Oui, absolument. Je ne peux vous en parler tout de suite. Mais oui, Ray sait bien à quel objet je pense. Merci Ray !

— Samuel, aurais-tu une question pour Ray ?

— Bien sûr ! Je veux savoir s'il était au bord de la rivière, hier après-midi, pour nous avertir du danger.

— ... Il rit. C'est tout. Il ne dit rien. Il rit, transmet Nathalie.

— Il n'est pas très loquace votre Ray ! rétorque Samuel quelque peu heurté.

— En fait, il ajoute que tu ne poses pas la bonne question.

— Bon, quelle question dois-je lui adresser ?

— … Il me montre un château. Il dit que tu devrais t'y trouver et ne pas te préoccuper de savoir où les autres se situent. Mais bien de savoir où toi-même tu te situes.

— Ouais, ouais, OK ! OK ! Capiche ! Je pige !

Samuel est surpris de cette réponse. Il voulait confondre le personnage imaginaire de Nathalie et s'est lui-même embrouillé par un manque de foi quant à l'importance de sa récente vision. Maude voudrait bien s'enquérir de la référence, mais elle doit poursuivre la guidance de cette imagerie. Elle ne laissera pas Nathalie flotter entre deux mondes.

— Et toi Nathalie, y a-t-il quelque chose que tu veux demander à Ray ?

— En fait, j'aimerais dire à Rose que je la remercie de tout mon cœur de m'avoir guidée.

— Que répond-elle ?

— Elle me remercie aussi d'avoir osé croire en mon intuition… Elle m'encourage à poursuivre. Elle dit que je serais surprise de savoir combien de personnes nous aidons, nous les êtres humains incarnés, en allant au bout de nos rêves.

Maude prend en compte cet encouragement. Elle fait un travail silencieux dans le monde de l'imaginaire et reçoit cette appréciation de l'au-delà comme un esprit de gratitude de tout l'effort qu'elle met à aider ses patients à se libérer de leurs carcans émotifs. Un courant d'amour réchauffe son cœur.

Les larmes coulent à nouveau sur les joues de Nathalie, car surgissent en elle de grandes vagues de nostalgie.

— Que désires-tu partager ?

— Que ce n'est pas toujours facile d'être seule à croire en ma destinée.

— Qu'est-ce qu'elle te répond?

— Que je ne suis pas seule. Il y a beaucoup d'êtres qui me soutiennent avec Amour, qui nous soutiennent tous.

— Que ressens-tu à cette réponse?

— Ça me fait du bien. Je ressens une chaleur au plexus solaire. C'est bon.

C'était au tour de Nathalie de ressentir l'amour inconditionnel de l'Univers.

— Laisse circuler cette chaleur dans tout ton corps... Je suggère que nous fassions tous de même... Y a-t-il autre chose que Ray ou Rose aimeraient nous dire?

Nathalie maintient toujours un mode réceptif, se concentrant sur ses perceptions internes. Son visage est calme et détendu à nouveau. Le dénouement approche.

— ... que nous avons tout ce qu'il faut en nous pour réussir notre périple sur Terre. Il s'agit simplement d'être à l'écoute de nos messages intérieurs; c'est ce que signifie le conseil: suivre notre voie, suivre notre chemin.

— Y a-t-il autre chose?

— Ils insistent: nous ne sommes pas seuls. Nous sommes aimés et soutenus... C'est tout. Ils sourient tous les trois et irradient leur tendresse.

— Tu peux les remercier pour ce beau partage... Es-tu prête à les laisser repartir?

— Oui, ils me prennent dans leurs bras. Les larmes de Nathalie coulent à nouveau, mais avec douceur, suivi d'un apaisement. Ils sont prêts à sortir de ma pensée. Ils me disent même qu'ils sont attendus ailleurs.

— C'est bon. Regarde-les quitter la scène et lorsqu'ils ne seront qu'un point au loin et disparaîtront, tu me le diras.

— Ils s'éloignent doucement… C'est fait, je ne les vois plus.

— Retourne dans ton lieu de rêve et de repos intérieur. Prends quelques respirations profondes pour régénérer ton corps et intégrer ce que tu viens de vivre.

Samuel, Elijah et Maude en profitent pour se recentrer dans le silence. Pendant la transe, suspendus à la voie intuitive de Nathalie, ils avaient retenu leur haleine, baissant leur rythme cardiaque et entrant dans un état second en synchronisme.

Après moins d'une minute, Samuel rompt ce silence en exprimant ses doutes. Peut-être Nathalie avait-elle mentionné le château parce qu'il lui en avait parlé sur la berge ? Mais non, il avait gardé secrètes ces visions symboliques. Hier, il n'avait mentionné que le magicien et le dragon ! Comment avait-elle pu lire dans ses pensées ? Est-elle finalement devenue elle-même médium à force de fréquenter ce monde ésotérique ?

Maude lui répond qu'on ne sait pas exactement d'où surgissent ces images. Comme on ne sait pas d'où est issue l'intuition d'une bonne clairvoyante qui étonnamment, peut tracer un portrait d'une personne sans la connaître ; elle esquissera un profil de ses préoccupations et de son entourage. Bien qu'il ne lui appartienne pas de définir son avenir, elle pourra prévenir sa cliente de ce qui se dessine pour elle, si celle-ci marche dans le sentier emprunté jusque-là.

— Peut-être que, ose-t-elle avancer, si on a l'impression de contacter une personne décédée, c'est qu'elle est véritablement présente. Les études sur les personnes vivant une EMI, une expérience de mort imminente et de présence éthérée après la neutralisation du cerveau indiquent qu'il y a de toute évidence une vie après la mort. Peut-être nos neurones perçoivent-ils en écho l'état de conscience des défunts. Nous ne pouvons pas dire que notre pensée projette les réponses, car en imagerie, les gens en transe sont parfois surpris et consternés par les répliques du trépassé.

— Et les songes, c'est une intuition en état de sommeil ? Est-ce que ce serait comme pour l'électricité ? ajoute Sam. Lorsqu'Edison a eu l'idée géniale de conduire le courant par un fil, personne ne pouvait se douter de la portée de cette découverte. Si on ne comprend pas exactement la source de cette énergie, on sait qu'elle existe et on s'en sert. Comme les neutrinos, comme les chaînes non décodées de notre ADN. Approfondir les aboutissants de l'imagerie pourrait-il mener à une nouvelle ère électrimaginaire ? lance-t-il, amusé de son esprit ludique. Dans sa créativité, Sam ratisse large !

— Intéressant ton allusion à l'électricité Sam, dit Elijah pour qui la science est d'un vif intérêt. Les scientifiques comme les artistes, peintres ou musiciens, trouvent souvent leur inspiration dans des états altérés de conscience, au matin, en rêvasserie diurne, ou sous l'influence de drogues. Une réponse lumineuse leur apparaît en un éclair insoupçonné.

— Comme si des nuages d'inconscience s'étaient dissipés sous l'inattention de l'ego endormi... remarque Maude... laissant place à l'accès privilégié au grand Soi ! Les gens inspirés ont l'impression que le courant d'idées descend vers eux, alors que ce sont eux qui ont plongé dans le grand bassin d'informations. En fait, il ne s'agit pas de déplacements, mais d'ouvertures à « ce qui est ».

— Oui, hors du temps et de l'espace tel que nous en connaissons la forme. La physique quantique nous dit qu'en plus du temps et de l'espace, la lumière est essentielle à la matérialisation de la vie dimensionnelle.

— Que veux-tu dire par là ? s'interroge Nathalie revenant à la réalité et s'intéressant cette fois aux propos d'Elly.

— On calcule le temps par le déplacement dans l'espace : on mesure le temps de se rendre d'un point à l'autre. Et l'espace ? Il ne se mesure pas qu'en métrique. Sans le temps, l'espace n'existe pas non plus. Ce sont les déplacements successifs qui le mesurent et vice-versa. Tic tac. On parle donc d'espace-temps constituant les quatre dimensions : la longueur, la largeur, la hauteur et le déplacement. Mais curieusement, à la vitesse de la lumière, l'espace-temps n'existe plus en tant que forme. Il n'y a que des instantanéités, car la lumière n'est pas relative selon le temps et l'espace. Elle est égale partout.

— C'est intéressant que l'on déclare : « Je vois » pour exprimer notre compréhension des choses, remarque Samuel. La lumière est nécessaire à la matérialisation des quatre dimensions, de la même façon dont l'image d'un hologramme n'apparaît pas sans la projection du laser.

Maude en remet sur cette explication :

— Oui... bien que notre âme serait le corps immatériel de notre conscience, elle aurait besoin de voir ; elle aurait besoin de la lumière pour cheminer ! N'est-ce pas ce que nous faisons lorsque nous visitons notre bagage imaginaire intérieur ? Nous permettons aux événements archaïques de revivre à la lumière d'un mode intemporel.

— Et d'avoir un impact réel sur nous, dans l'espace et le temps ! ajoute Nathalie.

— Bien sûr, et comme le mentionne Elly, il n'y a pas de temps ou d'espace formels à la vitesse de la lumière, donc tous les temps et les espaces informatifs sont accessibles, instantanément ! En fait, cette information n'est accessible que par l'imaginaire, car nous ne pouvons pas concevoir un appareil capable d'atteindre la vitesse de la lumière. Les yeux de Maude s'enflamment. Le temps imaginaire, une donnée physique avec laquelle elle travaille de façon quotidienne en thérapie. Son cœur semble heureux de cautionner son expérience clinique par une compréhension astrophysique.

— Elly, Maude, continuez... presse Sam qui veut en apprendre davantage. Dois-je comprendre que rien n'existe quand on est hors de la lumière ? Par exemple dans un trou noir ?

— Au contraire Sam, répond Maude, au contraire. Le trou noir serait un condensé du Tout. L'explication vois-tu, c'est l'imaginaire. Chacun de nous ici a eu l'impression de contacter Ray. Et chacun de nous en a tiré une expérience unique. Nous y avons mis chacun notre éclairage personnalisé. Il ne pouvait en être autrement ! C'était notre pièce holographique. Si je récapitule, il y a l'imaginaire intentionnel et, au point zéro, la matérialisation émerge de la projection lumineuse. C'est la vraie nature de la réalité, dit-elle en empruntant le titre du livre de Jane Roberts. Selon les frères Bogdanov, mathématicien et physicien français, l'imaginaire constituerait la cinquième dimension. Peu importe nos croyances Sam, ces cinq dimensions définissent notre réalité, car ce que nous percevons avec nos sens est issu d'un bagage informatif et est éclairé à la lumière de notre compréhension des choses, soutient-elle.

— Comme l'information est présente sur un dvd en temps imaginaire, écrivent les Bogdanov, ne devenant réelle que lorsque lue par le lecteur dvd. Et si je comprends bien, nous choisissons le disque que notre lecteur lira, complète Samuel qui se sent en pays de connaissances dans le domaine électronique. Il est vrai que mon chien ne voit pas le monde en couleur et que je suis loin d'avoir la finesse de son odorat. Nous partageons notre quotidien sans déambuler sur un globe identique.

Nathalie veut élucider la distinction entre imaginaire et imagination. Comment tombe-t-on dans l'imagination quand on part du premier ? Maude décrit l'imaginaire en tant que fonction cognitive, celle responsable de la création, de la même façon dont l'intelligence est la clef de l'adaptation. Le bagage imaginaire contient les probabilités de réalisation, tandis que son produit est l'imagination, synonyme de fantaisie, et pas nécessairement reliée au senti. Cette dernière est limitée, tandis que la première est porteuse d'un potentiel infini.

— Imaginez que vous vous retrouviez au centre d'une pièce. Vous percevez les trois dimensions physiques, mais seulement cinq faces de la salle. Grâce au déplacement, vous vous retournez et voyez le mur derrière votre dos. Vous avez ajouté le temps, mais déjà celui-ci est relié à l'imagination puisque nous ne sommes toujours que là où nous nous situons. Voilà pourquoi il a été si difficile pour les scientifiques matérialistes d'inclure le temps en tant que quatrième dimension. Le temps n'existe pas, il est déduit par l'avant et l'après. Il est relatif. Cependant, au cœur de cette expérience cubique, il serait possible de percevoir toutes ces dimensions à la fois grâce à la cinquième dimension : l'imaginaire. Ces vies dites « antérieures » devraient en fait être qualifiées d'« intérieures ». La perception de tout ce bagage humain, animal, végétal et minéral, peut-être aussi viral et « élémental » qui a existé depuis le début de l'Univers connu est accessible. Grâce à notre imaginaire, nous avons une vision complète de l'hologramme de l'Univers.

Une conclusion s'impose à un Samuel, dont la perspective holistique du trou noir intrigue. Il reste centré sur l'image du dvd personnalisé.

— Maude, tu dis que dans l'imaginaire, toutes les possibilités sont configurées. Et qu'au-delà des quatre dimensions et de la lumière les incarnant, c'est notre interprétation de la réalité qui établit les nuances et crée notre différence... Je comprends enfin que personne d'autre que moi ne peut habiter mon château !

— Toutes les possibilités peut-être, mais nous ne pouvons capter que celles que peuvent interpréter nos sens physiques. D'où la pertinence de ton exemple canin. D'où également l'importance d'être dans un corps. Et un corps pleinement conscient.

Et le Verbe s'est fait chair, interprète Elijah pour lui-même, alors que le constat sur l'interprétation individualisé de la perception réconcilie Nathalie avec son vécu.

— Bon, je me sens un peu moins seule maintenant à carburer à des oracles. Ce que je saisis, c'est qu'en choisissant de croire en ma voyante, j'ai choisi de croire en moi, parce que c'est moi qui ai choisi ce en quoi je croyais.

Elijah en profite pour l'appuyer dans ce regain de confiance.

— N'est-ce pas rassurant ma bonne amie, de savoir que nous sommes responsables de la façon dont nous interprétons les événements ?

— Rassurant ? Étourdissant, oui. Quand je pense à l'énergie que cela me prend pour demeurer présente à chaque pensée, à chaque sensation lors de mes imageries, je ne crois pas être capable de maintenir ce degré de concentration tout au long des heures d'une journée !

— C'est certain que nos cerveaux sont limités et ont besoin d'une soupape d'inconscience lunatique pour emplir leurs réserves d'énergie. L'être humain est une œuvre en déploiement, ajoute Maude. Aujourd'hui, en réplique au fameux philosophe René Descartes qui a suggéré que l'homme existe parce qu'il pense, nous pouvons certainement suggérer ce nouvel entendement : « J'imagine, donc je suis ! » Je crée mon identité grâce à mon interprétation de la réalité. Il s'en suit une variété infinie de versions de la réalité, sans qu'une seule soit identifiée comme étant « LA vérité ».

Stimulé par le biais de ses connaissances électroniques, Sam propose de définir la présence de vies imaginaires comme étant une interface entre le Soi incarné et l'intention du grand Programmeur. Décodés par nos sens, ces progiciels constitueraient un langage partagé, un dispositif permettant l'interaction entre le Créateur et ses sujets. Ainsi le Formateur peut toujours améliorer le programme en fonction de la finalité du jeu. Cependant, la question se pose tout de même, celle du nous, en tant que joueurs, comment savoir qu'il s'agit d'une programmation et ne pas tomber dans les tourments d'anticipations de l'avenir ou les obsessions d'un passé mal ficelé ? Comment éviter les pièges des interprétations blessantes des choses dont on fait une affaire personnelle ? Qu'en est-il des maladies, des accidents ?

Ouf ! Cela exigerait une discussion prolongée et les personnes présentes ont plus besoin de se détendre que de déterrer les racines de ces énigmes, aussi pertinentes soient-elles.

— Questions captivantes Sam, et j'ai le goût de te répondre à la manière de Ray, rétorque la thérapeute, c'est-à-dire : « Va visiter ton château ! » N'est-ce pas un lieu sécuritaire ? Sans tsunami, sans peste bubonique... si tu le désires ardemment !

Quant à Elijah, il aura besoin de son énergie dans les heures subséquentes. Les propos du copain de Maude au sujet de l'évitement de malheurs lui font songer à ces voyageurs faisant confiance en leur capitaine, cherchant une route pour les Indes et leurs épices orientales. Ceux-là ne connaissaient pas plus que les autochtones la portée d'installations de postes de traite avec les Amérindiens. Ces postes sont devenus des villages, puis des villes. Les villes, des états ; les états, un pays ; un pays, une influence mondiale. Le rêve d'expansion d'une civilisation en a annihilé une autre. Le battement d'ailes d'un papillon, a-t-on écrit. Ainsi en est-il du souffle d'un imprévu. Par exemple, celui de se libérer de son travail de gérance. On ne constate que plus tard les effets d'une initiative, aussi simple soit-elle. Et si la décision conduit au naufrage, que faut-il croire en effet ? Est-il pertinent de remettre notre dessein en question ? Car y a-t-il des erreurs de parcours ou est-ce que tout est parfaitement orchestré comme le croyait Ray ?

Ramené au présent par la démobilisation des autres, Elijah est à nouveau préoccupé par sa situation familiale. Il priera sa tante d'octroyer son accord pour son projet de cadeau à Nathalie. Auparavant, il suggère au groupe de ne rien révéler à Emma au sujet de ces épisodes visionnaires à moins qu'elle-même n'ait contacté Ray dans ses rêves, ce en quoi elle serait plus ouverte. Mais la connaissant, elle garderait ce secret dans son cœur.

Maude demeure convaincue que les scènes non résolues de notre passé subsistent en notre inconscience et demeurent actives et dynamiques tant que leur fermeture n'est pas complétée. Ce qui a mal été géré transpire à travers les filtres plus ou moins étanches de notre psyché. L'analogie que procurent les images d'autres vies facilite la reconnaissance de ces obturations, de ces coins obscurs en soi. D'abord, dépister, puis traiter ces perceptions erronées pour les neutraliser ; cela soulage le corps et l'âme. Un jour, elle sait qu'elle aura à guérir le sentiment d'isolement dû à son enfance solitaire.

Oui, nous sommes Un et nous portons en nous la totalité des expériences, mais nous devons vivre en rupture avec d'anciens ou futurs scénarios pour savourer le présent et laisser entrer le maximum de rayons d'amour en soi. Curieusement, se dit-elle, lorsque nous entrons en transe, nous retournons dans ce sentiment océanique de l'Un, et même si nous parlons alors d'état dissocié, c'est lorsque nous sommes sur les ondes bêta, vivant sur un mode spatio-temporel, que nous sommes divisés. Voilà le rôle précieux de l'Ego : nous garder en dissociation en cadrant notre identité par opposition à ce qui n'est pas soi ! Ce pauvre bougre est souvent considéré comme un gros méchant, car il augmente notre appétit pour le cumul de capitaux et nous sépare des autres. Mais combien cette scission est-elle essentielle pour rencontrer l'autre dans l'expérience ! Nous devons subir cette séparation sans laquelle il n'y aurait pas d'échange possible. Cela inclut l'épreuve de la mort, ultime séparation, douloureuse à cause de l'attachement aux êtres nourriciers, sentiment à la base de notre survie. Toutefois, la résolution du deuil permet d'apprendre à mieux s'aimer. Car il est vrai qu'on n'apprend pas que de nos échecs, mais aussi de ceux de nos semblables.

Le récent épisode de l'alligator aurait-il eu lieu si Nathalie avait résolu son processus intérieur de pardon plus tôt ? On ne le saura jamais avec certitude, mais il est probable que non. On peut donc changer son destin… mais il faudrait reculer loin, loin dans le temps, à la première cause, peut-être jusqu'à l'Intention primordiale !!! Alors… tout est-il déjà tracé ? En ce qui concerne Nathalie, c'est un constat que chez elle, la fermeture d'un événement douloureux n'était pas terminée, et que cette souffrance a exigé la tenue d'une nouvelle imagerie, pour le meilleur !

En cela, la thérapeute partage son soulagement, évoquant le sentiment de paix chez Ray, Rose et Nathalie. Vraiment, cette dernière imagerie était bien nécessaire pour dissoudre les vigoureuses émotions des derniers jours. Maude sent qu'elle a mené à bien la responsabilité que son amie lui avait confiée.

Solidaire dans cette incursion spirituelle, Samuel compare leur expérience aux défis des années '70 où de nouveaux continents intérieurs étaient découverts en matière d'expansion de l'esprit, de vision universelle, d'amour de soi et du prochain, grâce à l'utilisation de drogues psychédéliques. Un temps où étaient révolus les clivages entre le bien et le mal, le correct et l'interdit, les ayant droits et les bannis, un aplanissement consacrant un monde haut en couleur et diversité ! Mais le balancier de la civilisation est revenu vers la droite et démarque des frontières et des tabous encore à franchir. Ce soir, chacun a dépassé à sa façon les bornes d'une culture définie par une société occidentale bienpensante, généreuse, mais souvent froide, rigide, impersonnelle. Dans l'esprit de la camaraderie vécue en cette soirée insolite, ils sont d'accord pour assister le surlendemain à la cérémonie des funérailles.

Elijah entend une automobile se garer devant l'auberge. Est-ce son frère arrivant de l'aéroport après ses trois transferts à partir du nord de l'Alaska, ou bien les sœurs et belles-sœurs d'Emma provenant de Miami, New York et Chicago ? L'homme nouveau salue ses comparses et quitte le motorisé, le vent dans ses voilures spirituelles et les pieds campés au sol.

***

Maude et Nathalie vont passer le reste de la soirée au bord de la piscine, étendues sur une chaise longue à fixer les étoiles. Des grenouilles coassent au loin, orchestrant un chant incongru à leurs oreilles. La soirée est douce, car le vent est tombé après l'averse de la soirée. La chaleur de la journée s'évapore doucement, libérant l'air de l'humidité. Les copines sont plus à l'aise à l'extérieur de leur véhicule qu'elles laissent s'aérer de l'intensité de cette expérience.

Elles ont besoin de décanter et échanger leurs impressions, car Nathalie doit maintenant faire le bilan de cette aventure. Ne sachant ce qui découlera de cette amorce d'amitié avec Elijah, elle s'interroge sur la décence d'une intrusion dans la réalité familiale de gens qui lui sont étrangers. En imaginaire, ses sensations étaient viscérales ; elles semblaient familières et personnelles. En se réveillant de la transe, elle prend maintenant le pouls de la difficulté d'être dans un pays à apprivoiser, d'être confrontée à des lois dont elle ne connaît pas le code. Nathalie qui a l'habitude de prendre sur ses épaules la salvation d'autrui trouve bien lourd le défi dont elle s'est innocemment chargée à la suite des révélations d'une voyante l'enjoignant à régler un contentieux légal loin de ses préoccupations.

Si elle a été captive de cette histoire, Rose s'est-elle servie d'elle simplement pour passer son message ? Pourtant en paix avec cette pauvre femme, elle désire reprendre sa liberté : *pourquoi ai-je senti l'urgence d'aller jusqu'au bout de son histoire ? Est-elle vraiment une facette de moi pour l'éternité ou seulement en cette époque de questionnements ?* En effet, quelle intimité partagent ces deux femmes pour que ces images aient été si fortes et si pressantes jusqu'à l'achèvement de cet objectif justicier ?

Ne pouvant sauter au-delà de la force aimantée de cette relation, elle met de côté ses réflexions et se préoccupe maintenant de Maude, lui demandant si celle-ci est satisfaite de tout le processus. Ses incartades dans les mondes imaginaires ont exigé de son amie une présence intense à sa personne durant tout ce périple, et pas moins aux autres ce soir.

— Est-ce que ça va, toi ?

— Dans un sens, oui. Je suis toujours éberluée de constater que lorsqu'on sonde notre sagesse intérieure, tant de belles paroles ressortent de notre bagage imaginaire ; des pensées qui réconfortent et renforcent notre être. Tant que chacun y a trouvé son lot, j'en suis heureuse.

La quête de Nathalie répondait à une pulsion de changement. La consultation avec sa voyante avait déclenché l'ouverture de possibles avenues, pour elle-même, pour sa relation conjugale, pour son travail. Qui ne changerait pas un élément, même essentiel, si une fortune lui était proposée ? Elle s'approchait de son but et ferait le reste du chemin les yeux grand ouverts. Grâce au réveil de son ivresse mentale, Nathalie se préoccupe maintenant des besoins de son entourage.

— Mais toi Maude ? As-tu trouvé le tien ? insiste-t-elle.

— Je ne vous ai pas dit que j'avais tenté de contacter Ray lors d'une imagerie, lors de ta sortie au dépanneur. J'étais déçue du résultat, je m'attendais à une plus grande connectivité. Tu sais, j'admire ta capacité de te laisser aller dans ton senti pour rejoindre tes images intérieures. Moi, j'ai l'impression d'avoir inventé cette rencontre avec Ray. En vérité, je l'ai un peu forcée.

— C'est normal. Personne ne te guidait. Tu ne peux jouer les deux rôles, celui de guide et de voyageuse, et être complètement à l'aise de fouiller les annales cosmiques. Pour être centrée sur ton senti, tu dois être libre de toute déviation rationnelle.

— Pourtant les clairvoyants réussissent à contacter leur Source intérieure.

— Lorsque cela concerne les autres, oui. Je ne suis pas certaine Maude qu'ils en sont capables pour eux-mêmes !

Maude rêve de réaliser un projet. Elle le confie à Nathalie.

— Personnellement, ma quête implique le développement de ma compétence à fouiller les zones intérieures.

J'ai vu par Internet un atelier offert à Sedona. Je pense poursuivre vers l'Arizona dans les prochains jours.

— Super Maude ! En as-tu parlé à Samuel ?

— Pas encore. Je suis ennuyée. Pas certaine qu'il me suivrait dans mon projet. Reste à voir ! Est-ce pour garder le contrôle sur son programme, Maude termine la conversation sur le sens de leur aventure. Tu sais quoi ? C'est quand même fantastique que nous soyons ici à Saint Augustine. Sais-tu qu'au milieu des années '50, George Gamov, un grand physicien d'origine russe, a décrit l'ère mystérieuse précédant le Big Bang comme étant « l'ère de Saint-Augustin » ?

— Comment ça ? Quel est le rapport ?

— Le rapport ? Toute aventure est le tournant de quelque chose de plus grand que soi. C'est pour ça que la nouveauté attire autant de craintes que de défis. Cette expression consacrée à Saint-Augustin était la façon du savant russe, Gamov, de nommer l'intention d'un esprit divin derrière la création du monde matériel et de son équilibre. Les scientifiques de l'époque du début 20e croyaient que l'Univers était fixe ; j'ai lu que même Einstein a hésité longtemps avant d'adhérer à l'idée d'un univers en expansion.

Un univers en expansion. *Si seulement*, pense Nathalie, *je vivais cette expansion au sein de mon couple, je ne serais pas attirée par le regard d'un autre homme. Je n'en peux plus des commentaires exaspérés de Carlos quant à mes allées et venues. Je me sens prisonnière à ses côtés. C'est cela, ma maison est une prison à sécurité minimum où je me sens constamment épiée et critiquée. Carlos dit qu'il m'aime, mais je ne le sens pas. Je me sens souvent en deçà de ses attentes. Son amour en est un à l'horizontale ; tandis que le fait de connaître des hommes comme Elijah me permet de tendre vers un amour à la fois charnel et spirituel.*

— Pour moi, le début de MON monde a eu lieu lors de la prédiction de ma voyante.

— Peut-être auparavant Nat! Peut-être dès que tu as exprimé ton intention de régler d'anciens contentieux personnels pour ne pas les traîner sempiternellement? Ne t'avais-je pas prévenue que la Vie répond à nos souhaits, mais pas de la façon attendue? Cette conception de ta liberté t'aura conduite à la cartomancienne. Celle-ci n'aurait été qu'un relais à ton souhait d'apaisement.

— Eh bien, on ne sait s'il y eut un début, mais la fin, j'y suis... Et curieusement, cette fin n'est qu'un commencement!

— Ton audace m'inspire Nathalie, reprend-elle. Je me révolte à la pensée de réinstaller un rythme métro, boulot, dodo. Je veux profiter de l'été pour me diriger vers des zones d'inconfort et voir où cela me mènera! Et afin de contacter mon sixième sens, j'entreprendrai ma route par une retraite régénératrice. Le monde est grand, j'ai tant de choses à apprendre, tant d'expériences à faire pendant que je suis sur Terre. Regarder les autres dépasser leurs limites ne me suffit pas. Je n'aurai pas vécu tant que je ne serai pas allée au bout de moi-même. C'est ce que j'aurai tiré comme leçon de notre pérégrination!

Récalcitrante, la raison chuchote à son oreille qu'elle devra un jour retourner à son jardin! Que tout est déjà en soi! Que vaut mieux un tien que deux tu l'auras! Combien de kilomètres fera-t-elle, combien de formations, d'ateliers, de yogas, de gestalt, de jeûnes, de voyages astraux, de guérison physique, psychologique ou spirituelle ajoutera-t-elle à son palmarès pour ne pas avoir le sentiment d'avoir dévoyé son destin? Heureux ou inconscients sont ceux qui ne se questionnent pas!

11
DERNIERS ADIEUX

La nature a octroyé à cette journée un aspect solennel en couvrant le ciel d'un linceul de nuages grisâtres. Au large des côtes atlantiques de la Floride, l'ouragan Bertha a perdu de sa force, mais résiste à travers quelques coups de vent soulignant son passage. Une légère averse tombera certainement dans quelques heures. Les rares campeurs ramassent les effets éparpillés sur les tables ou les branches des arbres servant de corde à linge. On met le bois au sec, retardant les feux de camp. Les oiseaux se sont tus, bien cachés sous les feuilles de quelques hautes ramifications accommodantes.

À l'intérieur de l'église communautaire, Elijah prend la parole lors de la cérémonie funéraire. Emma est là, assise dans la première rangée, soutenue par les deux jeunes, Daniel et Nathaniel, vêtus de leurs habits de circonstance. Ses sœurs se sont placées juste derrière elle. Elles aimaient bien Ray. À leur âge, elles savent que dans un temps pas très lointain, ce sera à leur tour de faire le grand saut. Elles envient la brièveté de son agonie : une minute il était là, la suivante, pfff... disparu. Pas le temps de pleurer ceux qu'on quitte, croient-elles. Pas le temps de penser. On ne veut pas ressasser les erreurs commises. L'espoir de cette génération est d'oublier pour trépasser sans regret. Est-ce pour cela que les guette une maladie si commune, celle de l'Alzheimer ?

Nathalie, Maude et Samuel ont pris place au fond de la chapelle, parmi d'autres campeurs. Le chœur de la paroisse d'Emma chante leurs plus beaux gospels pour leur amie en deuil. Le recueillement est impressionnant. La douleur de la perte d'un grand homme est profonde. Il laisse un trou béant dans la routine quotidienne. Malgré la lourdeur du protocole, la sympathie est présente à travers la chaleur déployée par les endeuillés accueillant les condoléances avec sincérité.

Pour Elijah, c'est comme enterrer un second père. Le premier est décédé quand il était jeune, il n'avait pu lui rendre l'hommage. Il tient aujourd'hui à exprimer à la communauté la gratitude qu'il ressent pour le passage de Ray dans sa vie. Aussi prend-il la parole, à côté du célébrant.

— Merci d'être venus dans ce lieu de recueillement, dit-il. Merci d'accorder tant de soutien et de bons sentiments auprès de notre famille, et particulièrement auprès de ma tante Emma, très éprouvée par l'absence de son compagnon.

J'aimerais partager avec vous l'admiration que j'ai pour cet oncle qui, bien qu'ayant vécu reclus dans sa ferme, était en fait un grand sage. Les gens qui se sont promenés avec lui dans les sentiers, le long des rivages, le savent bien : Ray parlait de la beauté de la nature qui constituait sa joie quotidienne. N'ayant que peu d'études scolaires, il pouvait entretenir ses compagnons de marche au sujet du monde aquatique et animal aussi bien qu'un universitaire.

À travers les années, ceux qui ont partagé ses pas retiendront des éléments de leur conversation qui ont peut-être modifié leur perception du monde, avec bonheur je le souhaite. Ray avait une conception du destin qui honorait un grand sens du sacré. Vous êtes nombreux aujourd'hui à venir témoigner, et je vous en remercie, combien cet homme a contribué à votre foi en l'évolution de la vie. Une foi en la variété des formes que prend celle-ci pour s'exprimer, une foi dans la diversité de ses possibilités, en harmonie avec l'énergie qui la fait grandir. Voilà le sens du vécu d'un grand homme : savoir partager son admiration pour la force de la nature, plus grande que l'humain, car à l'échelle de l'Univers.

Avoir fréquenté un tel être nous amène à penser combien de simples individus, où qu'ils soient sur la planète, peuvent nous enrichir de leur présence quand nous les rencontrons. Mon oncle a certainement été une de ces personnes importantes ayant orienté le sens de mes valeurs familiales et sociales. Soyons alertes à la possibilité que la personne que nous croisons sur nos sentiers soit un foyer qui garde enflammé notre enthousiasme à collaborer à la grande aventure terrestre, aussi humble soit notre rôle.

Je vous souhaite également de donner souffle à cette étincelle qui veille au sein de votre être, cette parcelle d'âme qui désire réchauffer le cœur de ceux que le destin a mis sur votre chemin.

Merci Ray !

***

Nathalie fait sa valise, le sourire aux lèvres. Il est tôt le matin et elle tente de ne pas faire trop de bruit. Ses amis sont couchés dans l'entretoit. Elle a les yeux cernés d'une autre nuit blanche passée à jaser avec Elly. Ses pensées ressassent chaque parole échangée comme on caresse des pierres précieuses blotties au fond d'un écrin de velours. Son cœur palpite, enveloppant ses sens d'une brume légère. Aucun doute ne dissipe ce lien langoureux qui se tisse entre les amoureux. Elle ramasse doucement ses vêtements, gorgée d'endorphines.

Samuel ne parle pas le premier. Maude jette un coup d'œil à son amie et constatant sa pâleur, elle remarque :

— Il y a longtemps que je ne t'avais pas vue aussi calme, malgré ton état de fatigue !

— On a passé la nuit ensemble à se balancer sur l'air du temps Elly et moi ! Et c'était divin !

Mobilisant sa volonté de sortir des draps, Sam estime qu'il doit offrir à Nathalie l'espace nécessaire au respect de l'intimité des amies.

— Vous voulez que je sorte de la camionnette les filles ? Vous avez peut-être des confidences à échanger !

— Non, non, Sam, reste. Il n'y a rien e tabou, rien de compromettant, se dépêche de préciser Nathalie. Seulement une belle amitié qui se développe.

C'est vrai. Il n'y a rien à cacher. Nathalie sait que Maude partagera ses réflexions avec son nouveau copain. Elle a constaté que son amie polarise son attention vers Samuel. Ce qui est parfait et indique combien elle se confie à cet homme, de plus en plus. Surprise de s'en sentir à l'aise, elle ramasse ses choses conservant son bonheur.

Samuel est très heureux de cette réaction. Il sent aussi que la meilleure amie de sa blonde sanctionne son statut de chum en l'intégrant dans leurs propos autrefois privés. Il savoure ce succès pendant que Nathalie poursuit : *on ne veut pas ça compliqué, ni Elly ni moi. On se plaît beaucoup, mais…*

— Mais ? Il a une petite amie… ? ajoute subitement Samuel.

— Non, Il vit seul avec ses fils depuis quelques années. Mais moi, je suis en couple, je vous le rappelle.

— Elle est intègre mon amie ! retourne Maude à la question de Sam.

— Oui, je ne me sens pas bien à la pensée que Carlos m'attend à Montréal et que je le tricherais ici. Et je ne veux pas que vous en soyez de silencieux complices non plus. Je vous aime trop pour cela!

— Et tu nous as suffisamment entraînés dans tes aventures pour nous imposer cela de surplus! raille Samuel, tout en se sentant soulagé de l'intégrité de Nathalie. Sortant la tête de sa cloison, il ajoute: Nat, ton bon sentiment t'honore!

— En fait, cette nuit, j'ai compris beaucoup de choses importantes, dont la leçon de Rose. Nous avons d'abord creusé cette question ensemble, Elly et moi.

— Ah! Voilà pourquoi vous n'avez pas consommé votre liaison, lance Sam, tu ne veux pas finir comme Rose dans la panse d'un croco!

— Vraiment très drôle Sam! Toi, si tu as vécu une illumination, cela n'a pas affecté ton sens de l'humour! Laisse Nat s'exprimer!

— OK! Je me tais.

— Tu peux sortir t'aérer le cerveau finalement.

— Oh non, vraiment, je veux entendre la fin de cette histoire.

Maude reprend en regardant son amie avec intensité.

— Que comprends-tu Nat de ce « grand dérangement » auquel nous avons collaboré?

Question de reprendre le fil, Nathalie avoue d'abord la nature de ses sentiments vis-à-vis d'Elly avant d'approcher l'impact de cette histoire.

— Il est clair que nous ressentons une attirance physique l'un pour l'autre. Elijah a été transparent sur l'attirance qu'il éprouve envers moi. Nous avons fait le parallèle entre l'attirance qu'éprouvait Stephen pour la belle Rose. Tant de différences les séparaient et nous aussi, en date d'aujourd'hui, plusieurs éléments nous séparent également. Nous ne voulons pas faire l'amour et créer une affection plus forte entre nous sans clarifier nos attentes. Ce serait nous faire mal et faire mal à nos proches, pour ma part à mon conjoint.

Maude prend un ton ironique comme si elle jouait l'avocat du diable.

— Ce serait égoïste en effet... mais ne sommes-nous pas à l'ère des « Je profite aujourd'hui de l'occasion que j'ai » ? Pesant ces paroles, elle regarde le visage de Samuel qui, il n'y a pas si longtemps, se faisait le porte-parole de l'occasion de fortune. Elle poursuit, car effectivement, l'homme reste muet... et pensif. Je ne comprends pas comment vous avez pu avoir la force de résister à un tel attrait physique ? Je te parle, moi, la romancière qui a réuni tant de beaux couples dans une vie impossible à deux.

— Tu ne comprends pas ? réagit enfin Samuel, profitant de cette interrogation pour rediriger les feux sur elle, et doutant une fois de plus de la réelle aptitude de son amie pour un amour sincère ! Pour sa part, il a effectivement abandonné l'opportunisme pour adhérer au romantisme de la situation.

Nathalie prend le temps de s'asseoir dans la salle mitoyenne servant de salon et de salle à manger. Elle frotte sa tempe d'une main, son coude appuyé à la table, exprimant un souci.

— Je suis attachée à Carlos. Le béguin que j'ai pour Elly révèle le manque de complicité que nous avons dans notre couple, Carlos et moi. Si je baise bêtement avec Elly, je mets fin à mon cadre d'intimité avec Carlos et tu le sais, avec mon honnêteté proverbiale, je serais incapable de le lui cacher. Et il ne tolérerait pas cette incartade. Ce serait minable, d'autant plus qu'il a été assez chic pour me donner un peu de temps pour moi, justement pour éclaircir mes idées sur notre couple. Je me sens coupable d'avoir ces sentiments pour Elly... mais dans un tel état de béatitude!

Nathalie a déballé ses impressions en un seul souffle. Elle est tiraillée dans ses attachements amoureux. Repenser aux mécontentements de Carlos suscite un malaise, malgré l'apparent confort de partager une vie agréable avec ses jeunes. Toutefois, elle refuse de lâcher prise à ce goût de bonheur auprès d'Elly. Ce qui est transparent, c'est que de cette épopée a émergé un sentiment de pouvoir, recherché précieusement, celui qui l'enjoint à un passage à l'action vers son besoin d'accomplissement.

Maude lui donne son soutien :

— Tu as raison. Tu as bien fait. Tu dois d'abord régler les choses avec Carlos.

— En effet! reprend Nathalie. De plus, Elly est surchargé de tâches bien plus urgentes que d'amorcer une relation tumultueuse avec une femme à 1999 kilomètres de chez lui...

— Bravo Nat! Et je suis sérieux! ajoute Samuel. Il lui semble renforcer la position isolée de Carlos, comblant l'absence du principal intéressé. Fais-tu tes bagages parce que tu quittes la Floride?

— Elijah m'a demandé de l'aide au sujet des papiers, du rétablissement des droits familiaux. Son oncle lui a légué le terrain et ses dépendances, tout en lui demandant de prendre soin d'Emma. Serez-vous surpris d'apprendre que le notaire lui a annoncé qu'aucun papier n'est enregistré à la municipalité et ne légitime les titres de la propriété? Seul le testament de Stephen Smith, dont son étude est encore en possession, prouve le bien-fondé de leur résidence sur ces terres. Les James demeuraient sur ce lot, croyant que c'est un droit acquis.

— La voyante avait perçu ce détail. Intéressant! remarque Samuel. Quelle coïncidence! Éberlué, sa préoccupation se porte toutefois vers les démarches à venir. Tu fais bien de l'épauler là-dessus, tu es une bonne amie en effet. Mais est-ce qu'il ne craint pas que Smith lui réclame sa terre en amorçant ces clarifications ?

— Non, tous deux savent que les James ont droit à la moitié des terres... Smith ne bouge pas tant que l'autre ne le fera pas. Mais le notaire a en sa possession le fameux testament, il reste à vérifier les lois et les jurisprudences à ce sujet. Il s'est passé plus d'un siècle d'usages !

— Impressionnant ! Maude constate la succession des événements, beaucoup plus rapide qu'elle ne l'aurait prévu. Mais quand le fruit est mûr, ne reste qu'à le cueillir pour le déguster...

— Nous avons observé avec amusement que j'arrive au moment où ces papiers doivent être réglés, où ce qui a été occulté doit être clarifié. Si l'intégrité est exigée de nos personnes, ce l'est également quant aux conditions matérielles. Il y a un synchronisme entre les événements qui me concernent et celles de sa famille !

— Intéressant ! renchérit Samuel. Est-ce que ton impression de Rose a quelque chose à voir avec ça ? Crois-tu que tu es venue jusqu'ici parce que tu t'es sentie interpellée personnellement ? Ton importance pour la famille James doit te porter aux nues !

À la remorque des questions de Samuel, Maude sent le tapis tirer sous ses pieds. Elle n'a plus le privilège de mener l'enquête.

— Elle est capable de nous expliquer cela si tu ne cesses pas d'intervenir ! lance Maude dont l'ego est offusqué.

— Quoi ? Que se passe-t-il Maude ? Fâchée que j'intervienne ?

N'ayant pas pris son café et se sentant rabrouée, Maude en remet.

— Oh ! Laisse ! Nathalie nous parle de son entente avec Elijah. Des relations platoniques, ça ne conduit pas au septième ciel !

— Mauvais jeu de mots, chérie. Je trouve que tu ne sympathises pas beaucoup avec ce que ton amie vit ici. Un très mauvais point pour elle, songe Samuel. On se demande pourquoi certaines personnes vivent continuellement des amours malheureuses... elles ne croient pas au bonheur à deux dans une agréable complicité !

— Ne me juge pas trop vite, chéri ! insistant sur ce qualificatif à son tour. Je comprends parfaitement. Mais j'ai besoin de faire baisser ma tension. Ce sont beaucoup d'informations à digérer à notre réveil ce matin... et énormément depuis quelques jours.

— Oui, et si je décode ton malaise devant l'intention de Nat de partir, nous nous retrouverons seuls tout à l'heure. Est-ce cela qui fait aussi monter ta pression ?

— On en reparlera plus tard si tu veux bien ! Touchée ! pense-t-elle, sans l'avouer à voix haute. De plus, elle n'a pas révélé à Sam son intention de poursuivre vers Sedona. Se sentant coincée par l'insistance de son compagnon, elle poursuit la conversation, à son entendement. Et craignant la déception de Nat au sujet de la fortune espérée, elle insiste sur les précautions dont elle lui avait fait part dès le début afin de les souligner à Sam. Comment te sens-tu Nat, à l'idée qu'il n'y a pas de trésor à encaisser ? Ne t'avais-je pas prévenue que les choses ne se présentent pas comme désiré ?

Les témoins matinaux sont avides d'apprendre ce qu'il en est de la leçon que Nat en tire, faute de la prise de possession d'un butin qu'elle est venue quérir. Mais Nathalie choisit de se dégager de l'hostilité ambiante, car la façon dont son amie introduit le sujet du butin tient davantage du sermon que de la complicité. Elle n'en est pas à l'étape de réclamer un bénéfice au rendement, ne leur en déplaise ! La voie est ouverte à une tout autre aventure. Il lui paraît de plus en plus évident que le trésor réside dans la découverte même de celui qui fait battre son cœur, depuis 56 heures et trente minutes ! Comment résumer sa discussion avec Elijah, celle au sujet de ce vécu intime qu'elle a ressenti dans la peau de Rose ?

— J'ai presque terminé, reprend-elle en fermant une valise. Levant les yeux comme son assurance lui permet de le faire dans sa candeur, l'avocate ajoute : vous savez, j'ai l'impression intime que le contact avec Rose a bonifié ma compréhension de l'amour. Dans mes imageries avec toi Maude, je croyais qu'elle était victime de ce féroce Terence, mais en en parlant avec Elly cette nuit, j'ai compris qu'il n'était rien de la sorte. Il n'y a pas de victime, ni de bourreau dans cette histoire, il n'y a que des gens qui n'ont pas su aimer ou qui n'ont pu s'aimer, car cet amour n'appartenait pas à un temps qui convenait à leur union. Une autre expérience que celle d'un amour paisible leur était destinée.

Maude ne détecte pas dans son mode d'expression l'aspect habituellement vindicatif de son amie. Elle oriente la discussion vers une thématique judiciaire dans laquelle l'ancienne Nathalie aurait mordu.

— Justement, ils auraient pu faire avancer la cause des mariages mixtes, de l'amour inconditionnel, de la possibilité d'être heureux malgré l'opposition de la masse ; ils auraient pu constituer des modèles modernes pour une société en transition… Est-ce que ce n'est pas comme ça que tu penses habituellement ?

— Je pensais comme cela oui, jusqu'à présent. Merci Maude, tu fais bien de le souligner, je n'avais pas constaté le changement en moi. Cette histoire, je l'ai vécue dans mes tripes et non dans ma tête. C'est facile de porter des causes pour les principes, mais force est de constater, comme tu le dis, que la réalité ne se plie pas à nos désirs. L'union idyllique ne correspondait pas à leur vérité.

Nathalie poursuit sur un sujet de la plus grande importance pour elle.

— J'ai compris que la Vie n'obéit pas à la plume d'un romancier Maude. La réalité de ce couple, c'est que la pérennité n'était pas au rendez-vous pour eux. Point. Je n'ai pas à les juger… Je retiens aussi, grâce à cette imagerie, que chaque partie prend ce qu'elle a à saisir. Stephen devait cultiver le courage de défendre ses idées à la guerre et honorer son amour pour Rose en lui léguant sa part. Peut-être la savait-il enceinte avant son engagement dans l'armée ? Le destin a favorisé cet apprentissage de la bravoure et de l'équité de cette façon. Brutale, mais juste.

— Et Rose ? Que ressens-tu de notre chère Rose ? s'enquiert Maude, stimulée par ces précieux apprentissages de l'impact de leur aventure sur Nat.

— Rose aura vécu une histoire d'amour qui l'a comblée grâce à son imaginaire. Intensité qu'elle ne pouvait vivre dans sa condition d'esclave au service de ses maîtres. Confrontée à sa fin, elle a compris la véritable source de l'amour dans son cœur et dans son corps : je crois qu'il s'agissait de la complicité.

Samuel se sent réconforté par cette vision de la relation. Il chérit cette notion de complicité, persuadé que le sujet reviendra dans une conversation ultérieure entre Maude et lui. *C'est la base de la longévité d'un couple*, affirme-t-il sincèrement.

— Et toi ? Comment est-ce que cela résonne en toi ? poursuit son amie sans tenir compte de la position de Sam.

— L'amour, l'intensité, la complicité… En ce qui me concerne, je comprends que l'amour de moi passe par la reconnaissance et l'acceptation de mes gestes et de leurs conséquences. Complice avec moi d'abord. Voilà la mine d'or, ce que j'intègre et qui fera la richesse de ma leçon.

— Mais encore, concrètement?

— Me pardonner des choses du passé que je considère comme mal faites ou incomplètes et trancher ces liens toxiques pour mieux vivre le présent.

Sans entrer dans les détails, Nathalie pense à cet enfant qui n'a pu voir le jour à travers elle, à cause de circonstances qui ne convenaient pas à sa venue au monde. Elle imagine maintenant cet enfant souriant, la rassurant comme quoi c'est bien comme ça. Elle se sent libérée, pardonnée et aimée de lui. Un grand soulagement qu'elle traduit par un long soupir. Apaisée, elle pense à Carlos; Carlos, avec ses principes terre-à-terre, l'enjoignant constamment à ne pas revenir sur cette histoire surannée. Il avait bien raison, mais la raison ne mène pas le cœur. Nathalie comprend maintenant que toute impression est tenace tant qu'elle n'a pas trouvé sa résolution dans le cœur!

— Je pardonne mon passé, je sors du gouffre de mes souffrances. C'est cette leçon qui a été la plus importante pour moi et qui m'a aidée à ne pas entrer dans une autre relation, ici avec Elijah, tant que je ne suis pas certaine d'être capable de créer une complicité avec un nouveau conjoint, au sujet de l'orientation que je veux donner à mon avenir… Afin que le produit de mon inspiration soit un cadeau et non une bombe explosive! ajoute-t-elle en riant.

Le couple en devenir tend une oreille attentive à l'expression de son vœu. Ils constatent qu'elle tient compte de celui qui l'attend à Montréal. Par-dessus les événements, Nat invoque l'importance de donner un sens à son avenir avant de fusionner dans une nouvelle identité conjugale.

— Là, Carlos va sûrement apprécier cette nouvelle moi! partage-t-elle humblement. Ça fait longtemps qu'il plaide pour un lâcher-prise de ma part. Toutefois, cette façon de ne pas m'accrocher au passé pourrait également modifier notre relation. Maintenant, je dis : en amour avec un homme, oui, mais pas dans n'importe quelles conditions ! Dès mon retour au Québec, nous mettrons les cartes sur table Carlos et moi.

— Ce sera certainement un atout de plus dans votre relation ! lance un Samuel en accord avec ces principes de communication dynamique, mais réticent à l'idée que ce couple ami se désagrège.

— Avant, je ne concevais pas le présent comme étant la seule vérité. Je jouais aux sauveuses d'âmes parce que je vivais moi-même tant de désarroi. Ceux qui souffraient, je les étiquetais comme victimes ; dans les autres, je ne voyais que des bourreaux endurcis. Entre les deux, une lutte de pouvoir. Maintenant, je vois des gens simplement responsables d'une destinée que chacun est libre d'honorer. Comme le hamster essoufflé de courir dans sa roue, il s'agit de passer à un autre jeu. Mais il n'est pas aisé d'assumer les conséquences de la sortie de piste !

— Comment vas-tu expliquer cela à Carlos ? s'inquiète Sam.

— Il connaît mon côté Don Quichotte, reprend-elle avec son audace habituelle. C'est pour cela qu'il nous a accompagnés jusqu'ici. Mais il ne veut pas non plus d'un couple inconditionnel. Je crois qu'il comprendra. Je vais faire des allers-retours entre Montréal/Saint Augustine, le temps que les papiers du domaine d'Elly soient en règle. Ce sera la cause la plus palpitante que j'aurai eu à défendre, et je ne serai que la conseillère !

— Pas de manoirs ? Pas de fortune ? insiste Samuel, comme porte-parole de Carlos qui exigera des comptes. Nathalie les a amenés jusqu'ici. OK, c'est une belle aventure intérieure, acceptation du passé, couple à redéfinir, fin des luttes de pouvoir, c'est beau, mais... qu'en est-il de sa part du legs ? Sam est persuadé que l'homme cartésien qu'est Carlos ne se contentera pas de valeurs spirituelles.

— Nat, tu t'attendais à un legs important. Ta diseuse de bonne aventure t'a donc bernée ? Es-tu déçue ? Est-ce que Carlos ne va pas te railler au lieu de t'appuyer lors d'une prochaine aventure ?

— Sam, moi je comprends que le butin ne se trouve pas dans un quelconque terrain immobilier, reprend Maude avec persuasion. Nathalie est en train de nous dire que le trésor est dans son jardin, comme le réitérerait Candide, le personnage naïf de Voltaire. On a beau voyager, le monde n'est qu'une représentation de soi-même. On n'en sort pas !

— C'est beau ce que tu dis ma bonne amie, dit Sam. Le monde comme reflet d'où nous en sommes dans notre parcours ! Je la retiens celle-là !

— Est-ce que Rose fait encore partie de toi ? s'enquit Maude visant sa compréhension des vies multiples. Car c'est en questionnant ses voyageurs qu'elle dépeint la toile de l'au-delà. T'es-tu fait une idée sur le bien-fondé des vies antérieures ?

— En fait, je ne suis pas certaine que Stephen ne fait pas autant partie de moi que Rose. Je sens en moi le courage de ce jeune homme pour aider Elly et sa famille à accéder de plein droit à leurs terres. Mais je ne peux qu'être fascinée par la vivacité des sensations vécues dans le personnage de Rose. Tant de détails, tant d'émotions qui parlaient aussi de moi, de mon besoin de régler mes propres contentieux !

— Ça pourrait n'être que du hasard, ajoute Samuel dubitatif, on peut trouver des indices communs qu'importe la situation. C'est notre logique qui coud les fils pour en faire une histoire acceptable par notre esprit rationnel !

Souvent, on tord la réalité pour qu'elle entre dans notre vision du monde, comme un morceau de casse-tête taillé dans la petite case qui lui est destinée.

— C'est la nuance que j'apportais lors de notre discussion suivant l'imagerie de Ray. Nous créons notre réalité par l'interprétation que nous en faisons. Mais ce n'est pas si simple, poursuit Maude. D'un point de vue objectif, les images perçues possèdent une identité. Profitant de notre étourderie, ces images s'installent dans notre bagage imaginaire ; leur reviviscence occasionnelle enchaîne à notre insu des agissements modelant notre quotidien. Spirituellement, il y a assurément un lien entre ces personnages et nous. Seul un individu très éclairé ne sera pas influencé par ces suggestions. S'il en est un seul sur Terre !

— Encore cet imaginaire ! lance Sam vexé par le manque de tact de Maude qui s'obstine à ignorer la pertinence de ses commentaires.

— Une transformation de notre vie et des précédentes, précise Nathalie confirmant la convenance de vies multiples pour son âme. J'ai le sentiment qu'à travers moi, Rose a pu dépasser sa peur des hommes et accéder à des sentiments d'amour universels lesquels se seront peut-être reflétés dans les générations suivantes. Qui sait ?

— Toi, tu le sais maintenant, confirme son amie.

Incroyable ! pense Samuel. Il y a une fortune à faire pour un thérapeute qui voudrait analyser la succession des vies et leur impact sur la présente. Les psychanalystes auront une clientèle assurée pour un autre siècle !

— Oui, je le ressens clairement. Les choses ne seront plus les mêmes pour moi non plus. Et je ne vous ai pas dit la teneur du cadeau qu'Elijah voulait me faire ? Voilà qui répond à votre souci que j'en ressorte avec un souvenir tangible. Il demandera à sa tante Emma de m'offrir la bague de diamants que Stephen avait offerte à Rose.

— Une bague ! réagissent-ils en chœur, conscients de la symbolique de ce présent.

— J'ai le sentiment que la mère de Rose la lui avait confisquée lorsque celle-ci pleurait dans ses bras, sur son lit étroit. Sa mère voulait faire en sorte que sa fille oublie ces événements, le plus rapidement possible. Le retrait de sa bague a précipité Rose dans un état dépressif. Toutes deux ignoraient le développement imminent du contrecoup dramatique. C'est ce que nous avons déduit Elly et moi.

— C'est vraiment généreux de sa part ! lui dit Maude. Quel beau souvenir de ton aventure ! Je suis heureuse pour toi.

— Il est vraiment reconnaissant de l'aide que tu lui apportes ! ajoute Sam d'un ton frôlant le cynisme.

— C'est super Nat ! Bonne chance à Elly et toi dans le débroussaillage des papiers testamentaires et des droits fonciers.

Les trois amis s'embrassent chaleureusement. Nathalie ne garde aucune rancune vis-à-vis du sans-gêne de Samuel, d'autant plus qu'elle a admiré sa bravoure lors de l'événement du littoral. Elle accepte son attitude de bonheur d'occasion comme une expression de son génie fantaisiste. Elle est heureuse de voir son amie Maude en bonne compagnie, mais quitte le duo, incertaine du fruit de leur relation amoureuse. Désirant les laisser sur un mot d'encouragement, Nat met l'emphase sur l'importance de suivre le courant.

— Bonne route mes amis. Je connais maintenant la valeur du cheminement. Il fallait que je suive cette voie intérieure qui criait pour que justice soit faite au fond de moi. Aujourd'hui, je constate que si je poursuis dans le sens de l'aide que je donne à Elly, c'est simplement par plaisir. La vie paraît souvent injuste, mais elle est bien faite, conclut-elle les yeux pétillants.

— Tu le crois vraiment? doute Maude devant l'attitude positive affichée par son amie.

— Oui. En fait, que les choses se règlent ou non n'a pas vraiment d'importance, car on n'apporte rien de matériel quand on meurt. Rose est morte avec l'amour qu'elle portait en elle. C'est la seule chose qu'elle a amenée dans l'autre monde.

— De ça, vaut mieux en avoir beaucoup, ajoute Samuel, en quête d'ajouter son mot et de souligner l'à-propos.

— J'en ai l'intime conviction. Ce ne sont pas les événements qui importent, mais bien la façon dont on les interprète. Rose a fait du mieux qu'elle pouvait avec ce qui se passait pour elle et son bébé. Cela m'aide aussi à faire la paix avec moi-même... je me comprends.

Nathalie regarde Samuel au fond des yeux en souriant de façon appréciative...

— Je veux aujourd'hui faire la paix avec les événements. J'ai le sentiment que cela aide à rétablir l'harmonie dans mes relations avec les gens. Quant au legs, ne vous en faites pas, Elly et moi ferons en sorte que chacun trouve sa part de contentement dans cette histoire, autant les Smith que les James.

— Ça réclamera de la bonne volonté des deux côtés! dénote Samuel.

— Bien sûr. Nathalie soupèse déjà le poids de son intervention. Pour cela, il faudra que chaque groupe examine ce qui sera bon pour les descendants... jusqu'à la septième génération, disent nos Amérindiens. C'est une démarche globale qui implique le cœur et la tête de chacun! Hier au marché, j'ai rencontré la fille de Monsieur Smith avec son bébé. Elle est très accessible et paraît ouverte à une éventuelle négociation.

— Ce sera certainement plus coriace avec le père Smith, ajoute Maude incitant son amie à une réserve. Celui-ci voudra certainement conserver férocement ce qu'il doit percevoir comme étant son patrimoine familial.

— Les papiers sont clairs. Pas d'embrun ici. Il faudra recevoir ce qu'il invoque comme raison de ne pas partager les centaines d'acres sur lesquels il est établi.

— Un terrain cultivé et rentable, je te fais remarquer, ajoute Maude. Et sur plusieurs générations, si on en croit Elly.

— Je ne dis pas que les droits des James seront faciles à faire valoir, mais Elly et moi sommes décidés à procéder avec l'assurance de nos sentiments de paix et de bonne entente. C'est notre force.

Samuel comprend le message d'harmonie envoyé du regard par Nathalie. Il ne se sent plus jugé comme un bohème ou un profiteur, ce qu'elle lui avait reproché implicitement dès leur première rencontre dans la cuisine de Maude. La mésaventure au bord de la rivière les a rapprochés. Pourquoi faut-il des drames pour que les gens s'apprécient, se serrent les coudes ? Les malheurs peuvent en effet être l'occasion d'une perspective renouvelée sur l'autre... et sur soi. Il a fait bon usage du rêve éveillé, estime-t-il, habitant son château avec fierté.

— Le bonheur est un état où on laisse l'autre venir à soi, ajoute Sam, en espérant que son message se rende jusqu'au cœur de son amoureuse.

C'est Nathalie qui appuie le philosophe.

— Exact ! souligne-t-elle, confirmant le bon sens de Samuel versus l'aspect opportuniste qu'elle détestait tant ;

tandis que celui-ci discerne en elle sa fragilité, dissimulée jusqu'alors sous l'apparence rigide d'une fonceuse.

— Nous te soutenons Nathalie, lui dit Samuel. Que ces démarches te conduisent là où tu veux te rendre grâce à ton dynamisme.

— Les voies sont nombreuses. Chacun sa route. Quelquefois, comme Rose, il faut mourir pour la trouver, mais à ce rendez-vous funeste, il est trop tard pour transformer son destin. Nous avons la chance d'être de ce monde pour faire une différence et cultiver l'amour. Profitons-en !

Nathalie a une pensée pour son chat Mélou, vivant et bien portant ! Autrefois un symbole de malchance, il suscite aujourd'hui la joie et l'affection qu'elle a le goût de distribuer autour d'elle. Mélou représentait aussi cet être qu'elle n'avait pu accueillir en son sein. Aucun sentiment de culpabilité envers l'enfant qu'elle a jadis porté ne porte plus ombrage à sa décision d'être heureuse. Elle a hâte de retrouver sa petite famille. Plus tard, lorsque les premières démarches légales seront bien amorcées.

12

DES HORIZONS INSOUPÇONNÉS

Quelle route emprunter pour compléter mes vacances? Maude se sent réellement en congé. Après dix jours de tumulte, elle n'a pour seul souci que son orientation géographique. Elle observe Samuel prendre le volant de façon assurée. Quelque chose a changé en lui, apprécie-t-elle. Un côté affirmatif, responsable. Pense-t-il encore en termes de « j'attrape ce qui passe comme occasion »? ... ce qui comprenait la disgrâce d'inclure leur rencontre et le voyage qui s'en est suivi! Elle lui en fait part.

— Quelque chose a changé en toi, je te sens plus assuré.

— Je ne crois pas qu'on change Maude. On est simplement plus conscient de qui on est. Il jette un coup d'œil à sa droite et trouve Maude bien jolie, ses pieds libérés de leurs sandales et ses belles jambes allongées sur le tableau de bord. Prendre une pause de mon travail m'a fait du bien, poursuit-il allègrement. Cet arrêt lui étant si bénéfique, il planifie un détour champêtre dans le programme de la journée. Pas de hasard, mais un souhait formulé avec plaisir. « Arrosez les fleurs, pas les mauvaises herbes! » lorsqu'on vise des résultats tangibles, suggère un psychothérapeute québécois. Maintenant, il sait commander l'objet de son désir.

La conduite d'un véhicule est une occasion de méditer, de faire le point. Qui suis-je? Qu'est-ce que je veux réaliser? Plus précisément: qu'est-ce qui me ferait plaisir quant à la prolongation de cette aventure inusitée?

Tous deux, Maude et Samuel s'interrogent maintenant sur ce que la route leur offre de potentiel créatif. Ils parlent ensemble de la journée de départ où ils étaient rassemblés autour de l'objectif de Nat. Les filles ne savaient pas qu'elles trouveraient réponse à leur énigme sur un terrain de camping. Samuel ne connaissait pas ce groupe de méditation dont l'inspiration le propulserait au-delà de ses limites. Maude ne savait pas qu'un oncle allait mourir subitement, ouvrant à Nathalie et Elijah des horizons insoupçonnés. Et pourtant, peut-être, l'histoire était-elle écrite depuis longtemps. Peut-être depuis Rose, peut-être bien avant?

— Il y a une chose que j'aimerais élucider, s'interroge Samuel. Comment Nathalie a-t-elle pu parvenir à cet endroit et trouver la famille de Rose? C'est comme chercher une aiguille dans une botte de foin, disait-on autrefois, pour illustrer qu'il y avait une chance sur 333 millions!

— Tu t'en étonnes?

— Pas toi? Moi, j'en suis absolument abasourdi! J'ai l'impression de sortir d'un rêve! Je me pince, tiens. Samuel en profite pour pincer délicatement le bras gauche de Maude et la faire crier. Ils rient. La roue de la destinée faisant du surplace dans sa tête, le sceptique en lui ne réussit pas à fomenter une explication logique expliquant ce hasard.

— Et nous, on s'est rencontrés grâce à qui ou à quoi? répond-elle.

— Grâce à Internet... mais ce n'est pas pareil...

— Vraiment?

— Tu crois? Non! Nous, on avait quand même quelques paramètres précis. Il pense à ces qualifications affichées dans les profils des réseaux de rencontres, soit en mots bien soignés ou soit dans le choix de photos représentatives des champs d'intérêt personnel. Certains prennent une pose un verre à la main, d'autres devant une moto ou un foyer, une image vaut mille mots. Une sélection préalable à une réponse s'opère grâce à quelques critères capitaux, sinon capiteux.

— Oui…

— Considérant les nombreuses heures occupées à regarder les profils, bien calés devant nos ordis. Il y a peu de hasard là-dedans ! Nathalie, quant à elle, n'avait qu'un but très vague… pas de visages autres que celui d'un ectoplasme ressuscité au fond d'une rivière à alligators, et bingo ! Pile sur la cible ! Comment est-ce possible ?

— Comme on rencontre la bonne personne au bon endroit ! Et selon toi, notre rencontre est-elle fortuite ? Tu aurais pu prendre congé de ta recherche d'une compagne, ou j'aurais pu ne pas être disponible. Crois-tu que tu aurais rencontré une autre femme et cela n'aurait pas fait de différence ?

Oh ! Une question piège ! détecte Samuel qui sait bien que les femmes adorent que les hommes les fassent sentir précieuses et uniques. Cependant, il n'aime pas qu'on lui tire les compliments du nez et décide de garder son indépendance.

— Cela aurait été autrement ! C'est un hasard, heureux, mais tout de même un hasard que nous nous entendions si bien ! On se connaissait peu. Ça aurait pu être catastrophique !

— N'avais-tu pas souhaité cette rencontre ? insiste Maude.

— Oui certainement Maude. C'est pourquoi j'étais sur ce site. Et sincèrement, je n'aurais jamais pu imaginer qu'une relation me conduise aussi loin, dans tous les sens du mot ! consent-il à avouer. Je n'ai jamais demandé de me retrouver dans cette abondance d'aventures et d'occasions d'épanouissement personnel !

— Là, je ne te suis pas. Nous revoilà à faire allusion à ces moments qui, selon toi, sont des coups de chance. N'est-ce pas le type de cadeaux que tu attends de la Vie ? Sam, il n'y a pas de hasards. Selon moi, ces synchronismes sont l'expression de notre âme qui matérialise nos souhaits les plus profonds.

— Je reviens sur cet argument : personne ne souhaite de tomber malade et pourtant... !

— Ah ça, ce n'est pas certain. Tu vois, un jour, une dame me disait avoir prié le ciel très fort dans son enfance, pour éviter une situation pénible et attendrir le cœur d'un père très autoritaire. Eh bien, elle est tombée malade, une grave pneumonie pour laquelle elle a été hospitalisée, antibiotiques intraveineux, une intervention d'urgence ! Ce qui fait que son père, malgré son orgueil, a changé d'avis quant à un placement en pensionnat, attitude qu'il n'aurait jamais eue si cela n'avait été de cet impact majeur sur la santé de sa fille.

— L'amour de sa fille, ou en fait, la peur de la perdre aura été plus forte que son opinion irréductible quant au placement ! C'est touchant ! Un autre exemple, se dit Samuel, indiquant qu'il faut parfois se rendre très loin dans le malheur, pour comprendre ou faire comprendre nos besoins !

— Mon observation, relativement à cette confidence, c'est qu'on prie l'Univers de nous exaucer, mais on ne peut choisir son mode de réponse à nos requêtes !

— Ça, tu peux le dire, la Vie nous surprend ! Il est exact Maude que j'attendais l'occasion de sortir de mon train-train quotidien. De plus, je suis bien content d'avoir rencontré une femme comme toi. J'avoue que j'en avais marre de rencontrer de jolies copines, gentilles et aimantes, mais avec de jeunes enfants, moi qui n'en ai pas. Pas que je n'aime pas les enfants, mais j'ai besoin de consolider ma position financière.

Voilà peut-être une opportunité de lui parler de mon plan de me diriger vers l'Arizona! pense Maude. *Comment vais-je lui signifier mon intention de poursuivre vers l'ouest, avec ou sans lui? Va-t-il se sentir bousculé? J'aurais dû chercher conseil auprès de Nat,* regrette-t-elle. *C'est moi ça, j'aide les gens et j'oublie de sonder leur opinion en retour... Hem, restons dans l'appréciation de la bonne compagnie.*

— Pour ma part, poursuit-elle après réflexion, ce n'est pas évident de rencontrer quelqu'un qui est prêt à bondir pour me suivre! J'ai apprécié ton soutien pendant ce voyage, un appui autant à moi qu'à Nat. Tu es resté à mes côtés quand je me suis sentie déroutée par l'intensité des émotions, à plusieurs reprises... j'étais impliquée par l'amitié et ce n'était pas évident pour moi d'intervenir, même à l'intérieur d'un jeu! Je me suis lancée dans cette aventure sans en mesurer les conséquences. Merci d'avoir été là!

Le chauffeur prend une grande respiration marquant son soulagement. Il avait besoin de cette confirmation. Pas pour continuer la route dans ce confort, mais pour lui parler de sa décision de poursuivre le chemin en autostop dès la sortie de l'État. Ce sera sa façon de mettre sa vie au défi, de vérifier s'il peut créer sa place dans ce monde qui s'apparente davantage à une botte de foin hasardeuse qu'à un agencement rationnel. « L'Univers est une machine à faire de la conscience », écrit Hubert Reeves, astrophysicien canadien. Il n'en tient donc qu'à lui-même pour que ses expériences prennent un sens.

Toutefois, une vérité fait surface; celle qu'il a menti à Maude sur les raisons de sa rupture avec son ex. S'il avait été plus sincère, il lui aurait avoué qu'elle l'a quitté, non pour une question de salaire, ce qui était secondaire à leurs dissensions, mais parce qu'il n'arrivait pas à s'engager dans leur relation. Celle-ci voyait son horloge biologique indiquer l'heure d'avoir des enfants. Samuel, lui, hésitait, reculait, ne se sentait pas prêt. Le changement de statut de travail lui avait fourni une excuse valable. Ce besoin récurrent de virer de bord le laissait perplexe. Prenait-il une distance pour se sauver ? Comme il l'a fait dans un passé récent avec les drogues et dans ses relations. Fuir l'anneau qui fait de lui un esclave de ses contrats, éviter un engagement à long terme, vérifier si l'herbe est plus verte ailleurs... de toute évidence, on ne change pas, on est seulement plus soi. Il fixe du regard la route s'allongeant devant eux ; la transe est une façon paisible de prendre une pause mentale, car il ne trouvait aucune réponse logique. Et si la réponse n'était plus de source émotive ? Et s'il était maintenant connecté à une force intérieure qui lui intimait de faire face aux vents ? Devrait-il se blâmer de se centrer sur ses besoins ? Après tout, c'est ma vie ! se répond-il enfin, satisfait.

Sans connaître l'intention de l'autre, les deux amants tracent leur sillon dans une direction qui accordera les deux partis, isolément. Peut-être se ressemblent-ils plus qu'ils ne l'imaginent dans ce besoin de se sécuriser à travers la solitude ?

Maude vérifie la compréhension de Sam quant aux indices les ayant menés à bon port.

— Comprends-tu mieux la source du synchronisme qui nous a conduits à la résolution de la quête de Nat ? Elle a trouvé bien plus qu'un butin matériel. Nathalie avait quelque chose à régler relativement à son côté sauveur, autant qu'avec son couple. Ce sont des vecteurs incommensurables qui l'ont menée où elle se trouve actuellement. C'est la grande mécanique de la Vie !

En effet, un sentiment de culpabilité avait empoisonné Nathalie jusqu'à ce jour et l'avait empêchée d'apprécier son succès et ses compétences à leur juste valeur. Preuve que le temps n'existe pas sous l'angle émotif; les soucis passés se conjuguent au présent. Il est normal que l'orientation de sa vie amoureuse se syntonise à sa libération. En effet, Nathalie ne cherchera plus de père, mais fera maintenant paire avec son partenaire, aurait ajouté la concernée.

— Tu parles de vecteurs et de mécanique... C'est vrai qu'Einstein est souvent cité dans une phrase célèbre: « Dieu ne joue pas aux dés », se souvient Samuel. Quel est le rapport des vies antérieures avec ce chaos de hasards... qui n'en sont pas selon toi? Samuel tente de suivre Maude dans ses pensées, désirant saisir les rouages de cette grande machine, s'il en ressort une logique. Comment les événements se sont-ils superposés de façon aussi cohérente et pas autrement? Et qu'est-ce qui nous dit qu'elle n'aurait pas reçu une réponse ailleurs? Différente, mais tout aussi valable?

— Tu te souviens que Nathalie croyait fermement que la vie est un combat. Est-ce vraiment un hasard qu'elle ait été entraînée sur cette piste?

— Euh! Un combat?

Samuel reconnaît que Maude a une longueur d'avance en cette matière et à brûle-pourpoint, il ne voit pas le rapport. En général, il avait trouvé hardies les leçons tirées par les filles concernant la finalité de la quête. Toujours en accord avec sa notion de hasard, il ne contredira pas sa compagne pour autant.

— Son imagerie l'a menée aux sources de son dilemme. Peu d'études ont confirmé que les images reçues lors de transes ont des fondements concrets. La recherche la mieux documentée est celle du psychiatre Ian Stevenson, dans les années '60. Celui-ci a démontré de façon scientifique que les témoignages recueillis chez des centaines d'enfants, pendant que ceux-ci se souvenaient des histoires trottant dans leur mémoire corporelle, étaient indépendants de toute source d'information extérieure.

— Les enfants étaient en transe ?

— Les enfants vivent dans un mode de pensée magique avant l'âge dit de la raison. Ils sont très souvent dans une transe naturelle. Comme les chats peuvent l'être lorsqu'ils nous ignorent dans leur espace méditatif. Dans l'évolution phylogénétique, celui de la race humaine, le cerveau émotif globalisant s'est développé avant celui du raisonnement linéaire. Cela explique pourquoi les animaux ressentent de la joie ou de la honte, mais n'ont pas encore transféré ces émotions dans des séquences expressives que sont les mots.

— Une étude scientifique, tu dis, sur les vies antérieures ?

— Oh ! Il y a plusieurs autres chercheurs : Whitton, Woolger, Fiore, Snow, Moody, Wambach, Schenk, Weiss, Pecci et tant d'autres investigateurs des frontières de la cognition. Mais celle de Stevenson est la mieux connue du large public. Le psychiatre d'origine montréalaise a été professeur à l'Université de Virginie.

Spontanément, Maude associe l'université de Charlottesville où celui-ci était professeur au département de psychiatrie et l'histoire de la Guerre de Sécession entre les unionistes du gouvernement de Washington et les confédérés sécessionnistes, rixes dont des hostilités se déroulèrent notamment en Virginie.

— Car tu sais... finalement... la Virginie est une grande terre d'indépendance et de ténacité, ajoute-t-elle. De plus, c'est là aussi que se trouve le Centre de recherche Edgar Cayce !

— Peut-être, mais je sais aussi qu'ils n'ont pas d'équipe dans la LNH ! Oserais-je prétendre qu'ils ne sont pas si batailleurs, réplique-t-il avec ironie.

— Ah ! Ça, c'est tout un critère ! Mais à propos de Stevenson, je disais que cet homme a interrogé des enfants, partout à travers le monde. Il a éliminé les objections en examinant de façon scrupuleuse leurs allégations, leur contexte familial et culturel et il a vérifié l'authenticité de leurs réminiscences. Il a retenu vingt cas dont il a fait mention dans son ouvrage, devenu une référence en cette matière.

— Est-ce qu'il conclut à l'authenticité de vies antérieures ?

— Comme pour la plupart des chercheurs, il n'a pu confirmer de façon irréfutable ces indices comme preuve de réincarnation. Un psychologue américain, le Dr Morris Netherton, après quelques décades d'imageries individuelles et d'ateliers animés dans plusieurs pays, parlait des vies antérieures comme étant l'hypothèse la plus plausible, car il avait même observé l'existence de karmas collectifs par la similarité de thématiques chez les patients d'une même nationalité.

— Et toi ? Parmi ta clientèle, tu as pu vérifier des cas ?

— Lorsque je conduis une imagerie de vie antérieure, mon but n'est pas la recherche de preuves, car j'ai un objectif thérapeutique. J'observe et je note. Que ce vécu soit vérifié ou pas, que la vie intérieure soit celle du patient ou pas, cela n'a qu'une portée philosophique, et non psychothérapeutique. Alors je ne juge pas de la véracité des propos. Mais pour répondre à ta question, une patiente m'a confié qu'un jour, sa fillette de trois ans lui a dit, alors qu'elle la réprimandait : « Tu n'es pas ma mère ! Ma mère se nomme Abhisarika. » Après une recherche, la mère a vu qu'il s'agissait d'un prénom indien voulant dire : « Bien-aimée ». Elle a été très surprise de cette façon choisie par son enfant de se sortir d'une impasse désagréable !

— Amusant ! Ouais !... Mais dis-moi, l'étude de Stevenson n'a jamais été contestée ?

— Oui, bien sûr, par quelques chercheurs dont un Dr Wilson suggérant qu'on aurait pu simplement parler de coïncidences. D'autres se sont interrogés sur l'honnêteté de l'interprétation du traducteur, car les entrevues se passaient la plupart du temps en Inde où cette croyance en des vies antérieures est bien ancrée. Dernièrement, comme la science avance en balancier, d'autres chercheurs ont entériné ses résultats scientifiques.

— Ah ha ! Justement, parlant de coïncidences, je suis d'accord. Finalement, ne peut-on pas conclure que la vie elle-même est tissée de ces parfaits synchronismes ? Nous les attribuons au hasard, car nous en ignorons la configuration.

Maude apprécie ses commentaires si à propos. Cet homme sait si bien faire des liens avec le présent et retomber les deux pieds sur terre. Cela la rassure. Elle sent que leur conversation sera un puits de sujets intéressants les propulsant l'un et l'autre vers le meilleur d'eux-mêmes... un jour... si leur chemin se croisait à nouveau !

Samuel reprend le cours de son interrogatoire, pour mieux jauger ce mécanisme de la synchronie. Entre une étude théorique et le vécu quotidien, les superpositions ne sont pas évidentes.

— Maude, dans l'étude pointée et dans tes exemples, il s'agissait d'enfants ! Comment Nathalie, une adulte éduquée, a-t-elle pu contacter ces images elle-même ?

— Double assertion : d'abord non, elle ne l'a pas fait par elle-même, car elle a demandé mon aide pour la garder centrée sur les sensations corporelles que sont les repaires, les indices, les pistes à suivre pour faire resurgir ces mémoires. Ensuite, non, elle n'est plus une enfant, mais la résurgence d'histoires n'a rien à voir avec l'éducation. Au contraire, c'est une piste corporelle accessible à toute personne en santé, qui mène au déroulement des récits. Comme lorsqu'on veut retrouver des souvenirs d'enfance, de naissance ou de vie fœtale, il faut recourir au rappel imaginaire de sensations physiques, de vêtements portés, d'odeurs de cuisine, de peurs, de tristesse ou d'autres émotions ressenties dans des périodes charnières. Et il faut surtout être capable de tolérer les moiteurs qui en résultent.

— Y a-t-il toujours des émotions douloureuses ?

— Normalement oui ; ces péripéties parlent de lacunes non résolues en nous, dit Netherton. Si ces histoires demeurent ancrées en notre psyché, c'est qu'elles sont actives et dynamiques. Elles n'ont pas trouvé de résolution dans la compréhension, le pardon et l'amour.

— On n'a plus de temps à perdre, le cours de la vie est si rapide ! ajoute Samuel pour qui l'urgence d'être bon pour lui prévaut. Tu dis que ces drames circulent en nous constamment ? Sans que nous les détections ? Ils demeurent dans notre subconscient ?

— Je crois qu'il est plus juste de dire que des nuages d'inconscience bloquent l'accès à notre belle conscience universelle. Il s'agit d'absences temporaires, générées par notre ego protecteur. La vérité cause des bouleversements potentiels ; par exemple, si nous étions sensiblement avertis du nombre d'enfants mourant de faim dans le monde, il nous serait difficile de continuer à vivre de la même manière ! Et pourtant, cette réalité d'outremer nous affecte quotidiennement, sans que nous en mesurions l'impact réel, bien que l'augmentation du stress et de l'anxiété généralisée dans nos sociétés nanties ne soit pas innocente.

Ayant créé des amitiés avec de nombreux habitants de la planète lors de ses voyages, elle réitère son impression que nous sommes tous la myriade d'expressions étincelantes d'un seul grand Bassin universel. Nous sommes l'Un, relatent les écrits sanskrits. En replongeant dans la grande Matrice universelle grâce à une transe légère, il est simple d'y puiser la sagesse nécessaire pour éclairer notre chemin sur Terre. C'est le cadeau de l'Un à ceux qu'Il a créés afin de ne pas les laisser dans le doute et la solitude.

— Trop d'éclairage aveugle, poursuit-elle, et le monde bien rangé de plusieurs personnes serait très ébranlé de connaître la vérité sur le monde visible et invisible, au point de n'y pouvoir survivre. La conscience ouvre ses portes lorsque nous sommes prêts à recevoir les renseignements.

— Le maître apparaît lorsque l'élève est prêt, complète Samuel, heureux d'opiner en son sens. Tant de gens ne se remettent jamais en cause. De plus, ces gens rejettent leurs fautes sur les autres. Ils font partie du Club des Los Tacos, comme on dit en bon québécois : « 'Là, c't'à cause' que ci ou ça m'est arrivé que je n'aie pu ci ou ça... bla, bla, bla. » Une profusion d'excuses pour éviter les changements et l'engagement à notre humanité !

Maude rit de bon cœur à cette blague, mais est très sensible à cette difficulté de se débarrasser des sentiments de culpabilité. Ce qu'on en tricote des couches d'oignons pour éviter de pleurer ! Quelle prison, quel poison ! L'ego souffre que le monde ne soit pas conforme à ses exigences. Il est là pour protéger l'identité de son personnage. Il est loin d'adopter une pensée intégrale.

— Tant qu'on n'accepte pas les choses telles qu'elles sont, tant qu'on veut que les choses soient telles que notre mental exige qu'elles soient, on demeure rigide dans nos convictions sociales, religieuses, ou autres. Et quand on constate que la réalité n'y correspond pas, alors on tombe dans la dépression, dans l'angoisse, le doute, les reproches, ou le contrôle, dans les systèmes de défense qui retardent l'accès à notre belle conscience.

— Ouais, ça, j'ai bien vu. Dans cet espace de fantaisie, l'autre matin, j'ai réussi pendant quelques minutes, à faire taire mon mental et je me suis senti connecté avec ma sagesse intérieure. J'ai bien aimé le feeling. Mais ce n'est pas évident de contourner notre inconscience. Tu sais comment toi ?

— En acceptant simplement notre responsabilité, Sam.

— Ah, voilà exactement ce dont il est question ! Je le savais ! J'ai longtemps eu peur de faire face à mes obligations. Je ne voulais pas d'engagements. Et je suis certain de ne pas en désirer aujourd'hui. J'assume ma réalité. J'assume mon célibat. Je m'aime ainsi. À bas le sentiment de culpabilité !

En cela, Samuel se flatte d'être au volant du véhicule ! Il réactive l'idée de bifurquer de leur trajet rectiligne pour batifoler dans les champs ! Comme une confirmation de sa transformation, car il provoquera intentionnellement cette occasion, ironise-t-il. *C'est en prenant la direction de ma route*, se dit-il, *que je ressentirai le succès de mes actions. Eh oui, je ferai le chemin de retour en autostop.*

— En ces derniers millénaires historiques, poursuit Maude sur ce sujet qui est au cœur de sa pratique, des inquisiteurs torturent d'autres êtres, les humilient, les rejettent, simplement parce qu'ils ne cadrent pas dans une norme sociale. Les victimes comme les bourreaux se cachent pour survivre et n'affichent pas un comportement intègre. Regarde, même chez les jeunes dans nos écoles, combien d'enfants en mal de pouvoir font du harcèlement envers ceux qui sont perçus comme différents ! Combien d'autres personnes recherchent inconsciemment à être protégés en prenant un rôle de souffre-douleur ?

— Maude, tu sais bien que ces jeunes manipulateurs ont pu eux-mêmes subir des traumatismes avant de les réactiver. Et que les enfants esseulés ne possèdent simplement pas les habiletés sociales qu'on ne leur a pas enseignées ! Il ne faut pas leur en vouloir. C'est l'histoire de l'humanité, celle des bons et des méchants. La douleur se perpétue par maladresse, quoi !

— Ah ah ! Pas de clivage Sam. Voici le point : tu as été de ces hommes et ces femmes qui ont torturé, trahi et rejeté... autant que ceux qui ont vécu ce que d'autres leur ont fait subir. Dis-toi bien que si tu vis, par exemple, de l'abandon aujourd'hui, ce n'est possiblement qu'une miette de ce que tu as fait aux autres dans d'autres vies.

— Aïe ! Pas moi !

— Bien voilà ! Tu comprends maintenant pourquoi tu n'accèdes pas aux souvenirs tes vies multiples ! Le « Pas moi ! » est un paravent derrière lequel ton ego se cache pour ne pas être jugé.

— Maude... est-ce que je t'entends dire que tu crois aux vies antérieures ?

— Que ce concept convienne à Nathalie et Elijah, c'est parfait pour eux. Ça les rend heureux. Ils se comprennent. Pour ma part, que ces vies passées soient celles de notre âme ou des multiples facettes de l'Un, peu importe dans le fond. Ce dont je suis convaincue, c'est que nous portons l'intensité émotive de personnages qui projettent dans le flou de notre inconscience plus de peurs et de comportements compensatoires qu'une seule existence ne peut en endurer. Comme l'indiquent les ombres de la caverne dans le mythe raconté par Platon, il existe quelque chose au-delà de la perception qu'on n'arrive à identifier que si l'on sort de notre cachette. Tu vois? Nous devons oser l'investigation.

Avec scepticisme, la psychothérapeute se demande si un jour, le monde scientifique se penchera sur la complémentarité des vies intérieures. Évacuant ainsi la croyance en des vies antérieures... et donc des vies ultérieures. Et soulignant alors la préciosité et l'unicité du présent.

Si le temps formel n'existe pas en deçà de la vie atomique, l'existence est déjà passée autant que future! Ainsi lorsqu'on se situe ailleurs que dans le présent, on risque de confondre l'expérience du soi et celle des autres en plongeant dans l'univers vertigineux du Tout.

Étant donné qu'elle pense ne jamais avoir de certitudes, toutes les possibilités demeurent ouvertes. Pour l'instant, elle opte pour la logique de l'indivisibilité de concepts immatériels telles les âmes et l'énergie vitale. Les canevas de vies multiples lui apparaissent comme des paraboles fonctionnelles permettant de déchiffrer les comportements actuels. Un concept comblant les angles morts de l'entendement; de la même façon que le cerveau fournit les tracés manquant à une figure géométrique incomplète; comme on peut lire un texte dont les lettres sont mélangées à l'intérieur de mots pourvu que les premiers et derniers indices y soient inscrits. Le cerveau a besoin de créer du sens pour éviter la confusion mentale et l'angoisse. Une mythologie appartenant à l'histoire de l'être humain que ce karma, idéologie pourtant rassembleuse, offrant sur un plateau d'or une perspective à l'évolution humaine. Mais si évolution il y a, celle-ci ne serait pas individuelle. Pas plus logique dans le fond que le sexe des anges ou la résurrection des corps à la fin des temps! Cette notion d'espoir en une condition meilleure grâce au cumul de bonnes actions constitue l'apanage de nombreuses religions, sans que les preuves de cette affirmation soient au rendez-vous ! Seule la persistance de la conscience et de sa voix intuitive trouve un fondement valable à la foi qui guide le sens du courant.

Samuel ne cède plus à ses craintes. Il a assumé son besoin d'autonomie en alliance avec celui de complicité. Il conçoit qu'il est possible de prendre soin de soi, tout en respectant les besoins des autres, sans les prendre en charge. Il remercie le Sage rencontré en lui.

— Disons que j'ai eu l'occasion ces derniers jours de réfléchir quelque peu là-dessus ! On ne contrôle pas constamment ce qui se présente à nous, mais oui, accepter les événements tels qu'ils sont me semble constituer une sérieuse option sur le bonheur ! Crois-tu que Nathalie s'en sortira pour le mieux ?

Dans l'esprit de Maude, l'image de son amie et d'Elijah sur un portique d'une demeure sudiste est projetée en boucle. Prémonition ? Transfert d'une félicité dont elle aimerait éventuellement être la lauréate ? Peut-être. Il y a parfois de ces pressentiments dont on ne connaît pas la provenance et qui dépeignent la réalité telle qu'on la ressent profondément. Si son amie trouvait enfin l'amour auprès d'un homme qui lui permettrait de réaliser ses rêves dans le plus profond de son être, tant mieux ! Toute entrave à ce bonheur n'apporterait que contraintes et maladies. Nathalie est assez sensible pour entériner ce bien-être, quel qu'en soit le prix conventionnel.

— Elle nous a dit que déjà, elle ressent un changement : ses relations sont interprétées à travers des sentiments de compassion, en contrepoids à un sentiment d'injustice qui la hantait déjà dans son enfance. Sentiment qui l'a menée à étudier en droit et probablement à régler moult situations où l'iniquité prévalait. Il faut croire qu'elle devait passer par ce qu'elle a vécu pour en prendre conscience, par exemple un divorce tumultueux il y a dix ans, pour comprendre qu'il ne sert à rien de lutter. Nathalie entre au service de son destin avec la mansuétude nécessaire à son travail. Qu'importe le résultat des démarches légales, a-t-elle précisé, seule compte la relation, avec l'autre, avec soi. C'est ce qu'elle a compris.

— Va-t-elle poursuivre sa relation avec Carlos ? Sont-ils réconciliables ?

Euh... L'attention de Maude est déconcentrée par l'idée de se diriger vers Sedona à la sortie de l'État de Floride, se demandant surtout si sa relation avec Sam en sera préservée ! Elle désire trouver dans l'atelier auquel elle est inscrite des réponses inédites aux barrières que crée le mental. Sans être en dissension avec son compagnon de route comme le démontraient Carlos et Nathalie, la routine conjugale n'exerce pas d'attrait chez elle. Heureusement que malgré des allusions occasionnelles à la revoir au retour, Samuel ne semble plus bousculer la relation vers un engagement éventuel.

— Avec Carlos ? Je crois que dorénavant, Nathalie laissera son senti la conseiller, plus que sa tête, ou que toute clairvoyante, par ailleurs ! Comme elle est plus proche d'elle-même, à l'écoute de sa voie intérieure, elle cherchera à développer son être, plus que son faire. Est-ce que la constance d'une relation avec Carlos va favoriser l'éclosion de sa spiritualité, celle qui donnera un sens à sa vie ? C'est à elle d'en décider ! Remarque qu'elle a aussi le droit de ne pas aller plus loin. Et toi, qu'en penses-tu ?

— Elle m'a posé cette question au bord de la rivière. Je lui ai répondu comme on tente de rassurer quelqu'un en tenant peu compte de la réalité. En fait, après avoir constaté que Carlos ne se sent pas compris, ni bien accompagné par elle, je crois que c'est lui qui mettra un terme à leur relation, trop exigeante pour lui. Cet homme est plus rationnel qu'intuitif, et ses démarches pour un monde meilleur ne sont pas « sa tasse de thé », selon l'expression de notre charmante amie.

Maude fixe Samuel, intriguée, parce qu'elle croit qu'il n'a pas posé la question qui le tracasse sincèrement.

— En fait, je croyais que tu me demandais s'il y aurait une suite à la relation entre… Nat et Elijah. *Ou entre toi et moi*, n'ose-t-elle pas avancer.

— Le sort de Carlos me préoccupe davantage. Un couple ne peut-il pas passer à travers de fortes émotions ? Nathalie semble si heureuse de cet aboutissement. Leur relation pourrait en bénéficier.

— C'est pourtant fréquent. Peu de couples passent à travers de grandes épreuves. Il faut être capable d'aimer très fort pour tolérer que l'autre décroche du couple et vivre une déstabilisation émotive. D'autant plus que l'un des deux risque d'être changé par l'événement.

— Comme ?

— Comme la mort d'un enfant, l'infidélité, la perte d'une capacité physique. Ou une grande aventure qui ne les concernerait pas tous deux. Tout cela détruit l'équilibre que le couple avait établi de façon sclérosée.

— Je t'avertis, je ne crois pas que j'accepterais l'infidélité, dégaine rapidement Samuel. C'est l'intimité bafouée. Je suis vieux jeu à ce sujet.

— À quelques autres aussi !

Samuel est surpris par cette réplique. Il se trouvait assez « cool » jusque-là. Toutefois, il se rappelle que les héroïnes de ses romans choisissaient la frivolité comme les pigeons leur statue. Maude se chauffe-t-elle de ce bois ?

— Quelque chose de spécifique à ressasser ?

Les relations écourtées, elle connaît. Comment prendra-t-il son intention de poursuivre le voyage vers Sedona ? Elle ne veut pas le froisser, mais elle imagine à l'avance qu'il désire retourner à ses clients, son chien et son appartement. Est-elle en train de le repousser pour terminer l'aventure isolément? Pourtant, elle l'aime bien...

— Pas le temps de ces discussions quand tu es au volant! dit-elle commodément. As-tu pensé... et je ne crois pas que Nathalie le voit sous ce travers, mais si les vies antérieures existent... Elijah serait l'arrière-arrière-petit-fils de Rose, donc de Nathalie... Donc son descendant! Pourra-t-on parler d'inceste selon toi?

— Bonne question pour les éthiciens du futur! Mais tu me taquines... Imagine le nombre de personnes qui se sont connues dans des vies antérieures et qui sont aujourd'hui reliées! Même en ce qui nous concerne... nous sommes-nous déjà rencontrés? D'ailleurs, dis-moi : selon toi qui investigues ces délires, avons-nous un karma à régler?

— Il faudra creuser cela! Mon karma, ton karma... est-ce qu'on s'aligne vers une idylle catastrophique?

— Dans ce cas, Maude, je préfère débarquer sur le champ! dit-il en blaguant, sachant fort bien qu'il prépare en effet son délestage.

Tous deux se taisent là-dessus, pensifs. Samuel ne veut pas la quitter sur une dissension, car il veut préserver leur amitié. Mais déjà de nombreuses modulations dans le quotidien marquent la journée et font vaciller leur sensibilité réciproque. Quelle musique joue-t-on dans le lecteur audio... dans quel type de restaurants s'arrête-t-on... a-t-on le goût de se revoir dans un autre contexte?

Compter les étoiles dans les bras de celui ou celle qui fait battre notre cœur, qu'y a-t-il de plus merveilleux pour ancrer le bonheur? Sentir nos pensées s'envoler vers l'être aimé à chaque virage, n'est-ce pas enchanteur? Manger, dormir, simplement s'asseoir aux côtés de la personne qui cause en nous des élans de gratitude, que désirer de mieux ? Les deux voyageurs auraient pu se retrouver côte à côte, comme Adam et Ève ayant un monde à créer. Mais ils ne se chauffent pas de ce bois. Car lorsqu'on fait face à la vérité, celle que la flamme vacille, que quelques embûches font obstacle au flot de ces petits pardons nécessaires à l'entretien de l'étincelle amoureuse, la barre se redresse difficilement.

— Quelle aventure tout de même ! lance Samuel.

— Tout de même ? répète une Maude creusant sous les mots. Ces compromis du quotidien ont-ils nui à la lune de miel qui aurait dû précéder ce premier voyage empreint d'incertitudes ? Leur attirance amoureuse suffira-t-elle à préserver l'amitié qui se profile ? Ou sont-ils simplement amoureux de l'amour ?

Samuel est sensible à son regard inquisiteur. Il préfère la voir décontractée, appréciant le côté dynamique de son amie. Par ailleurs, il a noté tant de fossés dans le désir d'intimité chez Maude.

— T'inquiètes-tu pour nous ou pour ton amie, cette fois-ci ?

— Ai-je des raisons de m'inquiéter ?

— Pas si tu continues Maude à être la merveilleuse personne avec qui je discute actuellement !

Accepteras-tu que je ne poursuive pas le voyage en ta compagnie ? formule-t-il intérieurement afin de lui glisser tout à l'heure une mélodie qui devra glisser dans son oreille, comme de l'eau sur le parapluie de son indépendance.

— Attends-toi à creuser toi aussi les fondements de ton âme. Avec moi comme amie, tu n'auras pas de répit avant d'être en complète harmonie avec toi-même.

— Tu t'attends, j'espère, à ce que je te donne la réplique de ce côté ? savoure Samuel. Car une femme de défis, a-t-il appris, attend de son homme qu'il la soutienne.

— Ce n'est pas une espérance. L'espoir implique le doute. C'est le langage des gens incertains de leur destin. Quand on entend l'expression « rester sur un doute », le langage populaire exprime bien qu'on s'assoit sur sa position originale. Je préfère une certitude au flou de l'ambiguïté. Eh oui, je n'attends rien de moins de toi !

Malgré l'opinion de Maude sur l'espérance ou l'espoir, qu'importe, Samuel espérait tout de même la revoir. Le besoin d'avoir raison de sa compagne l'agaçait, mais il agréait à une façon originale d'exprimer sa volonté. Quant à lui, il se sentirait maître de ce qui se présenterait.. N'a-t-il pas lu parmi les bouquins des filles cette phrase de Ram Dass : « Je vois la vie comme une série interrompue d'occasions de m'éveiller. » Les événements l'avaient fait cheminer quant à cette notion dont il était tenant : aujourd'hui, il était certain de favoriser un choix de havres bienveillants, peu tumultueux.

— Nous voilà relancés sur la conversation des attentes mutuelles ! répond-t-il à Maude.

— Que disais-tu sur la terrasse de la rue Cordova, Sam ? L'amour est le chemin qui suit la première rencontre... Et si les routes divergeaient sur de courtes distances, la relation peut-elle survivre selon toi ? Tu veux prendre une pause pour jaser ?

— Oui, je crois que nous devons clarifier nos attentes... sans plus attendre !

« *Somewhere over the rainbow* » jouait à la radio, chanté par le sympathique et regretté chanteur hawaïen Israël Kamakawiwo'ole. Quelque part au-dessus des nuages, le ciel t'invite à réaliser tes rêves, suggère la chanson.

— Tiens, pas de hasard Maude ! Rien ne nous presse assez pour ne pas faire l'amour une dernière fois sous les tropiques ! suggère Samuel préférant parler à Maude de son projet dans un contexte romantique. Avant de prévoir l'avenir, créons le présent! Nous pourrons convenir du trajet en nous délectant le palais d'un rosé bien frais.

Interprétant comme un consentement acquis le regard brillant de sa compagne, Samuel vire le volant vers la Route 1 et longeant le bord de mer, il choisit une route secondaire. Sur un terrain vague au-dessus duquel virevoltent une douzaine de goélands glapissants, il gare la roulotte et sort une douillette qu'il dépose soigneusement entre les foins de mer et les galets chauffés par l'ardeur de l'astre solaire. Il prend le temps de savourer cet instant d'éternité et de bonheur mutuel. Dans les bras l'un de l'autre, ils trouvent les mots et les gestes pour partager un plaisir infini, celui où les corps se mêlent et exultent dans la passion de vivre.

***

À Sedona, douze personnes sortirent du tipi au milieu duquel Maude avait chanté, médité et trouvé le courage pour l'action qu'elle allait entreprendre, soit de marcher sur des braises le long d'un couloir incandescent de trois mètres de long. Depuis des millénaires, des êtres humains, étonnés eux-mêmes de ce prodige, osent s'exécuter pour contrer la peur de la mort.

Ce défi, elle l'avait imaginé comme un passage obligé pour cesser de craindre l'incontrôlable humeur des relents du sentiment d'abandon. Sur la route conduisant son motorisé vers l'ouest, la romancière tisse le fil de son prochain roman ; une nouvelle page de son aventure s'écrira sur ce foyer générateur des paradoxes de la vie : celui du feu qui consume, et, comme le phénix qui renaît de ses cendres, il apporte le renouveau grâce à la persistance de sa destinée. Du moins, c'est ce qu'elle croyait qui se passerait... car les événements portés par les vents de l'Intention créatrice n'adviennent jamais tels qu'on s'y attend!

Table des matières